KUNSTWISSENSCHAFTEN

HEINER
MÜLLER
MATERIAL

Texte und Kommentare

1990

Reclam-Verlag Leipzig

Herausgegeben von Frank Hörnigk
Mit 12 Abbildungen

ISBN 3-379-00453-7

© Reclam-Verlag Leipzig 1989 (für diese Ausgabe)
Rechtsnachweise der Texte von Heiner Müller s. Quellenverzeichnis. Die Rechte an den Kommentaren gehören dem Reclam-Verlag Leipzig

Reclam-Bibliothek Band 1275
2. Auflage
Umschlaggestaltung: Grischa Meyer unter Verwendung eines Porträtfotos und einer „Kritzelei" von Heiner Müller
Lizenz Nr. 363. 340/117/90 · LSV 8010 · Vbg. 15,7
Printed in the German Democratic Republic
Grafischer Großbetrieb Völkerfreundschaft Dresden
Gesetzt aus Garamond-Antiqua
Bestellnummer: 661 4315
DDR 5,50 M

Dieser Band ist dem 60. Geburtstag Heiner Müllers gewidmet. Daraus ergibt sich sein Anspruch: Arbeitshaltungen, Positionsbestimmungen, die Chancen eines Dialogs zu prüfen. Den Maßstab bilden Müllers eigene Texte.

In einem Zeitraum von mehr als 30 Jahren entstanden, dokumentieren sie wesentliche Zusammenhänge eines anhaltenden künstlerischen wie theoretischen Selbstverständigungsprozesses. Seine Entwürfe sind offen – weisen über sich selbst hinaus. Für den Leser könnte das die Erfahrungen mit dem bisher vorliegenden Werk in wichtigen Punkten erweitern helfen. Die in ihm enthaltenen Angebote genauer wahrzunehmen, das heißt vor allem für die eigene Gesellschaft bewußter erkennen zu können, war die Überlegung, Heiner Müller hier vor allem auch durch seine eigenen Arbeiten zu ehren.

Die daneben veröffentlichten Beiträge der Literatur- und Theaterwissenschaft bezeugen die Wirkung Müllers weit über die Grenzen der DDR hinaus – und sie bezeugen die verschiedenen Möglichkeiten, Zugänge zu ihm zu finden. Es sind Annäherungen, die die Signaturen der unterschiedlichen sozialen Erfahrungen und theoretischen Überzeugungen, der besonderen Rezeptionsbedingungen ihrer Autoren ebenso zum Ausdruck bringen, wie sie die darin auch enthaltenen gemeinsamen Erfahrungen kenntlich machen. Vielleicht können die Beiträge damit zur Probe eines Dialogs werden, wie ihn Heiner Müller als anzustrebendes Kommunikationsmodell für sich selbst vorgegeben hat; Arbeit an einem *universellen Diskurs, der nichts und niemanden ausschließt.*

Berlin, April 1988   *Frank Hörnigk*

HEINER MÜLLER TEXTE

DER GLÜCKLOSE ENGEL. Hinter ihm schwemmt Vergangenheit an, schüttet Geröll auf Flügel und Schultern, mit Lärm wie von begrabnen Trommeln, während vor ihm sich die Zukunft staut, seine Augen eindrückt, die Augäpfel sprengt wie ein Stern, das Wort umdreht zum tönenden Knebel, ihn würgt mit seinem Atem. Eine Zeit lang sieht man noch sein Flügelschlagen, hört in das Rauschen die Steinschläge vor über hinter ihm niedergehn, lauter je heftiger die vergebliche Bewegung, vereinzelt, wenn sie langsamer wird. Dann schließt sich über ihm der Augenblick: auf dem schnell verschütteten Stehplatz kommt der glücklose Engel zur Ruhe, wartend auf Geschichte in der Versteinerung von Flug Blick Atem. Bis das erneute Rauschen mächtiger Flügelschläge sich in Wellen durch den Stein fortpflanzt und seinen Flug anzeigt.

1958

Bildbeschreibung

Eine Landschaft zwischen Steppe und Savanne, der Himmel preußisch blau, zwei riesige Wolken schwimmen darin, wie von Drahtskeletten zusammengehalten, jedenfalls von unbekannter Bauart, die linke größere könnte ein Gummitier aus einem Vergnügungspark sein, das sich von seiner Leine losgerissen hat, oder ein Stück Antarktis auf dem Heimflug, am Horizont ein flaches Gebirge, rechts in der Landschaft ein Baum, bei genauerem Hinsehn sind es drei verschieden hohe Bäume, pilzförmig, Stamm neben Stamm, vielleicht aus einer Wurzel, das Haus im Vordergrund mehr Industrieprodukt als Handwerk, wahrscheinlich Beton: ein Fenster, eine Tür, das Dach verdeckt vom Laubwerk des Baumes, der vor dem Haus steht, es überwachsend, er gehört einer andern Spezies an als die Baumgruppe im Hintergrund, sein Obst ist augenscheinlich eßbar, oder geeignet, Gäste zu vergiften, ein Glaspokal auf einem Gartentisch, halb noch im Schatten der Baumkrone, hält sechs oder sieben Exemplare der zitronenähnlichen Frucht bereit, aus der Position des Tisches, ein grobes Stück Handarbeit, die gekreuzten Beine sind unbehauene junge Birkenstämme, kann geschlossen werden, daß die Sonne, oder was immer Licht auf diese Gegend wirft, im Augenblick des Bildes im Zenit steht, vielleicht steht DIE SONNE dort immer und IN EWIGKEIT: daß sie sich bewegt, ist aus dem Bild nicht zu beweisen, auch die Wolken, wenn es Wolken sind, schwimmen vielleicht auf der Stelle, das Drahtskelett ihre Befestigung an einem fleckig blauen Brett mit der willkürlichen Bezeichnung HIMMEL, auf einem Baumast sitzt ein Vogel, das Laub verbirgt seine Identität, es kann ein Geier sein oder ein Pfau oder ein Geier mit Pfauenkopf, Blick und Schnabel gegen eine Frau gerichtet, von der die rechte Bildhälfte beherrscht wird, ihr Kopf teilt den Gebirgszug, das Gesicht ist sanft, sehr jung, die Nase überlang, mit einer Schwellung an der Wurzel, vielleicht von einem Faustschlag, der Blick auf den Boden gerichtet, als ob er ein Bild nicht vergessen kann und oder ein andres nicht sehen will, das Haar lang und strähnig, blond oder weißgrau, das harte Licht macht keinen Unterschied, die Kleidung ein löchriger Fellmantel, geschnitten für breitere Schultern, über einem fadenscheinig dünnen Hemd, wahrscheinlich aus Leinen, aus dem an einer Stelle ausgefransten zu weiten rechten Ärmel hebt ein gebrechlicher Unterarm eine Hand auf die Höhe des Herzens bzw. der linken Brust, eine Geste der Abwehr oder aus der Sprache der Taubstummen, die Abwehr gilt einem bekannten Schrecken, der Schlag Stoß Stich ist geschehn, der Schuß gefallen, die Wunde blutet nicht mehr, die Wiederholung trifft ins Leere, wo die Furcht keinen Platz hat, das Gesicht der Frau wird lesbar, wenn die zweite Annahme stimmt, ein Rattengesicht, ein Engel der Nagetiere, die Kiefer mahlen Wortleichen und Sprachmüll, der linke Mantelärmel hängt in Fetzen wie nach einem Unfall oder Überfall von etwas Reißendem, Tier oder Maschine, merkwürdig, daß der Arm nicht verletzt worden ist, oder sind die braunen Flecken auf dem Ärmel geronnenes Blut, gilt die Geste der langfingrigen rechten Hand einem Schmerz in der linken Schulter, hängt der Arm so schlaff im Ärmel, weil er gebrochen ist, oder durch eine Fleischwunde gelähmt, der Arm ist am Handansatz vom Bildrand abgeschnitten, die Hand kann eine Klaue sein, ein (vielleicht blutverkrusteter) Stumpf oder ein Haken, die Frau steht bis über die Knie im Nichts, amputiert vom Bildrand, oder wächst sie aus dem Boden wie der Mann aus dem Haus tritt und verschwindet darin wie der Mann im Haus, bis die eine unaufhörliche Bewegung einsetzt, die den Rahmen sprengt, der Flug, das Triebwerk der Wurzeln Erdbrocken und Grundwasser regnend, sichtbar zwischen Blick und Blick, wenn das Auge ALLES GESEHN sich blinzelnd über dem Bild schließt, zwischen Baum und Frau weit offen das große einzige Fenster, die Gardine weht heraus, der Sturm scheint aus dem Haus zu kommen, in den Bäumen keine Spur von Wind, oder zieht die Frau den Sturm an, oder ruft ihn hervor mit ihrer Erscheinung, der auf sie gewartet hat in der Asche des Kamins, was oder wer ist verbrannt worden, ein Kind, eine andere Frau, ein Geliebter, oder ist die Asche ihr eigner wirklicher Rest, der Leib geborgt aus dem Fundus der Friedhöfe, der Mann in der Türöffnung, den rechten Fuß halb noch auf der Schwelle, den linken schon fest auf dem braunen grasfleckigen Boden, der von einer unbekannten Sonne ausgedörrt wird, hält in der rechten Hand am gestreckten Arm mit einem Jägergriff, da wo man den Flügel ausreißt, einen Vogel, die linke Hand, die mit überlangen krumm flatternden Fingern ausgestattet ist, streichelt das Gefieder, das die Todesangst gesträubt hat, der Schnabel des Vogels ist aufgerissen zu einem für den Betrachter lautlosen Schrei, stumm auch für den Vogel im Baum, er interessiert sich nicht für Vögel, das Skelett seines Artgenossen an der schwarzgeäderten Innenwand, durch das Fensterviereck sichtbar, das er von seinem Platz im Baum nicht sehen kann, hätte für ihn keine Botschaft, der Mann lächelt, sein Schritt ist beschwingt, ein Tanzschritt, nicht auszumachen, ob er die Frau schon gesehn hat, vielleicht ist er blind, sein Lächeln die Vorsicht des Blinden, er sieht mit den Füßen, jeder Stein, an den sein Fuß stößt, lacht über ihn, oder das Lächeln des Mörders, der an die Arbeit geht, was wird geschehn an dem kreuzbeinigen Tisch mit dem vollen Fruchtpokal und dem umgestürzten zerbrochenen Weinglas, in dem noch der Rest einer schwarzen Flüssigkeit schwappt, die auf dem Tisch und über den Rand tropfend breiter auf dem Boden unter dem Tisch in Lachen sich ausbreitet, der hochlehnige Stuhl davor hat eine Besonderheit: seine vier Beine sind in halber Höhe mit einem Draht verbunden, wie um zu verhindern, daß er zusammenbricht, ein zweiter Stuhl liegt weggeworfen rechts hinter dem Baum, die Lehne abgebrochen, der Drahtschutz nur ein Z, kein Viereck, vielleicht ein früher Versuch der Befestigung, welche Last hat den Stuhl zerbrochen, den andern unfest gemacht, ein Mord vielleicht, oder ein wilder Geschlechtsakt, oder beides in einem, der Mann auf dem Stuhl, die Frau über ihm, sein Glied in ihrer Scheide, die Frau noch beschwert vom Gewicht der Graberde, aus der sie sich herausgearbeitet hat, um den Mann zu besuchen, des Grundwassers, von dem ihr Fellmantel trieft, ihre Bewegung ein sanftes Schaukeln zuerst, dann ein zunehmend heftiges Reiten, bis der Orgasmus den Rücken des Mannes gegen die Stuhllehne drückt, die krachend nachgibt, den Rücken der Frau gegen die Kante des Tisches, das Weinglas umstürzend, der mit Früchten beschwerte Pokal kommt ins Rutschen und, wenn die Frau sich nach vorn wirft, ihre Arme den Mann umklammern, seine Arme unter dem Fellmantel sie, er sich in ihrem, sie sich in seinem Hals verbeißt, mit dem Tisch knapp vor dem Rand wieder zum

Stehn, oder die Frau auf dem Stuhl, der Mann hinter ihr stehend, seine Hände Daumen an Daumen um ihren Hals gelegt, wie im Spiel zuerst, nur die Mittelfinger berühren sich, dann, wenn die Frau sich gegen die Stuhllehne bäumt, ihre Fingernägel in seine Armmuskeln krallt, ihre Hals- und Stirnadern hervortreten, ihr Kopf sich mit Blut füllt, das Gesicht blaurot einfärbend, ihr Beine zuckend gegen die Tischplatte schlagen, das Weinglas stürzt um, der Pokal kommt ins Rutschen, schließt der Würger den Kreis, Daumen an Daumen, Finger an Finger, bis die Hände der Frau von seinen Armen herabfallen und das leise Knacken des Kehlkopfes oder der Halswirbel das Ende der Arbeit anzeigt, vielleicht gibt unter dem wieder toten Gewicht jetzt, wenn der Mann seine Hände zurücknimmt, die Stuhllehne nach oder die Frau fällt nach vorn, mit dem blauroten Gesicht auf das Weinglas, aus dem die dunkle Flüssigkeit, Wein oder Blut, ihren Weg in den Boden sucht, oder rührt der ausgefranste Schatten am Hals der Frau unter dem Kinn von einem Messerschnitt her, die Fransen getrocknetes Blut aus der halsbreiten Wunde, schwarz mit verkrustetem Blut auch die Haarsträhnen rechts vom Gesicht, Spur des linkshändigen Mörders auf der Türschwelle, sein Messer schreibt von rechts nach links, er wird es wieder brauchen, es bauscht seinen Jackenstoff, wenn das zerbrochene Glas sich zusammensetzt aus den Scherben und die Frau an den Tisch tritt, am Hals keine Narbe, oder wird es die Frau sein, der durstige Engel, der dem Vogel die Kehle aufbeißt und sein Blut aus dem offenen Hals in das Glas gießt, die Nahrung der Toten, das Messer ist nicht für den Vogel, das Gesicht des Mannes hat bis in Augenhöhe die Farbe des Bodens, Stirn und sichtbare Hand, die andre verbirgt der Griff ins Gefieder, sind weiß wie Papier, bei der Arbeit im Freien scheint er Handschuhe zu tragen, warum im Augenblick des Bildes nicht, und etwas wie einen Hut gegen das heiße Gestirn, das die Landschaft bescheint und ihre Farben ausbleicht, was kann seine Arbeit sein, von dem vielleicht täglichen Mord an der vielleicht täglich auferstehenden Frau abgesehn, in dieser Landschaft, Tiere kommen nur als Wolken vor, mit keiner Hand zu greifen, der Vogel im Baum ist die letzte Reserve, ein Lockruf fängt ihn, überflüssig das Gras auszureißen, die SONNE, vielleicht eine Vielzahl von

SONNEN, verbrennt es, die Früchte des Vogelbaums sind schnell gepflückt, haben die flatternden Finger des Würgers das Stahlnetz um den flachen Gebirgszug gestrickt, aus dem nur eine papierweiße Bergkuppe noch ungeschützt herausragt, Schutz vor dem Steinschlag, der von den Wanderungen der Toten im Erdinnern ausgelöst wird, die der heimliche Pulsschlag des Planeten sind, den das Bild meint, Schutz mit einiger Aussicht auf Dauer vielleicht, wenn das Wachstum der Friedhöfe mit dem kleinen Gewicht des mutmaßlichen Mörders auf der Schwelle, des schnell verdauten Vogels im Baum, für sein Skelett hat die Wand Platz, seine Grenze erreicht hat, oder kehrt die Bewegung sich um, wenn die Toten vollzählig sind, das Gewimmel der Gräber in den Sturm der Auferstehung, der die Schlangen aus dem Berg treibt, ist die Frau mit dem heimlichen Blick und dem Mund wie ein Saugnapf eine MATA HARI der Unterwelt, Kundschafterin, die das Gelände sondiert, auf dem das Große Manöver stattfinden soll, das die ausgehungerten Knochen mit Fleisch überzieht, das Fleisch mit Haut, von Adern durchquert, die das Blut aus dem Boden trinken, die Heimkehr der Eingeweide aus dem Nichts, oder ist der Engel hohl unter dem Kleid, weil die schrumpfende Fleischbank unter dem Boden mehr Körper nicht hergibt, ein BÖSER FINGER, der von den Toten in den Wind gehalten wird gegen die Polizei des Himmels, Vorläuferin und WINDSBRAUT, die den natürlichen Feinden der Auferstehung im Fleisch den Wind ausspannt, den sie bewohnen, er weht als Sturm in die Falle, der Pfeil der Gardine zeigt auf die Frau, auch der Mörder vielleicht nur ein Toter im Dienst, die Vernichtung der Vögel sein (geheimer) Auftrag, der lässige Tanzschritt zeigt das baldige Ende der Arbeit an, vielleicht ist die Frau schon auf dem Rückweg in den Boden, schwanger von Sturm, dem Samen der Wiedergeburt aus der Explosion der Gebeine, Knochen und Splitter und Mark, der Vorrat an Wind markiert den Abstand der Teile, aus denen vielleicht, wenn nach der Umsiedlung der Atemluft das Erdbeben sie durch die Haut des Planeten sprengt, DAS GANZE sich zusammensetzt, die Begattung des Sterns durch seine Toten, das erste Signal die Wolken mit dem Drahtskelett, das in Wahrheit aus Nerven besteht, die den Knochen voraufgehn, bzw. aus Spinngeweben von Knochenmark, wie das Geflecht ohne sichtbare Wurzeln, das den Bungalow hinaufkriecht und den Innenraum schon bis an die Decke besetzt hat, oder das Drahtgewirr der Stühle, oder das Netz, das den Gebirgszug an den Boden nagelt, oder alles ist anders, das Stahlnetz die Laune eines nachlässigen Malstifts, der dem Gebirge die Plastik verweigert mit einer schlecht ausgeführten Schraffur, vielleicht folgt die Willkür der Komposition einem Plan, steht der Baum auf einem Tablett, die Wurzeln abgeschnitten, sind die andersartigen Bäume im Hintergrund besonders langstielige Pilze, Gewächs einer Klimazone, die Bäume nicht kennt, wie kommt der Betonklotz in die Landschaft, keine Spur von Transport oder Fahrzeug, ICH HABE DIR GESAGT DU SOLLST NICHT WIEDERKOMMEN TOT IST TOT, keine Schleifspur, aus dem Boden gestampft, vom HIMMEL gefallen, oder herabgelassen aus der nur von den Toten atembaren Luft mit einem Greifarm, der an einem festen Punkt in dem HIMMEL benannten Darüber bewegt wird, ist der Gebirgszug ein Museumsstück, Leihgabe aus einem unterirdischen Ausstellungsraum, in dem die Gebirge aufbewahrt werden, weil sie an ihrem natürlichen Ort den Tiefflug der Engel behindern, das Bild eine Versuchsanordnung, die Roheit des Entwurfs ein Ausdruck der Verachtung für die Versuchstiere Mann, Vogel, Frau, die Blutpumpe des täglichen Mords, Mann gegen Vogel und Frau, Frau gegen Vogel und Mann, Vogel gegen Frau und Mann, versorgt den Planeten mit Treibstoff, Blut die Tinte, die sein papiernes Leben mit Farben beschreibt, auch sein Himmel von Bleichsucht bedroht durch die Auferstehung des Fleisches, gesucht: die Lücke im Ablauf, das Andre in der Wiederkehr des Gleichen, das Stottern im sprachlosen Text, das Loch in der Ewigkeit, der vielleicht erlösende FEHLER: zerstreuter Blick des Mörders, wenn er den Hals des Opfers auf dem Stuhl mit den Händen, mit der Schneide des Messers prüft, auf den Vogel im Baum, ins Leere der Landschaft, Zögern vor dem Schnitt, Augenschließen vor dem Blutstrahl, Lachen der Frau, das einen Blick lang den Würgegriff lockert, die Hand mit dem Messer zittern macht, Sturzflug des Vogels, vom Blinken der Schneide angelockt, Landung auf dem Schädeldach des Mannes, zwei Schnabelhiebe rechts und links, Taumel und

Gebrüll des Blinden, Blut sprühend im Wirbel des Sturms, der die Frau sucht, Angst, daß der Fehler während des Blinzelns passiert, der Sehschlitz in die Zeit sich auftut zwischen Blick und Blick, die Hoffnung wohnt auf der Schneide eines mit zunehmender Aufmerksamkeit gleich Ermüdung schneller rotierenden Messers, blitzhafte Verunsicherung in der Gewißheit des Schrecklichen: der MORD ist ein Geschlechtertausch, FREMD IM EIGNEN KÖRPER, das Messer ist die Wunde, der Nacken das Beil, gehört die fehlbare Aufsicht zum Plan, an welchem Gerät ist die Linse befestigt, die dem Blick die Farben aussaugt, in welcher Augenhöhle ist die Netzhaut aufgespannt, wer ODER WAS fragt nach dem Bild, IM SPIEGEL WOHNEN, ist der Mann mit dem Tanzschritt ICH, mein Grab sein Gesicht, ICH die Frau mit der Wunde am Hals, rechts und links in Händen den geteilten Vogel, Blut am Mund, ICH der Vogel, der mit der Schrift seines Schnabels dem Mörder den Weg in die Nacht zeigt, ICH der gefrorene Sturm.

BILDBESCHREIBUNG kann als eine Übermalung der ALKESTIS gelesen werden, die das No-spiel KUMASAKA, den 11. Gesang der ODYSSEE, Hitchcocks VÖGEL und Shakespeares STURM zitiert. Der Text beschreibt eine Landschaft jenseits des Todes. Die Handlung ist beliebig, da die Folgen Vergangenheit sind, Explosion einer Erinnerung in einer abgestorbenen dramatischen Struktur.

1984

Bilder

Bilder bedeuten alles im Anfang. Sind haltbar. Geräumig.
Aber die Träume gerinnen, werden Gestalt und
   Enttäuschung.
Schon den Himmel hält kein Bild mehr. Die Wolke, vom
   Flugzeug
Aus: ein Dampf der die Sicht nimmt. Der Kranich nur
   noch ein Vogel.
Der Kommunismus sogar, das Endbild, das immer
   erfrischte
Weil mit Blut gewaschen wieder und wieder, der Alltag
Zahlt ihn aus mit kleiner Münze, unglänzend, von
   Schweiß blind
Trümmer die großen Gedichte, wie Leiber, lange geliebt
   und
Nicht mehr gebraucht jetzt, am Weg der vielbrauchenden
   endlichen Gattung
Zwischen den Zeilen Gejammer

                 auf Knochen der Steinträger glücklich

Denn das Schöne bedeutet das mögliche Ende der
   Schrecken.

1955

Artaud, die Sprache der Qual. Schreiben aus der Erfahrung, daß die Meisterwerke Komplicen der Macht sind. Denken am Ende der Aufklärung, das mit dem Tod Gottes begonnen hat, sei der Sarg, in dem er begraben wurde, faulend mit dem Leichnam. Leben, eingesperrt in diesen Sarg.
DAS DENKEN GEHÖRT ZU DEN GRÖSSTEN VERGNÜGUNGEN DER MENSCHLICHEN RASSE läßt Brecht Galilei sagen, bevor man ihm die Instrumente zeigt. Der Blitz, der das Bewußtsein Artauds gespalten hat, war Nietzsches Erfahrung, es könnte die letzte sein. Artaud ist der Ernstfall. Er hat die Literatur der Polizei entrissen, das Theater der Medizin. Unter der Sonne der Folter, die alle Kontinente dieses Planeten gleichzeitig bescheint, blühen seine Texte. Auf den Trümmern Europas gelesen, werden sie klassisch sein.

1977

Der Schrecken die erste Erscheinung des Neuen
Zu einer Diskussion über Postmodernismus in New York

1

Orpheus der Sänger war ein Mann der nicht warten konnte. Nachdem er seine Frau verloren hatte, durch zu frühen Beischlaf nach dem Kindbett oder durch verbotnen Blick beim Aufstieg aus der Unterwelt nach ihrer Befreiung aus dem Tod durch seinen Gesang, so daß sie in den Staub zurückfiel bevor sie neu im Fleisch war, erfand er die Knabenliebe, die das Kindbett spart und dem Tod näher ist als die Liebe zu Weibern. Die Verschmähten jagten ihn: mit Waffen ihrer Leiber Ästen Steinen. Aber das Lied schont den Sänger: was er besungen hatte, konnte seine Haut nicht ritzen. Bauern, durch den Jagdlärm aufgeschreckt, rannten von ihren Pflügen weg, für die kein Platz gewesen war in seinem Lied. So war sein Platz unter den Pflügen.

2

Die Literatur ist eine Angelegenheit des Volkes. (Kafka)

3

Schreiben unter Bedingungen, in denen das Bewußtsein von der Asozialität des Schreibens nicht mehr verdrängt werden kann. Schon Talent ist ein Privileg, Privilegien müssen bezahlt werden: der Eigenbeitrag zu seiner Enteignung gehört zu den Kriterien des Talents. Mit dem freien Markt fällt die Illusion von der Autonomie der Kunst, eine Voraussetzung des Modernismus. Die Planwirtschaft läßt die Kunst nicht aus, sie wird zurückgenommen in die soziale Funktion. Bevor sie aufhört Kunst zu sein (eine im Sinn von Marx borniere Tätigkeit), kann sie daraus nicht entlassen werden.

Inzwischen wird diese Tätigkeit auch in dem Land, aus dem ich komme, von Spezialisten ausgeübt, die dafür mehr oder weniger qualifiziert sind. Das Kulturniveau kann nicht erhöht werden, wenn es nicht verbreitert wird. Im Smog der Medien, der auch in dem Land, aus dem ich komme, den Massen die Sicht auf die wirkliche Lage nimmt, ihr Gedächtnis auslöscht, ihre Fantasie steril macht, geht die Verbreiterung auf Kosten des Niveaus. Im *Reich der Notwendigkeit* sind Realismus und Volkstümlichkeit zwei Dinge. Der Riß geht durch den Autor.

Ich stehe, was die Bedingungen meiner Arbeit angeht, zu Ihrer Fragestellung zunächst einmal quer. Polonius, der erste Komparatist in der dramatischen Literatur, ist nicht meine Rolle, am wenigsten in seinem Dialog mit Hamlet über das Aussehen einer gewissen Wolke, der am Elend des Vergleichens das wirkliche Elend von Machtstrukturen demonstriert. Der Zigeuner in dem Einakter von Lorca ist es leider auch nicht, der einen Vernehmungsoffizier der Guardia Civil mit sinnlos surrealistischen Antworten auf Polizeifragen nach Geburtsdatum, -ort, Namen, Familiennamen usw. in ein schreiendes Nervenbündel verwandelt.

Ich kann die Frage des Postmodernismus aus der Politik nicht heraushalten. Periodisierung ist Kolonialpolitik, solange Geschichte nicht Universalgeschichte, was Chancengleichheit zur Voraussetzung hat, sondern Herrschaft von Eliten durch Geld oder Macht. Vielleicht kommt in anderen Kulturen anders wieder, bereichert diesmal durch die technischen Errungenschaften der Moderne, was in den von Europa geprägten dem Modernismus voraufging: ein sozialer Realismus, der die Kluft zwischen Kunst und Wirklichkeit schließen hilft, die *Kunst ohne Anstrengung, mit der Menschheit auf Du,* von der Leverkühn träumt, bevor ihn der Teufel holt, eine neue Magie, heilend den Riß zwischen Mensch und Natur. Die Literatur Lateinamerikas könnte für diese Hoffnung stehn. Die Hoffnung garantiert für nichts: die Literatur der Arlt, Cortazar, Marquez, Neruda, Onetti ist kein Plädoyer für die Zustände auf ihrem Kontinent. Die guten Texte wachsen immer noch aus finsterm Grund, die bessre Welt wird ohne Blutvergießen nicht zu haben sein, das Duell zwischen Industrie und Zukunft wird nicht mit Gesängen ausgetragen, bei denen man sich niederlassen kann. Seine Musik ist der Schrei des Marsyas, der seinem göttlichen Schinder die Saiten von der Leier sprengt.

4

Die sieben Hauptzüge des Modernismus bzw. ihre postmo-
dernistische Variation in dem von Ihab Hassan formulierten
Steckbrief beschreiben New York so gut wie den Orpheus-
Mythos in der Version Ovids oder Becketts Prosa. Eine
Stadt, die sich aus ihrem Zerfall konstituiert. Ein Gebilde,
das aus seiner eignen Explosion besteht. Die Metropole des
Dilettantismus: Kunst ist was man will, nicht was man kann.
Eine elisabethanische Stadt: der Anschein von Wahl ist ein
Vorschein von Freiheit.
Warhol in Basel, Rauschenberg in Köln sind Ereignisse, im
Kontext von New York schrumpfen sie zu Symptomen. Das
Theater Robert Wilsons, so naiv wie elitär, infantiler Spit-
zentanz und mathematisches Kinderspiel, macht zwischen
Laien und Schauspielern keinen Unterschied. Ausblick auf
ein episches Theater, wie Brecht es konzipiert und nicht
verwirklicht hat, mit einem Minimum an dramaturgischer
Anstrengung und jenseits der Perversität, aus einem Luxus
einen Beruf zu machen. Die Wandbilder der Minderheiten
und die proletarische Kunst der Subway, anonym und mit
gestohlener Farbe, besetzen ein Feld jenseits des Marktes.
Vorgriff aus dem Elend der Unterprivilegierten in das *Reich
der Freiheit,* das jenseits der Privilegien liegt. Parodie der
Marxschen Projektion von der Aufhebung der Kunst in einer Gesellschaft, deren Mitglieder unter anderem auch
Künstler sind.

5

Solange Freiheit auf Gewalt gegründet ist, die Ausübung
von Kunst auf Privilegien, werden die Kunstwerke die Tendenz haben, Gefängnisse zu sein, die Meisterwerke Komplicen der Macht. Die großen Texte des Jahrhunderts arbeiten an der Liquidation ihrer Autonomie, Produkt ihrer
Unzucht mit dem Privateigentum, an der Enteignung, zuletzt am Verschwinden des Autors. Das Bleibende ist das
Flüchtige. Was auf der Flucht ist bleibt. Rimbaud und sein
Ausbruch nach Afrika, aus der Literatur in die Wüste. Lautréamont, die anonyme Katastrophe. Kafka, der fürs Feuer

schrieb, weil er seine Seele nicht behalten wollte wie Marlowes Faust: die Asche wurde ihm verweigert. Joyce, eine Stimme jenseits der Literatur. Majakowski und sein Sturzflug *aus den Himmeln der Dichtung* in die Arena der Klassenkämpfe, sein Poem *150 Millionen* trägt den Namen des Autors: *150 Millionen.* Der Selbstmord war seine Antwort auf das Ausbleiben der Signatur. Artaud, die Sprache der Qual unter der Sonne der Folter, der einzigen, die alle Kontinente dieses Planeten gleichzeitig bescheint. Brecht, der das Neue Tier gesehn hat, das den Menschen ablösen wird. Beckett, ein lebenslanger Versuch, die eigene Stimme zum Schweigen zu bringen. Zwei Figuren der Dichtung, in der Stunde der Weißglut verschmelzend zu einer Figur: Orpheus der unter den Pflügen singt, Dädalos im Flug durch die labyrinthischen Därme des Minotauros.

6

Literatur nimmt an der Geschichte teil, indem sie an der Bewegung der Sprache teilnimmt; die sich zuerst in den Jargons vollzieht und nicht auf dem Papier. In diesem Sinn ist sie *eine Angelegenheit des Volkes,* sind die Analphabeten die Hoffnung der Literatur. Arbeit am Verschwinden des Autors ist Widerstand gegen das Verschwinden des Menschen. Die Bewegung der Sprache ist alternativ: das Schweigen der Entropie oder der universale Diskurs, der nichts ausläßt und niemanden ausschließt. *Die erste Gestalt der Hoffnung ist die Furcht, die erste Erscheinung des Neuen der Schrecken.*

1979

Als Theoretiker interessieren mich Althusser und Poulantzas nicht. Ich brauche keine Staatstheorie. Ich weiß, wie
falsch das ist, weil diese Theorie aus einer Erfahrung
kommt, für die sie vielleicht richtig ist. Aber mich betrifft
das nicht, ich habe keinen Bedarf dafür. Sicher, es ist mein
Problem, daß meine Raster so groß, so grobmaschig sind,
daß da inzwischen viel zu viel durchfällt, daß mich z. B. die
Probleme der Mehrheit der Bevölkerung in der DDR oder
auch in der Bundesrepublik überhaupt nicht interessieren.
Das ist ein echtes Schreibproblem. Aber ich kann das nicht
ändern, das ist so. Das gehört vielleicht zum Gegenstand
der Arbeiten von Althusser: zu erklären, wie so etwas entsteht.

Mich interessiert der Fall Althusser als Stoff, nicht das Phä-
nomen. Althusser interessiert mich, wie mich Pasolini interessiert, der Fall Pasolini, oder, das klingt zunächst gewiß
merkwürdig, der Fall Gründgens – das Versagen von Intellektuellen in bestimmten historischen Phasen, das vielleicht
notwendige Versagen von Intellektuellen.
… ein stellvertretendes Versagen. Für mich ist das immer
wieder Hamlet, die Figur, die mich seit langem am meisten
interessiert hat. Wenn man diesen Kriminalfall oder diese
private Tragödie in einen historischen Kontext einzuord-
nen versucht, dann ist das ein dramatischer Stoff. Mir ist
aufgefallen, das was für mich als Stoff daran interessant ist,
habe ich schon geschrieben: im *„Hamlet"*. Deswegen könnte
ich, sprechen wir vom Handwerk, kein Stück über Althusser schreiben, im *„Hamlet"* steht schon alles drin.
Und dennoch interessiert mich der Fall Althusser. Ich
merke, daß ich mit dem Stoff nicht fertig bin. Ein Beispiel.
Freunde, Genossen in Italien, wollten eine Art Dokumentation zum Thema machen: Wie läßt sich oder wie läßt sich
nicht das Modell der Pariser Commune auf die Arbeits-
kämpfe in Italien anwenden – die Frage der Eroberung der
Macht durch die Arbeiterklasse. Das war sehr abstrakt und
sehr traditionell gedacht. Da gab es ein langes Hin und Her
und viele Gespräche, was man da, wie man das machen

könne. Ich war dabei und bin immer nur auf den einen Punkt gekommen, der mich interessierte. Als Szene gedacht: Da sitzt Marat in einem Flippersalon und versucht, den jungen Leuten das Flippern mies zu machen; er wird dann von der Corday erstochen, weil die gern flippern will. Das ungefähr wäre der Kern des Interesses an dem Stoff, jetzt. Was Marat sagt, muß nicht überfällig sein.

Nur will es niemand hören.

Warum? Weil es keine Antwort auf die Lebenserwartungen dieser Generation gibt, die dort flippert. Man kann ihr für ihre Lebenszeit keine Versprechungen auf ein besseres und differenzierteres Vergnügen als das Flippern machen. Jedes denkende Wesen hier weiß doch, daß es in seiner Lebenszeit hier keine Revolution geben wird. Sich dafür zu ,entscheiden', hätte also nur moralischen Wert …

Kinder und Kindeskinder –? Das zählt nicht mehr. Das könnte auch der Grund sein für Althussers Mord oder für Poulantzas' Selbstmord. Wer sich nicht isoliert fühlt, bringt sich nicht um. Solange man glaubt, man kann anderen etwas sagen, etwas tradieren über andere, wird man sich nicht umbringen. Bei meinen kurzen Aufenthalten in Frankreich habe ich immer den Eindruck gehabt, daß da noch ein relativ selbständiger akademischer Bereich ist, wo Theorie ein Wert an sich ist. Aber das hört im Moment auch auf. Das gab es sehr lange. Wahrscheinlich war 1968 ein Versuch, einen neuen Anfang zu setzen. Aber es war ein Endpunkt.

In Italien sieht man Kinder, die sieben Stunden lang vorm Fernseher sitzen und japanische Trickfilme sehen, gegen die die amerikanischen noch von faustischer Tiefe und von großem humanem Gehalt sind, es gibt ja immer noch einen Rest von Humor, dagegen sind die japanischen Filme so stupid, wie sie brutal sind. Wenn diese Kinder das ein paar Monate oder über Jahre gemacht haben, dann ist mit ihnen in diesem Leben nie mehr was anzufangen als das, was der Markt von ihnen will. Das ist es.

Geschichtsverlust – – Ich habe im Moment das Gefühl, daß auch bei mir eine Fluchtbewegung stattfindet. Ich weiß nicht, wie lange, wie weit die gehen wird. Im Augenblick interessiere ich mich sehr für meine Träume und versuche sie manchmal wenigstens zu notieren. Die Hauptarbeit, scheint mir, besteht darin, daß man seine Träume beim Schreiben einholt, was unmöglich ist. Man kann sie nie so präzise und zugleich so komplex notieren, wie man sie träumt. Das ist, von einer anderen Konzeption her gesehen, natürlich ein schlimmes Symptom. Aber ich werde es eine Weile versuchen.

Es gibt für mich ein unformulierbares Problem: Wenn ich versuche herauszufinden, warum Althussers Texte mich immer weniger interessieren als die von Foucault oder Baudrillard, dann deswegen, weil die Texte von Althusser für mich kaum einen Materialwert hatten. Weil er immer versucht hat, Probleme oder Fragen zu klären, von denen ich den Eindruck habe, daß ich sie mir schon lange nicht mehr stelle, ich sie nicht mehr relevant finde. Ich habe den Eindruck, kann das aber nicht belegen, weil ich viel zu wenig und nicht kontinuierlich gelesen habe, daß Althusser sich sehr erschöpft hat im Kampf mit Windmühlen. Man kann umgekehrt sicherlich sagen, daß Foucault und mehr noch die anderen, Baudrillard oder Lyotard, eher versucht haben, sich in Windmühlen zu verwandeln, damit sie nicht in diese Lage kommen. Wenn der Wind aussetzt, wird's da auch still.

Foucaults These vom Ende des bürgerlichen Intellektuellen.* – Ich fand den Text sehr einleuchtend. Das ist ein wichtiger Aspekt auch für den Fall Althusser: da der Intellektuelle kein Repräsentant mehr sein kann, kann er nur noch Symptom sein oder sich als Symptom zur Verfügung stellen – und als Dokument. Was Althusser passiert ist und Poulantzas, das ist eine Dokumentation. Sie haben sich dazu bekannt, sicher nicht bewußt, daß sie keine Repräsentanten mehr sind, sie sind Symptome. Und Material. Insofern ist dieser zynische Spruch an der Mauer gegenüber der Ecole Normale in Paris – ,Althusser wollte immer ein Handarbeiter sein' – nicht nur zynisch.

Ich glaube schon, daß die Jugendrevolten ein Moment von Hoffnung sind. In den Industriestaaten entstehen immer mehr Enklaven der Dritten Welt. Daß Westberlin die drittgrößte türkische Stadt ist, das finde ich ungeheuer wichtig.

* Siehe: Michel Foucault, *Der sogenannte Linksintellektuelle,* in: Alternative 119, Berlin 1978.

Deshalb ist das Sich-Beziehen auf die Dritte Welt (wie in Müllers jüngstem Stück „DER AUFTRAG") überhaupt nicht romantisch. Die Dritte Welt ist ja nicht nur in Afrika und Lateinamerika, die entsteht in Zürich und in Berlin und in Hamburg, so wie zunächst in New York und in Italien – die Parallelen USA/Italien werden ja immer auffälliger.

Ich habe seit Jahren überhaupt keine analytischen Impulse mehr. Es fällt mir schwer, dafür ein Interesse aufzubringen. In gewisser Weise ist ja Kunst eine blinde Praxis. Ich sehe da eine Möglichkeit: das Theater für ganz kleine Gruppen (für Massen existiert es ja schon längst nicht mehr) zu benutzen, um Phantasieräume zu produzieren, Freiräume für Phantasie – gegen diesen Imperialismus der Besetzung von Phantasie und der Abtötung von Phantasie durch die vorfabrizierten Klischees und Standards der Medien. Ich meine, das ist eine primäre politische Aufgabe, auch wenn die Inhalte überhaupt nichts mit politischen Gegebenheiten zu tun haben.

Bei Althusser und Poulantzas ist ein Punkt erreicht, wo ihre Begriffe nicht mehr greifen. Sie haben keine andere Sprache als ihre begriffliche und kein anderes Instrumentarium. Dann gibt es den Moment, wo sie merken, das greift überhaupt nichts mehr, keine Realität mehr.

Es ist zunächst ziemlich gleichgültig, wie oder woraus diese Freiräume für Phantasie gemacht werden, ob die Inhalte nun böse sind oder gutartig, das ist ziemlich gleichgültig. Es klingt schlimm und voluntaristisch: im Moment halte ich es für allein wichtig, daß überhaupt etwas entsteht in diesen Ordnungsstaaten. Auch wenn man gelegentlich Angst davor bekommt, wie sich das einfärbt. Sicher gibt es einen schicken Faschismus oder einen Chic des Faschismus gerade in der BRD oder in Frankreich. Aber auch das würde ich als Symptom dafür sehen, daß es Bedürfnisse gibt, die nicht mehr befriedigt werden, weder von der linken Theorie noch – und das ist das Positive – von der Amerikanisierung. Daß dazwischen Reserven sind, die nicht benutzt werden, die nicht aufgebraucht sind, Inseln der Unordnung. Die sind wichtig, und daß sie am Leben erhalten, gefüttert und vergrößert werden. Das Problem ist, sobald die Jugendlichen sagen können, was sie erreichen wollen, sind sie

schon paralysiert. Ich glaube, in allen diesen Industriege-
sellschaften ist das gar nicht anders denkbar. Solange eine
Kraft blind ist, ist sie eine Kraft. Sobald sie ein Programm,
eine Perspektive hat, kann sie integriert werden und gehört
dazu.

Die Funktion von Kulturpolitik ist, Ereignisse zu verhindern. Aber Leben ist, daß sich etwas ereignet, daß etwas
passiert. Und wenn nichts mehr passiert, dann ist es vorbei.
Das ist der Punkt, wo die Systeme lebensfeindlich werden,
wo auch das Denken, das begriffliche Denken, lebensfeindlich wird. Und insofern komme ich wieder auf den zynischen Satz vom ‚Handarbeiter': Das erste Ereignis im Leben
von Althusser war die Ermordung seiner Frau. Das spricht
allerdings gegen seine Biographie als Denker, als Theoretiker.

1981

> *Ich scheiße*
> *auf die Ordnung der Welt*
> *Ich bin*
> *verloren*

Das Ausbleiben der bürgerlichen Revolution in Deutschland ermöglichte zugleich und erzwang die Weimarer Klassik als Aufhebung der Positionen des Sturm und Drang. Klassik als Revolutionsersatz. Literatur einer besiegten Klasse, Form als Ausgleich, Kultur als Umgangsform mit der Macht und Transport von falschem Bewußtsein. Goethes bewußte Entscheidung gegen die hungernden Weber von Apolda für die Jamben der Iphigenie ist paradigmatisch. Das vielleicht folgenreichste Unglück in der neueren Geschichte war das Scheitern der proletarischen Revolution in Deutschland und ihre Abwürgung durch den Faschismus, seine schlimmste Konsequenz die Isolierung des sozialistischen Experiments in der Sowjetunion auf ein Versuchsfeld mit unentwickelten Bedingungen. Die Folgen sind bekannt und nicht überwunden. Die Amputation des deutschen Sozialismus durch die Teilung der Nation gehört nicht zu den schlimmsten. Die DDR kann damit leben.

Für Brecht bedeuteten die Austreibung aus Deutschland, die Entfernung von den deutschen Klassenkämpfen und die Unmöglichkeit, seine Arbeit in der Sowjetunion fortzusetzen: die Emigration in die Klassizität. Die Versuche 1–8 enthalten, was die mögliche unmittelbar politische Wirkung angeht, den lebendigen Teil seiner Arbeit, den im Sinn von Benjamins Marxismusverständnis theologischen Glutkern. Hollywood wurde das Weimar der deutschen antifaschistischen Emigration. Die Notwendigkeit, über Stalin zu schweigen, weil sein Name, solange Hitler an der Macht war, für die Sowjetunion stand, erzwang die Allgemeinheit der Parabel. Die von Benjamin referierten Svendborger Gespräche geben darüber Auskunft. Die Situation der DDR im nationalen und im internationalen Kontext bot in Brechts Lebenszeit keinen Ausweg aus dem klassischen Dilemma.

Zu den Svendborger Gesprächsthemen von Brecht und Benjamin gehört Kafka. Zwischen den Zeilen Benjamins steht die Frage, ob nicht Kafkas Parabel geräumiger ist, mehr Realität aufnehmen kann (und mehr hergibt) als die Parabel Brechts. Und das nicht obwohl, sondern weil sie Gesten ohne Bezugssystem beschreibt / darstellt, nicht orientiert auf eine Bewegung (Praxis), auf eine Bedeutung nicht reduzierbar, eher fremd als verfremdend, ohne Moral. Die Steinschläge der jüngsten Geschichte haben dem Modell der „Strafkolonie" weniger Schaden zugefügt als der dialektischen Idealkonstruktion der Lehrstücke. Die Blindheit von Kafkas Erfahrung ist der Ausweis ihrer Authentizität. (Kafkas Blick als Blick in die Sonne. Die Unfähigkeit, der Geschichte ins Weiße im Auge zu sehen als Grundlage der Politik.) Nur der zunehmende Druck authentischer Erfahrung, vorausgesetzt, daß er „die Massen ergreift", entwickelt die Fähigkeit, der Geschichte ins Weiße im Auge zu sehen, die das Ende der Politik und der Beginn einer Geschichte des Menschen sein kann. Der Autor ist klüger als die Allegorie, die Metapher klüger als der Autor.

Gertrude Stein, in einem Text über die elisabethanische Literatur, erklärt ihre Gewalt mit dem Tempo des Bedeutungswandels in der Sprache: „Es bewegt sich alles so sehr." Der Bedeutungswandel ist das Barometer des Erfahrungsdrucks in der Morgenröte des Kapitalismus, der die Welt als Markt zu entdecken beginnt. Das Tempo des Bedeutungswandels konstituiert das Primat der Metapher, die als Sichtblende gegen das Bombardement der Bilder dient. „Der Druck der Erfahrung treibt die Sprache in die Dichtung." (Eliot) Die Angst vor der Metapher ist die Angst vor der Eigenbewegung des Materials. Die Angst vor der Tragödie ist die Angst vor der Permanenz der Revolution.

Ich erinnere mich an eine Bemerkung von Wekwerth bei der Vorbereitung seiner Inszenierung der „Heiligen Johanna der Schlachthöfe". Es käme darauf an, was Brecht klargelegt hätte, zu verdunkeln, damit es neu gesehen werden kann; Hegel: das Bekannte ist nicht erkannt usw. Die Geschichte der europäischen Linken legt den Gedanken nahe, ob Hegel nicht auch in diesem Fall vom Kopf auf die Füße gestellt werden muß. Noch in jedem Territorium, das die Aufklärung besetzt hat, haben sich „unversehens" unbekannte Dunkelzonen aufgetan. Immer neu hat die Allianz mit dem Rationalismus der Linken den Rücken entblößt für die Dolche der Reaktion, die in diesen Dunkelzonen geschmiedet wurden. Das Erkannte ist nicht bekannt.

Brechts Insistieren, in seinen letzten Gesprächen mit Wekwerth, auf der Naivität als der primären Kategorie seiner Ästhetik beleuchtet diesen Sachverhalt.

Brechts Anstrengung, Kafka nicht oder wenigstens falsch zu vestehen, ist in Benjamins Notierung der (Svendborger) Gespräche ablesbar.

Etwa 1948 sendete der NDR ein Programm über zwei Repräsentanten engagierter Literatur, den Katholiken T. S. Eliot und den Kommunisten Brecht. Als Klammer mußte ein Satz von Eliot herhalten: poetry doesn't matter. Ich erinnere mich an einen Satz aus dem Interview mit Brecht: das Weitermachen, die Kontinuität, schafft die Zerstörung. Brecht hat das später, in einem Text, der von der Theatersituation im Nachkriegsdeutschland ausgeht, näher ausgeführt: die Keller sind noch nicht ausgeräumt, schon werden neue Häuser darauf gebaut usw. Die Parallele zu Thomas Manns Bemerkung über die deutsche Geschichte, in der keine Epoche zu Ende gelebt worden ist, weil keine Revolution erfolgreich war, ablesbar am deutschen Stadtbild, ist offensichtlich. Was nicht bedeutet, daß Brecht den „Faustus" gelesen haben muß. Der Germanist Gerhard Scholz erzählt von einem Gespräch mit Brecht im gemeinsamen skandinavischen Exil über die Zukunft des Sozialismus in Deutschland. Brecht polemisierte, zumindest halb ernsthaft, gegen die Volksfrontkonzeption mit dem „Fatzer"-Traum von der Konstituierung einer kommunistischen Diktatur (Zelle) z. B. in Ratibor oder sonstwo, um ein Beispiel zu schaffen.

Im gleichen Jahr 1948, in einer Diskussion mit Studenten in Leipzig, formulierte Brecht als die Zielstellung seiner Arbeit in der sowjetischen Besatzungszone Deutschlands: 20 Jahre Ideologiezertrümmerung und sein Bedürfnis nach einem eigenen Theater „zur wissenschaftlichen Erzeugung von Skandalen", ausgehend auf die politische Spaltung des Publikums statt auf eine illusionäre „Vereinigung" im ästhetischen Schein. Mit anderen Worten: seine Hoffnung auf ein politisches Theater jenseits der Verkaufszwänge des Marktes. Ein Theater, das im Widerspruch zwischen Erfolg und Wirkung seine Chance hat, statt, wie in der kapitalistischen Gesellschaft, sein Dilemma. Das war ein Vorgriff, eine Projektion auf eine Zukunft, die auch 23 Jahre nach Brechts Tod noch nicht Gegenwart ist. Die Skandale fanden nicht, als Initialzündung für die große Diskussion, im Theater statt, sondern, als Behinderung der Diskussion, auf den Kulturseiten der Presse. Die neuen Häuser mußten schneller gebaut werden als die Keller ausgeräumt werden konnten. Der Belagerungszustand, in den die DDR durch den Kalten Krieg versetzt war, der, was die gesamtdeutsche Situation betrifft, andauert, brauchte und braucht Ideologie. Zwischen dem Leipziger Statement und dem Satz im späten Vorwort zu den frühen Stücken, der den Verzicht auf das Ideal der tabula rasa, des reinen Beispiels, formuliert: die Geschichte macht vielleicht einen reinen Tisch, aber sie scheut den leeren ... liegt Brechts DDR-Erfahrung. Ein wesentlicher Teil dieser Erfahrung ist die Entdeckung der Freundlichkeit als einer politischen Kategorie. Brechts Theaterarbeit: ein heroischer Versuch, die Keller auszuräumen, ohne die Statik der neuen Gebäude zu gefährden. (Die Formulierung enthält das Basisproblem der DDR-Kulturpolitik.) In diesem Kontext sind die Klassikerbearbeitungen kein Ausweichen vor der Forderung des Tages, sondern Revision des Revisionismus der Klassik, bzw. ihrer Tradierung.

Brechts Schwierigkeit, ein DDR-Material in den Griff zu bekommen, ist an der Geschichte des „Büsching"-Projekts abzulesen. Der erste Entwurf geht auf ein Historienstück, der Arbeiter (Garbe) als historische Figur. Mit dem epochalen Unterschied zu Plutarch–Holinshed–Shakespeare, daß der Held sein eigener Chronist war. (Brecht ließ von Käte Rülicke nach Tonbandaufzeichnungen von Erzählungen Garbes ein Material herstellen.) Der Unterschied steht für das Problem: das Petroleum sträubt sich gegen die fünf Akte, der bewußtlose Held ist nicht dramatisch oder es muß ein andres Drama her. Brecht hatte sein Formenarsenal ausgebildet im Umgang mit einer anderen Wirklichkeit, ausgehend von der Klassenlage und den Interessen des europäischen Proletariats vor der Revolution.

Die Revolution in der DDR konnte nur *für* die Arbeiterklasse gemacht werden, nach Dezimierung der Avantgarde, Depravierung der Masse, Zerstörungen des zweiten Welt-

kriegs im Osten Deutschlands und in der Sowjetunion –
nicht *von* ihr. Der Nachvollzug im Bewußtsein mußte ihr
unter den Bedingungen des Kalten Krieges abgefordert werden, in einem besetzten und geteilten Land, im Trommelfeuer der täglichen Werbung für die Wunder des Kapitalismus im anderen deutschen Staat, Rechtsnachfolger des
Deutschen Reichs, gesundgeschrumpft in zwei Weltkrie-
gen. Diese Wirklichkeit ist mit den klassisch marxistischen
Kategorien nicht zu greifen: sie schneiden ins Fleisch.

Mit der Bemerkung, das ganze reiche nur für einen Einakter, er, Brecht, sähe keine Möglichkeit, seinem Helden die
Ausdrucksskala zu verleihen, die er brauche, um ein Stück
zu schreiben, wurde das „Büsching"-Projekt zunächst aufgegeben. Das erinnert an Plechanows These von der (positi-
ven) Uninteressantheit des proletarischen im Gegensatz zur
negativen Interessantheit des bürgerlichen Helden, die erste Qualität des Proletariats, seine Quantität usw. ... Brecht
nahm das Projekt wieder auf, diesmal als Lehrstück „mit
Chören, im Stil der Maßnahme" nach dem 17. Juni 53, wo er
zum erstenmal wieder „die Klasse" hatte sprechen hören
und auftreten sehn, wie depraviert immer und manipuliert
von ihren Feinden. Die Konfrontation als Chance zur Eröffnung der Großen Diskussion, die die Voraussetzung der
Produktion ist. Es blieb Fragment.

Das Netz seiner (Brechts) Dramaturgie war zu weitmaschig
für die Mikrostruktur der neuen Probleme: schon „die
Klasse" war eine Fiktion, in Wahrheit ein Konglomerat aus
alten und neuen Elementen, gerade die Bauarbeiter, die
den ersten Streik in der damaligen Stalinallee in Berlin initi-
ierten, zu großen Teilen deklassierter Mittelstand: ehemalige Wehrmachtsoffiziere, Beamte des faschistischen Staats-
apparates, Studienräte usw., dazu gescheiterte Funktionäre
der neuen Bürokratie; der Große Entwurf zugeschüttet vom
Sandsturm der Realitäten, nicht einsehbar/freizulegen mit
der einfachen Verfremdung, die auf der Negation der Negation basiert/beruht. In diesem Zusammenhang mag
Brechts Griff nach Gerhart Hauptmann und sein Scheitern
mit der Bearbeitung von „Biberpelz/Roter Hahn" interessant sein: die Gewalt des Tribalismus und die Schrecken
der Provinz.

„Die Tage der Commune", geschrieben mit bewußter Senkung des „technischen Standards" für das Repertoire eines sozialistischen Theaters, verhält sich zum realen Sozialismus wie „Don Carlos" zur bürgerlichen Revolution. Seine Schönheit ist die Schönheit der Oper, sein Pathos das der Utopie. Brecht selbst sah bis zu seinem Tod offenbar keine Möglichkeit, das Stück ohne Wirklichkeits(Wirkungs-) Verlust aufzuführen. Der Zeitpunkt der Premiere am Berliner Ensemble, 1961 nach der Schließung der Grenze, war der erste mögliche. Die Anwendung des Modells auf die gegebenen Verhältnisse, die nur mit der nachfolgenden Aufführung neuer Stücke hätte geleistet werden können, blieb aus. Als isoliertes Ereignis kam die Inszenierung gleichzeitig zu spät und zu früh: zu viele Möglichkeiten waren verpaßt, zu viele Probleme vertagt worden.

„Turandot", Brechts letzter Versuch, im Rekurs auf die Parabel mit der alten Scheiße aufzuräumen, die er neu hochkommen sah, ist ein genuines Fragment. Die gewaltsame Vollendung im Rekurs auf den Antifaschismus, der, was die Verhältnisse in der DDR anging, Alibicharakter hat, zerstört die Struktur/das Stück. In andern Verhältnissen, z. B. Militärdiktaturen der dritten Welt, mag der Riß, der durch das Stück geht, den Durchblick freigeben/ermöglichen, der die Voraussetzung des Eingriffs ist. Brecht: was den Kunstwerken die Dauer verleiht, sind ihre Fehler.

Der Name Büsching, wie andre Namen im Garbeprojekt, verweist auf das Fatzermaterial, Brechts größten Entwurf und einzigen Text, in dem er sich, wie Goethe mit dem Fauststoff, die Freiheit des Experiments herausnahm, Freiheit vom Zwang zur Vollendung für Eliten der Mit- oder Nachwelt, zur Verpackung und Auslieferung an ein Publikum, an einen Markt. Ein inkommensurables Produkt, geschrieben zur Selbstverständigung.

Der Text ist präideologisch, die Sprache formuliert nicht Denkresultate, sondern skandiert den Denkprozeß. Er hat die Authentizität des ersten Blicks auf ein Unbekanntes, den Schrecken der ersten Erscheinung des Neuen. Mit den Topoi des Egoisten, des Massenmenschen, des Neuen Tiers kommen, unter dem dialektischen Muster der marxistischen Terminologie, Bewegungsgesetze in Sicht, die in der jüngsten Geschichte dieses Muster perforiert haben. Der Schreibgestus ist der des Forschers, nicht der des Gelehrten, der Forschungsergebnisse interpretiert, oder des Lehrers, der sie weitergibt. Brecht gehört am wenigsten in diesem Text zu den Marxisten, die der letzte Angsttraum von Marx gewesen sind. (Warum soll nicht auch für Marx gelten, daß die erste Erscheinung des Neuen der Schrecken ist, die erste Gestalt der Hoffnung die Furcht.) Mit der Einführung der Keunerfigur (Verwandlung Kaumann/Koch in Keuner) beginnt der Entwurf zur Moralität auszutrocknen. Der Schatten der Leninschen Parteidisziplin, Keuner der Kleinbürger im Mao-Look, die Rechenmaschine der Revolution. „Fatzer" als Materialschlacht Brecht gegen Brecht (= Nietzsche gegen Marx, Marx gegen Nietzsche). Brecht überlebt sie, indem er sich herausschießt. Brecht gegen Brecht mit dem schweren Geschütz des Marxismus/Leninismus. Hier, auf der Drehscheibe vom Anarchisten zum Funktionär, wird Adornos höhnische Kritik an den vorindustriellen Zügen in Brechts Werk einsichtig. Hier, aus der revolutionären Ungeduld gegen unreife Verhältnisse, kommt der Trend zur Substitution des Proletariats auf, die in den Paternalismus mündet, die Krankheit der kommunistischen Parteien. Es beginnt, in der Abwehr des anarchisch-natürlichen Matriarchats, der Umbau des rebellischen Sohns in die Vaterfigur, der Brechts Erfolg ausmacht und seine Wirkung behindert. Der Rückgriff auf die Volkstümlichkeit durch Wiedereinführung des Kulinarischen (in sein Theater), der das Spätwerk bestimmt, geriet im Verblödungssog der Medien und angesichts posthumer Zementierung der Vaterfigur durch sozialistische Kulturpolitik zum Vorgriff. Was ausfiel, war die Gegenwart, die Weisheit das zweite Exil.

Brecht ein Autor ohne Gegenwart, ein Werk zwischen Vergangenheit und Zukunft. Ich zögere, das kritisch zu meinen: die Gegenwart ist die Zeit der Industrienationen: die kommende Geschichte wird, das ist zu hoffen, von ihnen nicht gemacht; ob sie zu fürchten ist, wird von ihrer Politik abhängen. Die Kategorien falsch oder richtig greifen am Kunstwerk vorbei. Die Freiheitsstatue trägt bei Kafka ein Schwert statt der Fackel. Brecht gebrauchen, ohne ihn zu kritisieren, ist Verrat.

1979

Ein Brief

Lieber Herr Linzer, beim Lesen Ihrer Nachschrift unseres Versuchs, über SCHLACHT/TRAKTOR zu reden, merke ich, daß man das nicht drucken kann, weil es, was meinen Part angeht, nicht stimmt. Die Antworten sind ungenau, mehr Entschuldigung dafür, daß man Kunst nicht essen kann, als Auskunft über Arbeit. Schuld ist meine Unlust, über den Pudding zu reden, bevor er gegessen wird (und meine Höflichkeit, die mich dazu verleitet hat, es trotzdem zu tun). Kunst legitimiert sich durch Neuheit = ist parasitär, wenn mit Kategorien gegebener Ästhetik beschreibbar.

Sie fragen nach der „aktuellen Relevanz" von SCHLACHT/ TRAKTOR. Daß Sie die Frage für notwendig halten, verweist auf die Antwort: Die Aushöhlung von Geschichtsbewußtsein durch einen platten Begriff von Aktualität. Das Thema Faschismus ist aktuell und wird es, fürchte ich, in unsrer Lebenszeit bleiben. Genauso das Problem der arbeitenden Mehrheit, die mehr einzahlt als sie herausbekommt, besonders im Bereich der materiellen Produktion, solange für eine nicht schnell genug verschwindende Minderheit das Gegenteil gilt.

Was die Relation zu FURCHT UND ELEND angeht: Brecht war auf Dokumente und Berichte angewiesen, sozusagen auf Sekundärmaterial. Das ergab ein Faschismusbild nach der Schnur der (damals notwendig unkompletten) marxistischen Analyse, eine Art Idealkonstruktion. Erst das ANTIGONE-VORSPIEL, später in einer andern Stücktechnik geschrieben, faßt die konkrete deutsche Erscheinungsform. Heute ist der gewöhnliche Faschismus interessant: wir leben auch mit Leuten, für die er das Normale war, wenn nicht die Norm, Unschuld ein Glücksfall.

Formal ist SCHLACHT/TRAKTOR eine Bearbeitung von eigenen 20 und mehr Jahre alten Texten bzw. der Versuch, ein Fragment synthetisch herzustellen. Keine dramatische Literatur ist an Fragmenten so reich wie die deutsche. Das hat mit dem Fragmentcharakter unserer (Theater-)Geschichte zu tun, mit der immer wieder abgerissenen Verbindung Literatur – Theater – Publikum (Gesellschaft), die daraus resultiert. Die gewöhnliche Verkehrsform zwischen den drei Partnern war, bis zu dem historischen Glücksfall Brecht, der Interruptus, der auf die Dauer bekanntlich das Kreuz schwächt. Die Not von gestern ist die Tugend von heute: die Fragmentarisierung eines Vorgangs betont seinen Prozeßcharakter, hindert das Verschwinden der Produktion im Produkt, die Vermarktung, macht das Abbild zum Versuchsfeld, auf dem Publikum koproduzieren kann. Ich glaube nicht, daß eine Geschichte, die „Hand und Fuß hat" (die Fabel im klassischen Sinn), der Wirklichkeit noch beikommt. Übrigens handelt der Text von Situationen, in denen Individuelles nur partikulär zur Wirkung kommt, zersprengt von Zwangslagen (die natürlich, unter bestimmten Bedingungen, von Individuen herbeigeführt worden sind).

Zu Ihrem, wie ich meine, Kurzschluß von Verknappung auf Brutalität (zweite Lieblingsvokabel verhinderter Zensoren, aus denen sich die akademische Journaille, der Sie nicht angehören und mit der zu polemisieren mich langweilt, heute wie gestern rekrutiert): ich habe nicht das weit genug verbreitete Talent, ein abgearbeitetes Publikum mit Harmonien aufzumöbeln, von denen es nur träumen kann.

Wenn ich auf Ihre Frage, warum unsre Theater sich mit meinen Stücken „schwer tun" (ein Euphemismus: im allgemeinen tun sie mit meinen Stücken gar nichts), den Naturalismus zitiere, in dem die Theater bis zum Hals stecken, ist das nicht falsch, aber eine halbe Antwort. Naturalismus ist Austreibung des Autors aus dem Text, der Wirklichkeit des Autors (Regisseurs Schauspielers Zuschauers) aus dem Theater.

Wenn zum Beispiel BAU als Abbildung eines „Baugeschehens" aufgefaßt wird, ist er nicht aufführbar. Der Abstand (die Haltung) zum Material (ich bin kein Bauarbeiter Ingenieur Parteifunktionär) ist mitgeschrieben, gehört zur Wirklichkeit des Stücks und muß mit dargestellt werden. Oder der alberne Streit um MACBETH. Die Dummheit, eine Kette von Situationen als Wunschzettel des Autors zu lesen. Ein Text lebt aus dem Widerspruch von Intention und Material, Autor und Wirklichkeit; jedem Autor passieren Texte, gegen die sich „die Feder sträubt"; wer ihr nachgibt, um der Kollision mit dem Publikum auszuweichen, ist, wie schon Friedrich Schlegel bemerkt hat, ein „Hundsfott", opfert dem Erfolg die Wirkung, verurteilt seinen Text zum Tod durch Beifall.

Theater, so betrieben, wird Mausoleum für Literatur statt Laboratorium sozialer Fantasie, Konservierungsmittel für abgelebte Zustände statt Instrument von Fortschritt. Talent ist ein Privileg, Privilegien müssen bezahlt werden. Mit der Enteignung im Sozialismus wird Weisheit borniert, der Aphorismus reaktionär; die Pose des Klassikers erfordert homerische Blindheit.

Daß wir, nach Brecht, noch/wieder am Naturalismus würgen, hat mit der (unbewältigten) Dialektik von objektiver Enteignung und subjektiver Befreiung zu tun. Wir können uns aus unsrer Arbeit nicht mehr heraushalten, was für Brecht, in der Spätzeit seiner Emigration, isoliert von den wirklichen Klassenkämpfen, eine Arbeitshaltung sein mochte. Der KREIDEKREIS steht (das macht ihn zum Repertoirestück) dem Naturalismus näher als das FATZER-Fragment oder WOYZECK, den es tradiert.

Ich glaube nicht an Theater als Zweck. Die Epochenkollision greift tief, auch schmerzhaft, in den einzelnen, der ein Autor noch ist und nicht mehr sein kann. Der Riß zwischen Text und Autor, Situation und Figur, provoziert/zeigt an die Sprengung der Kontinuität. Wenn das Kino dem Tod bei der Arbeit zusieht (Godard), handelt Theater von den Schrecken/Freuden der Verwandlung in der Einheit von Geburt und Tod. Das macht seine Notwendigkeit aus. Die Toten spielen keine Rolle mehr, außer für die Stadtplanung.

Vielen Dank für das Gespräch, mit dem Sie mir diesen Monolog abgenötigt haben.

1975

Verabschiedung des Lehrstücks

Lieber Steinweg,
ich habe mit wachsender Unlust versucht, aus dem Wortschlamm (der Schlamm ist mein Teil) unsrer Gespräche
über das LEHRSTÜCK etwas für Dritte Brauchbares her-
auszuklauben. Der Versuch ist gescheitert, mir fällt zum
LEHRSTÜCK nichts mehr ein. Eine Brechtadeptin sagte
1957 gegen KORREKTUR: Die Erzählungen sind nicht
adressiert. Was nicht adressiert ist, kann man nicht inszenieren. Die kümmerliche Meinung über Kunst, das vorin-
dustrielle Bild von Gesellschaft beiseite: ich kenne 1977
meinen Adressaten weniger als damals; Stücke werden,
heute mehr als 1957, für das Theater geschrieben statt für
ein Publikum. Ich werde nicht die Daumen drehn, bis eine
(revolutionäre) Situation vorbeikommt. Aber Theorie ohne
Basis ist nicht mein Metier, ich bin kein Philosoph, der zum
Denken keinen Grund braucht, ein Archäologe bin ich auch
nicht, und ich denke, daß wir uns vom LEHRSTÜCK bis
zum nächsten Erdbeben verabschieden müssen. Die christ-
liche Endzeit der MASSNAHME ist abgelaufen, die Geschichte hat den Prozeß auf die Straße vertagt, auch die ge-
lernten Chöre singen nicht mehr, der Humanismus kommt
nur noch als Terrorismus vor, der MolotowCocktail ist das
letzte bürgerliche Bildungserlebnis. Was bleibt: einsame
Texte, die auf Geschichte warten. Und das löchrige Gedächtnis, die brüchige Weisheit der Massen, vom Vergessen
gleich bedroht. Auf einem Gelände, in dem die LEHRE so
tief vergraben und das außerdem vermint ist, muß man gelegentlich den Kopf in den Sand (Schlamm Stein) stecken,
um weiterzusehn. Die Maulwürfe oder der konstruktive
Defaitismus.

4. 1. 1977

1

FAMILIENALBUM
Ich war Hamlet. Ich stand an der Küste und redete mit der
Brandung BLABLA, im Rücken die Ruinen von Europa.
Die Glocken läuteten das Staatsbegräbnis ein, Mörder und
Witwe ein Paar, im Stechschritt hinter dem Sarg des Hohen
Kadavers die Räte, heulend in schlecht bezahlter Trauer
WER IST DIE LEICH IM LEICHENWAGEN / UM WEN
HÖRT MAN VIEL SCHREIN UND KLAGEN / DIE
LEICH IST EINES GROSSEN / GEBERS VON ALMO-
SEN das Spalier der Bevölkerung, Werk seiner Staatskunst
ER WAR EIN MANN NAHM ALLES NUR VON AL-
LEN. Ich stoppte den Leichenzug, stemmte den Sarg mit
dem Schwert auf, dabei brach die Klinge, mit dem stumpfen
Rest gelang es, und verteilte den toten Erzeuger FLEISCH
UND FLEISCH GESELLT SICH GERN an die umstehen-
den Elendsgestalten. Die Trauer ging in Jubel über, der Ju-
bel in Schmatzen, auf dem leeren Sarg besprang der Mörder
die Witwe SOLL ICH DIR HINAUFHELFEN ONKEL
MACH DIE BEINE AUF MAMA. Ich legte mich auf den
Boden und hörte die Welt ihre Runden drehn im Gleich-
schritt der Verwesung.
I'M GOOD HAMLET GI'ME A CAUSE FOR GRIEF
AH THE WHOLE GLOBE FOR A REAL SORROW
RICHARD THE THIRD I THE PRINCEKILLING KING
OH MY PEOPLE WHAT HAVE I DONE UNTO
    THEE
WIE EINEN BUCKEL SCHLEPP ICH MEIN
    SCHWERES GEHIRN
ZWEITER CLOWN IM KOMMUNISTISCHEN
    FRÜHLING
SOMETHING IS ROTTEN IN THIS AGE OF HOPE
LETS DELVE IN EARTH AND BLOW HER AT
    THE MOON
Hier kommt das Gespenst das mich gemacht hat, das Beil
noch im Schädel. Du kannst deinen Hut aufbehalten, ich
weiß, daß du ein Loch zu viel hast. Ich wollte, meine Mut-
ter hätte eines zu wenig gehabt, als du im Fleisch warst: ich

wäre mir erspart geblieben. Man sollte die Weiber zunähn, eine Welt ohne Mütter. Wir könnten einander in Ruhe abschlachten, und mit einiger Zuversicht, wenn uns das Leben zu lang wird oder der Hals zu eng für unsre Schreie. Was willst du von mir. Hast du an einem Staatsbegräbnis nicht genug. Alter Schnorrer. Hast du kein Blut an den Schuhn. Was geht mich deine Leiche an. Sei froh, daß der Henkel heraussteht, vielleicht kommst du in den Himmel. Worauf wartest du. Die Hähne sind geschlachtet. Der Morgen findet nicht mehr statt.

SOLL ICH
WEILS BRAUCH IST EIN STÜCK EISEN
   STECKEN IN
DAS NÄCHSTE FLEISCH ODER INS
   ÜBERNÄCHSTE
MICH DRAN ZU HALTEN WEIL DIE WELT
   SICH DREHT
HERR BRICH MIR DAS GENICK IM STURZ VON
   EINER
BIERBANK

Auftritt Horatio. Mitwisser meiner Gedanken, die voll Blut sind, seit der Morgen verhängt ist mit dem leeren Himmel. DU KOMMST ZU SPÄT MEIN FREUND FÜR DEINE GAGE/KEIN PLATZ FÜR DICH IN MEINEM TRAUER-SPIEL. Horatio, kennst du mich. Bist du mein Freund, Horatio. Wenn du mich kennst, wie kannst du mein Freund sein. Willst du den Polonius spielen, der bei seiner Tochter schlafen will, die reizende Ophelia, sie kommt auf ihr Stichwort, sieh wie sie den Hintern schwenkt, eine tragische Rolle. HoratioPolonius. Ich wußte, daß du ein Schauspieler bist. Ich bin es auch, ich spiele Hamlet. Dänemark ist ein Gefängnis, zwischen uns wächst eine Wand. Sieh was aus der Wand wächst. Exit Polonius. Meine Mutter die Braut. Ihre Brüste ein Rosenbeet, der Schoß die Schlangengrube. Hast du deinen Text verlernt, Mama. Ich souffliere WASCH DIR DEN MORD AUS DEM GESICHT MEIN PRINZ/UND MACH DEM NEUEN DÄNMARK SCHÖNE AUGEN. Ich werde dich wieder zur Jungfrau machen, Mutter, damit dein König eine blutige Hochzeit hat. DER MUTTERSCHOSS IST KEINE EINBAHN-STRASSE. Jetzt binde ich dir die Hände auf den Rücken, weil mich ekelt vor deiner Umarmung, mit deinem Braut-schleier. Jetzt zerreiße ich das Brautkleid. Jetzt mußt du schreien. Jetzt beschmiere ich die Fetzen deines Braut-kleids mit der Erde, die mein Vater geworden ist, mit den Fetzen dein Gesicht deinen Bauch deine Brüste. Jetzt nehme ich dich, meine Mutter, in seiner, meines Vaters, un-sichtbaren Spur. Deinen Schrei ersticke ich mit meinen Lip-pen. Erkennst du die Frucht deines Leibes. Jetzt geh in deine Hochzeit, Hure, breit in der dänischen Sonne, die auf Lebendige und Tote scheint. Ich will die Leiche in den Ab-tritt stopfen, daß der Palast erstickt in königlicher Scheiße. Dann laß mich dein Herz essen, Ophelia, das meine Tränen weint.

2

DAS EUROPA DER FRAU
Enormous room. Ophelia. Ihr Herz ist eine Uhr.
OPHELIA (CHOR/HAMLET)
Ich bin Ophelia. Die der Fluß nicht behalten hat. Die Frau am Strick Die Frau mit den aufgeschnittenen Pulsadern Die Frau mit der Überdosis AUF DEN LIPPEN SCHNEE Die Frau mit dem Kopf im Gasherd. Gestern habe ich aufgehört mich zu töten. Ich bin allein mit meinen Brüsten meinen Schenkeln meinem Schoß. Ich zertrümmre die Werkzeuge meiner Gefangenschaft den Stuhl den Tisch das Bett. Ich zerstöre das Schlachtfeld das mein Heim war. Ich reiße die Türen auf, damit der Wind herein kann und der Schrei der Welt. Ich zerschlage das Fenster. Mit meinen blutenden Händen zerreiße ich die Fotografien der Männer die ich ge-liebt habe und die mich gebraucht haben auf dem Bett auf dem Tisch auf dem Stuhl auf dem Boden. Ich lege Feuer an mein Gefängnis. Ich werfe meine Kleider in das Feuer. Ich grabe die Uhr aus meiner Brust die mein Herz war. Ich gehe auf die Straße, gekleidet in mein Blut.

3

SCHERZO

*Universität der Toten. Gewisper und Gemurmel. Von ihren Grab-
steinen (Kathedern) aus werfen die toten Philosophen ihre Bücher
auf Hamlet. Galerie (Ballett) der toten Frauen. Die Frau am Strick
Die Frau mit den aufgeschnittenen Pulsadern usw. Hamlet betrachtet sie mit der Haltung eines Museums(Theater-) Besuchers. Die
toten Frauen reißen ihm die Kleider vom Leib. Aus einem aufrecht-
stehenden Sarg mit der Aufschrift HAMLET 1 treten Claudius
und, als Hure gekleidet und geschminkt, Ophelia. Striptease von
Ophelia.*

OPHELIA
Willst du mein Herz essen, Hamlet. *Lacht.*

HAMLET *Hände vorm Gesicht:*
Ich will eine Frau sein.

*Hamlet zieht Ophelias Kleider an, Ophelia schminkt ihm eine Hu-
renmaske, Claudius, jetzt Hamlets Vater, lacht ohne Laut, Ophelia
wirft Hamlet eine Kußhand zu und tritt mit Claudius/Hamlet Vater zurück in den Sarg. Hamlet in Hurenpose. Ein Engel, das Gesicht im Nacken: Horatio. Tanzt mit Hamlet.*

STIMME(N) *aus dem Sarg:*
Was du getötet hast sollst du auch lieben.

*Der Tanz wird schneller und wilder. Gelächter aus dem Sarg. Auf
einer Schaukel die Madonna mit dem Brustkrebs. Horatio spannt
einen Regenschirm auf, umarmt Hamlet. Erstarren in der Umarmung unter dem Regenschirm. Der Brustkrebs strahlt wie eine
Sonne.*

4

PEST IN BUDA SCHLACHT UM GRÖNLAND
Raum 2, von Ophelia zerstört. Leere Rüstung, Beil im Helm.
HAMLET
Der Ofen blakt im friedlosen Oktober
A BAD COLD HE HAD OF IT JUST THE WORST
TIME
JUST THE WORST TIME OF THE YEAR FOR
A REVOLUTION
Durch die Vorstädte Zement in Blüte geht

Doktor Schiwago weint
Um seine Wölfe
IM WINTER MANCHMAL KAMEN SIE INS DORF
ZERFLEISCHTEN EINEN BAUERN
legt Maske und Kostüm ab.
HAMLETDARSTELLER
Ich bin nicht Hamlet. Ich spiele keine Rolle mehr. Meine
Worte haben mir nichts mehr zu sagen. Meine Gedanken
saugen den Bildern das Blut aus. Mein Drama findet nicht
mehr statt. Hinter mir wird die Dekoration aufgebaut. Von
Leuten, die mein Drama nicht interessiert, für Leute, die es
nichts angeht. Mich interessiert es auch nicht mehr. Ich
spiele nicht mehr mit. *Bühnenarbeiter stellen, vom Hamletdar-
steller unbemerkt, einen Kühlschrank und drei Fernsehgeräte auf.
Geräusch der Kühlanlage. Drei Programme ohne Ton.* Die Dekoration ist ein Denkmal. Es stellt in hundertfacher Vergröße-
rung einen Mann dar, der Geschichte gemacht hat. Die Versteinerung einer Hoffnung. Sein Name ist auswechselbar.
Die Hoffnung hat sich nicht erfüllt. Das Denkmal liegt am
Boden, geschleift drei Jahre nach dem Staatsbegräbnis des
Gehaßten und Verehrten von seinen Nachfolgern in der
Macht. Der Stein ist bewohnt. In den geräumigen Nasen-
und Ohrlöchern, Haut- und Uniformfalten des zertrüm-
merten Standbilds haust die ärmere Bevölkerung der Metropole. Auf den Sturz des Denkmals folgt nach einer ange-
messenen Zeit der Aufstand. Mein Drama, wenn es noch
stattfinden würde, fände in der Zeit des Aufstands statt.
Der Aufstand beginnt als Spaziergang. Gegen die Verkehrs-
ordnung während der Arbeitszeit. Die Straße gehört den
Fußgängern. Hier und da wird ein Auto umgeworfen.
Angsttraum eines Messerwerfers: Langsame Fahrt durch
eine Einbahnstraße auf einen unwiderruflichen Parkplatz
zu, der von bewaffneten Fußgängern umstellt ist. Polizisten, wenn sie im Weg stehn, werden an den Straßenrand
gespült. Wenn der Zug sich dem Regierungsviertel nähert,
kommt er an einem Polizeikordon zum Stehen. Gruppen
bilden sich, aus denen Redner aufsteigen. Auf dem Balkon
eines Regierungsgebäudes erscheint ein Mann mit schlecht
sitzendem Frack und beginnt ebenfalls zu reden. Wenn ihn
der erste Stein trifft, zieht auch er sich hinter die Flügeltür
aus Panzerglas zurück. Aus dem Ruf nach mehr Freiheit

wird der Schrei nach dem Sturz der Regierung. Man beginnt die Polizisten zu entwaffnen, stürmt zwei drei Gebäude, ein Gefängnis eine Polizeistation ein Büro der Geheimpolizei, hängt ein Dutzend Handlanger der Macht an den Füßen auf, die Regierung setzt Truppen ein, Panzer. Mein Platz, wenn mein Drama noch stattfinden würde, wäre auf beiden Seiten der Front, zwischen den Fronten, darüber. Ich stehe im Schweißgeruch der Menge und werfe Steine auf Polizisten Soldaten Panzer Panzerglas. Ich blicke durch die Flügeltür aus Panzerglas auf die andrängende Menge und rieche meinen Angstschweiß. Ich schüttle, von Brechreiz gewürgt, meine Faust gegen mich, der hinter dem Panzerglas steht. Ich sehe, geschüttelt von Furcht und Verachtung, in der andrängenden Menge mich, Schaum vor meinem Mund, meine Faust gegen mich schütteln. Ich hänge mein uniformiertes Fleisch an den Füßen auf. Ich bin der Soldat im Panzerturm, mein Kopf ist leer unter dem Helm, der erstickte Schrei unter den Ketten. Ich bin die Schreibmaschine. Ich knüpfe die Schlinge, wenn die Rädelsführer aufgehängt werden, ziehe den Schemel weg, breche mein Genick. Ich bin mein Gefangener. Ich füttere mit meinen Daten die Computer. Meine Rollen sind Speichel und Spucknapf Messer und Wunde Zahn und Gurgel Hals und Strick. Ich bin die Datenbank. Blutend in der Menge. Aufatmend hinter der Flügeltür. Wortschleim absondernd in meiner schalldichten Sprechblase über der Schlacht. Mein Drama hat nicht stattgefunden. Das Textbuch ist verlorengegangen. Die Schauspieler haben ihre Gesichter an den Nagel in der Garderobe gehängt. In seinem Kasten verfault der Souffleur. Die ausgestopften Pestleichen im Zuschauerraum bewegen keine Hand. Ich gehe nach Hause und schlage die Zeit tot, einig / Mit meinem ungeteilten Selbst.

Fernsehn Der tägliche Ekel Ekel
Am präparierten Geschwätz Am verordneten Frohsinn
Wie schreibt man GEMÜTLICHKEIT
Unsern Täglichen Mord gib uns heute
Denn Dein ist das Nichts Ekel
An den Lügen die geglaubt werden
Von den Lügnern und niemandem sonst Ekel
An den Lügen die geglaubt werden Ekel

An den Visagen der Macher gekerbt
Vom Kampf um die Posten Stimmen Bankkonten
Ekel Ein Sichelwagen der von Pointen blitzt
Geh ich durch Straßen Kaufhallen Gesichter
Mit den Narben der Konsumschlacht Armut
Ohne Würde Armut ohne die Würde
Des Messers des Schlagrings der Faust
Die erniedrigten Leiber der Frauen
Hoffnung der Generationen
In Blut Feigheit Dummheit erstickt
Gelächter aus toten Bäuchen
Heil COCA COLA
Ein Königreich
Für einen Mörder
ICH WAR MACBETH DER KÖNIG HATTE MIR
SEIN DRITTES KEBSWEIB ANGEBOTEN ICH
KANNTE JEDES MUTTERMAL AUF IHRER HÜF-
TE RASKOLNIKOW AM HERZEN UNTER DER
EINZIGEN JACKE DAS BEIL FÜR DEN/EINZI-
GEN/SCHÄDEL DER PFANDLEIHERIN
In der Einsamkeit der Flughäfen
Atme ich auf Ich bin
Ein Privilegierter Mein Ekel
Ist ein Privileg
Beschirmt mit Mauer
Stacheldraht Gefängnis
Fotografie des Autors.
Ich will nicht mehr essen trinken atmen eine Frau lieben ei-
nen Mann ein Kind ein Tier. Ich will nicht mehr sterben.
Ich will nicht mehr töten.
Zerreißung der Fotografie des Autors.
Ich breche mein versiegeltes Fleisch auf. Ich will in meinen
Adern wohnen, im Mark meiner Knochen, im Labyrinth
meines Schädels. Ich ziehe mich zurück in meine Einge-
weide. Ich nehme Platz in meiner Scheiße, meinem Blut. Ir-
gendwo werden Leiber zerbrochen, damit ich wohnen kann
in meiner Scheiße. Irgendwo werden Leiber geöffnet, damit
ich allein sein kann mit meinem Blut. Meine Gedanken sind
Wunden in meinem Gehirn. Mein Gehirn ist eine Narbe. Ich
will eine Maschine sein. Arme zu greifen Beine zu gehn
kein Schmerz kein Gedanke.

Bildschirme schwarz. Blut aus dem Kühlschrank. Drei nackte Frauen: Marx Lenin Mao. Sprechen gleichzeitig jeder in seiner Sprache den Text ES GILT ALLE VERHÄLTNISSE UMZU-WERFEN, IN DENEN DER MENSCH … Hamletdarsteller legt Kostüm und Maske an.

HAMLET DER DÄNE PRINZ UND WURMFRASS
   STOLPERND
VON LOCH ZU LOCH AUFS LETZTE LOCH ZU
   LUSTLOS
IM RÜCKEN DAS GESPENST DAS IHN
   GEMACHT HAT
GRÜN WIE OPHELIAS FLEISCH IM
   WOCHENBETT
UND KNAPP VORM DRITTEN HAHNENSCHREI
   ZERREISST
EIN NARR DAS SCHELLENKLEID DES
   PHILOSOPHEN
KRIECHT EIN BELEIBTER BLUTHUND IN DEN
   PANZER

Tritt in die Rüstung, spaltet mit dem Beil die Köpfe von Marx Lenin Mao. Schnee. Eiszeit.

5

WILDHARREND / IN DER FURCHTBAREN RÜSTUNG / JAHRTAUSENDE *Tiefsee. Ophelia im Rollstuhl. Fische Trümmer Leichen und Leichenteile treiben vorbei.*

OPHELIA
während zwei Männer in Arztkitteln sie und den Rollstuhl von unten nach oben in Mullbinden schnüren:

Hier spricht Elektra. Im Herzen der Finsternis. Unter der Sonne der Folter. An die Metropolen der Welt. Im Namen der Opfer. Ich stoße allen Samen aus, den ich empfangen habe. Ich verwandle die Milch meiner Brüste in tödliches Gift. Ich nehme die Welt zurück, die ich geboren habe. Ich ersticke die Welt, die ich geboren habe, zwischen meinen Schenkeln. Ich begrabe sie in meiner Scham. Nieder mit dem Glück der Unterwerfung. Es lebe der Haß, die Verachtung, der Aufstand, der Tod. Wenn sie mit Fleischermes-

48

sern durch eure Schlafzimmer geht, werdet ihr die Wahrheit wissen.

Männer ab. Ophelia bleibt auf der Bühne, reglos in der weißen Verpackung.

1977

Taube und Samurai

Robert Wilson kommt aus dem Raum, in dem Ambrose Bierce verschwunden ist, nachdem er die Schrecken des Bürgerkriegs gesehen hatte. Der Wiedergänger hat den Schrecken unter der Haut, sein Theater ist die Auferstehung. Die Befreiung der Toten findet in der Zeitlupe statt. Auf dieser Bühne hat Kleists Marionettentheater einen Spielraum, Brechts epische Dramaturgie einen Tanzplatz. Eine Kunst ohne Anstrengung, der Schritt pflanzt den Weg. Der tanzende Gott ist die Marionette. Sein/ihr Tanz entwirft den Menschen aus neuem Fleisch, der aus der Hochzeit von Feuer und Wasser geboren wird, von der Rimbaud geträumt hat. Wie der Apfel vom Baum der Erkenntnis noch einmal gegessen werden muß, damit der Mensch in den Stand der Unschuld zurückfindet, muß der Babylonische Turm neu gebaut werden, damit die Verwirrung der Sprachen ein Ende hat.

Mit der Weisheit der Märchen, daß die Geschichte der Menschen von der Geschichte der Tiere (Pflanzen, Steine, Maschinen) nicht getrennt werden kann außer um den Preis des Untergangs, formuliert Robert Wilson das Thema der Epoche: Krieg der Klassen und Rassen, Arten und Geschlechter, Bürgerkrieg in jedem Sinn. Wenn die Adler im Gleitflug die Banner der Trennung zerreißen und zwischen den Schaltern der Weltbank die Panther spazierengehen, wird das Theater der Auferstehung seine Bühne gefunden haben.

Seine Realität ist die Einheit von Mensch und Maschine, der nächste Schritt der Evolution.

1986

Brief an Robert Wilson

Eine Woche lang habe ich versucht, einen Text herzustellen, der Deiner Inszenierung von DD & D II, einem Gebilde, das mehr als Deine früheren Arbeiten aus seiner eigenen Explosion besteht, als Gravitationszentrum dienen kann. Der Versuch ist gescheitert. Vielleicht war die Explosion schon zu weit gediehen, der Grad der Beschleunigung (ich rede nicht von Uhrzeit) schon zu hoch, als daß ein Text, der notgedrungen etwas bedeutet, in den Wirbel der Sprengung sich noch einschreiben kann. Es scheint paradox, im Bezug auf eine Explosion von gedeihen zu reden, aber vielleicht findet die Befreiung der Toten schon lange nicht mehr in der Zeitlupe, sondern im Zeitraffer statt. Was bleibt, ist der Versuch, mein Scheitern zu beschreiben, damit es wenigstens eine Erfahrung wird. Startpunkt war ein Text von Tschingis Aitmatov, der eine mongolische Tortur beschreibt, mit der Gefangene zu Sklaven gemacht wurden, Werkzeugen ohne Gedächtnis. Die Technologie war einfach: Dem Gefangenen, der zum Überleben verurteilt und nicht für den Sklavenexport, sondern für den Eigenbedarf der Eroberer bestimmt war, wurde der Kopf kahlgeschoren und ein Helm aus der Halshaut eines frisch geschlachteten Kamels aufgesetzt. An Armen und Beinen gefesselt, den Hals im Block, damit er den Kopf nicht bewegen konnte, und in der Steppe der Sonne ausgesetzt, die den Helm austrocknete und um seinen Kopf zusammenzog, so daß die nachwachsenden Haare in die Kopfhaut zurückwuchsen, verlor er in fünf Tagen, wenn er sie überlebte, unter Qualen sein Gedächtnis und war, nach dieser Operation, eine störfreie Arbeitskraft, ein Mankurt. Keine Revolution ohne Gedächtnis. Ein früher Entwurf zur totalen Verwertung von Arbeitskraft, bis zur Verwandlung in Rohstoff, in den Konzentrationslagern. Ich konnte den Vorgang, den Zerfall von Denken, das Verlöschen von Erinnerung, nicht darstellen, nur beschreiben, und die Beschreibung verstummt, wie schon unser Versuch mit Kafka-Texten, vor der Fliehkraft Deiner Bilder: Literatur ist geronnene Erfahrung. Die Toten schreiben mit auf dem Papier der Zukunft, nach dem von allen Seiten schon die Flammen greifen. (Technik bildet nur Reflexe aus, sie verhindert Erfahrung. Unsre Kamelhaut der Computer, er ist ganz Gegenwart.) Gestern habe ich das Ende der Bibliotheken geträumt: neben Wohnbaracken und Maschinenhallen, in denen geometrische Formen hergestellt wurden, deren Funktion oder Verwendungszweck ich nicht ausmachen konnte, Stapel, Haufen von Büchern, Bücher im Gras, Bücher im Schlamm, in aufgewühltem Baugrund, faules Papier, verweste Buchstaben. Auf dem Weg zur Toilette ein Arbeiter mit leerem Gesicht. Ein andrer Traum der gleichen Nacht: wir aßen, eng an schmalen Tischen, im weiten Innenhof eines Kastells in der Schweiz, unter Hubschrauberflügen. Sirenen störten die Mahlzeit: ein Großalarm. Ein Kellner oder der Burgvogt in Rüstung teilte uns mit, was ihn ausgelöst hatte. 17 Trainer der Bundesliga hatten in Frankreich zwei Kinder überfahren. Als ich Dir die Nachricht übersetzen wollte, mit Hoffnung auf Dein Kojotengelächter, sah ich Dich nicht mehr am Tisch sitzen, sondern auf der Burgmauer stehn, eingespannt in ein weiträumiges Stahlgestänge, fast schon mit ihm verwachsen, durch Kopfhörer für meine Stimme unerreichbar, unerreichbar auch für die Sirenen des Schweizer Großalarms. Neben meiner Schreibmaschine, auf dem seit Jahren unaufgeräumten, brandfleckigen Schreibtisch, liegt eine Reproduktion im Postkartenformat von Tintorettos MARKUSWUNDER. Vielleicht hast Du das Bild in Mailand in der Pinacoteca Brera gesehn. Ich habe es dort nicht gesehn, vielleicht weil es gerade restauriert wurde, oder ich kann mich nicht erinnern und bin auf die Postkarte angewiesen. Das hat den Vorteil des ungenauen Blicks, wie manchmal ein schlechter Platz in Deinem Theater. (Das ideale Publikum von DD&D II wäre ein einzelner Zuschauer, riesig zwischen den vier Spielplätzen der Toten in der Grabkammer des Bühnenraums ausgespannt, gekreuzigt von der Geometrie wie auf Lionardos Zeichnung nach dem Text von Vitruv über den homo circularis und homo quadratus: „Liegt nämlich ein Mensch mit gespreizten Armen und Beinen auf dem Rücken und setzt man die Zirkelspitze an der Stelle des Nabels ein und schlägt einen Kreis, dann werden von dem Kreis die Fingerspitzen beider Hände und die Zehenspitzen berührt. Ebenso wie sich am Körper ein Kreis ergibt, wird sich auch die Figur des Quadrates an ihm finden. Wenn man nämlich von den Fußsohlen bis zum Scheitel maßnimmt und wendet dieses Maß auf die ausgestreckten Hände an, so wird sich die gleiche Breite und Höhe ergeben wie bei Flächen, die nach dem Winkelmaß quadratisch angelegt sind." Dieses Ein-Mensch-Publikum müßte ein Auge haben, das auf einer aus dem Nabel ragenden Säule befestigt ist, kreisrund und katholisch, oder mit großer Geschwindigkeit drehbar wie das Auge eines gewissen Reptils, dessen Namen ich vergessen habe. Vielleicht existiert es nur in meinen Träumen.) Zurück zu Tintoretto: Was ich sehe, ist ein Kirchenschiff, überwölbt von Rundbögen, nach hinten schräg verjüngt, die rechte Wand, mit Deckenleisten und Balkonen, ist ganz einzusehn. Vom vordersten Balkon lassen zwei Männer, die auf Leitern stehn und sich, der eine mit der rechten, der andre mit der linken Hand, an der Balkonbrüstung festhalten, einen nackten Greis kopfunter auf den Boden herab, vielleicht einen Toten. Ein weißes Tuch, mit dem er wahrscheinlich bekleidet war, dient als Halteseil: auf sein Geschlecht kommt es nicht mehr an. Ein dritter Helfer greift von unten nach seinem herabhängenden rechten Arm. Er ist der einzige im Raum, der einen Turban trägt. Dahinter ein Mann mit ausgebreiteten Armen, Erwartung oder Begrüßung, wie begrüßt man einen Toten, der die Auferstehung noch vor sich hat. Den linken Vordergrund beherrscht der Heilige selbst. Mit dem ausgestreckten linken Arm dirigiert er, wie der Vorarbeiter einen Kran, die Arbeit am Balkon, die eine Kreuzabnahme ist. Die rechte Hand hält die Tafel oder das Buch mit dem Bauplan der Zukunft. Vor den Füßen des Heiligen ein grauweißer Leichnam. Die Hautfarbe des muskulösen Körpers soll andeuten, daß die Seele ihn schon verlassen hat: er gehört der Kunst und der Verwesung. Rechts hinter dem Leichnam eine klagende Vaterfigur. Der Kopf des Toten liegt verdreht, wie um der segnenden Vaterhand auszuweichen. Undsoweiter das Personal der Legende. Das Geheimnis des Bilds ist die Falltür im Hintergrund, von zwei Männern aufgehalten. Aus der Tiefe strömt Licht: der Himmel ist unten. Vom Licht aus der Tiefe getroffen, taumelt die Figurengruppe im rechten Vordergrund: Zwei Männer auf den Knien, die Oberkörper zurückgeworfen, die Gesichter voneinander abgewandt. Der Stärkere, Kopf und Brust in einem andern Licht, das von dem Heiligen und von dem Toten ausgeht, versucht mit beiden Armen den Fall des zweiten Mannes aufzuhalten, der im Fallen die Knie einer Frau umklammert. Die Frau ist das Pendant des Heiligen, eine Hand vor den Augen, Schutz gegen die herrische Geste des Architekten der Zukunft oder gegen das Licht aus dem Untergrund. Das Licht ist ein Wirbelsturm. Geschrieben auf der Luftlinie zwischen den zwei deutschen Hauptstädten Berlin, getrennt durch den Abgrund der gemeinsamen und nicht gemeinsamen Geschichte, den das jüngste Erdbeben zur Grenze zwischen zwei Weltteilen aufgetürmt hat. Nimm den Brief als Ausdruck meines Wunsches, in Deiner Arbeit anwesend zu sein.

23. 2. 87

Blut ist im Schuh
oder
Das Rätsel der Freiheit

Für Pina Bausch

1

Als Kinder haben wir Versteck gespielt.
Erinnerst du dich noch an unsre Spiele.
Alle verstecken sich, einer muß warten
Gesicht am Baum oder an einer Wand
Die Hand über den Augen, bis der letzte
Seinen Platz gefunden hat, und wer gesehn wird
Muß um die Wette laufen mit dem Sucher.
Wenn er zuerst am Baum steht, ist er frei
Wenn nicht muß er stehnbleiben auf der Stelle
Als ob der Handschlag an Baum oder Wand
Ihn an den Boden nagelt wie ein Grabstein.
Er darf sich nicht bewegen bis der letzte
Gefunden ist. Und manchmal wird der letzte
Weil er zu gut versteckt ist, nicht gefunden.
Dann warten alle, die versteinert dastehn
Jeder sein eignes Denkmal, auf den letzten.
Und manchmal kommt es vor, daß einer stirbt
Und sein Versteck wird nicht gefunden, kein
Hunger treibt ihn heraus aus seinem Tod
Der ihn gefunden hat außer der Reihe
Die Toten haben keinen Hunger mehr.
Dann fällt die Auferstehung aus. Der Sucher
Jeden Stein hat er umgedreht viermal.
Jetzt kann er nur noch warten, das Gesicht
An seinem Baum oder an seiner Wand
Die Hand über den Augen, bis die Welt
An ihm vorbei ist. Merkst du ihren Gang.
Leg deine Hand über die Augen, Bruder.
Die andern, die der Sucher an den Boden
Genagelt hat mit seinem Handschlag an
Baum oder Wand, weil sie nicht schnell genug
Gelaufen sind aus ihrem Versteck, das nicht
Sicher genug war, und jetzt haben sie
Für ihre Augen keine Hand, weil sie

Sich nicht bewegen dürfen und die Augen
Schließen dürfen sie auch nicht nach der Regel.
Wie Steine auf dem Friedhof warten sie
Mit offnen Augen auf den letzten Blick ...
(aus ZEMENT)

2

Die Zeit im Theater der Pina Bausch ist die Zeit der Märchen. Geschichte kommt als Störung vor, wie Mücken im
Sommer. Der Raum ist bedroht von der Besetzung durch
die eine oder andere Grammatik, des Balletts oder des Dramas, aber die Fluchtlinie des Tanzes behauptet ihn gegen
beide Besetzungen. Das Territorium ist Neuland. Eine Insel, die gerade auftaucht, das Produkt einer unbekannten
(vergessnen oder kommenden) Katastrophe: vielleicht geschieht sie eben jetzt, während die Vorstellung läuft. Etwas
von der unmittelbaren Verbindung zum Leben, die Brecht
am elisabethanischen Theater beneidet hat, stellt sich her.
Film oder Fernsehen sind keine Konkurrenz: sie können
verwendet werden. Das Ganze ist ein Kinderspiel.

3

Die Spieler sind Überlebende. (Der Zuschauer wird vielleicht eine andere Erfahrung machen.) Sie berichten vom
Terror der Kindheit: Hänsel und Gretel, auf der Flucht vor
der Stiefmutter, verlaufen sich im Supermarkt. Der einzige
Weg ins Freie ist vielleicht ein Kaufhausbrand: mit dem
Feuer hat es schließlich angefangen ... Der Gefühle: Rot-
käppchen begegnet dem Wolf in der Disko, der mit dem
Geld der toten Großmutter ihre Liebe kaufen will. Vielleicht wird sie seine Sprache lernen müssen, die die Sprache
der Gewalt ist, und „mit der Waffe in der Hand" sein Geschlecht enteignen ... Des Balletts: Es erscheint als geronnene Geschichte: Ordnung der Körper unter ein Gesetz.
Der Striptease des Humanismus entblößt die blutige Wurzel der Kultur.

Den Überlebenden gehört ein Augenblick. Sie feiern ihre Feste auf dem Drahtseil, zwischen Gebäuden, die vom Einsturz bedroht sind. Die Choreographie steht in der Tradition der Totentänze. Zwischen den Kriegen ein andres Mittelalter. Es war das Goldene Zeitalter der Deutschen: Glück in der Osmose mit dem kollektiven Tod, die Gleichheit vor dem Stundenglas ein Vorschein der Gerechtigkeit am Jüngsten Tag. Das Dämonische an dem Grabenkampf Brechts gegen Hitler, das Benjamin mit gelehrtem Schrecken registriert hat, wächst aus dem (Rück-) Griff in diesen Boden, ist gespeist aus diesem Glutkern.

5

Das Mittelalter der Pina Bausch: für die Pest steht der Konsum, der jüngste Reiter der Apokalypse. Das Gesetz der Serie ist das Gesetz der Selektion, der Genocid die Hohe Schule der Statistik, der Weg zur Schlachtbank führt über die Datenbank, die letzte Wahrheit des Konsums kann der Atomblitz sein. Wir haben auf das falsche Pferd gesetzt, und vielleicht ist das Rennen schon gelaufen. Vor dem Ausverkauf tanzt das Theater Inventur, spielen die Rituale Kassensturz. Mörder Hoffnung der Frauen: was ist das in uns begehrt und haßt, liebt und vergewaltigt. Spurensicherung im zugigen Kontakthof: die Parade der Zombies, glückliche Opfer der Werbung. Würde des Tangos gegen die Freie Wahl der Todesart. Das Lachen gefriert in den Stereotypen, die Insistenz der Wiederholung demaskiert die Langeweile: der Schmerz ist ihr Gesicht; der Griff unter die Schwelle des Bewußtseins, wo die Wünsche und die Ängste hausen, macht das Lachen wie das Weinen subversiv.

6

„In Italien hatte ich einen Hahn. Der ging immer in andere Gärten, und meine Mutter mußte ihn töten. Am Abend, als sie ihn gekocht hatte, sagte sie, daß es mein Hahn war, und wenn ich nicht wollte, müßte ich ihn nicht essen. Aber ich wollte alles essen. Ich wollte ihn ganz für mich alleine."

Das Mittelalter der Pina Bausch ist das von Brechts KIN-DERKREUZZUG, mit dem streunenden Hund, der allein noch den Weg weiß, seit der Liebegott, weil sie sogar ihm die Haut verbrannte, die Maske des Kategorischen Imperativs ablegen mußte und vor den Schuh-, Haar-, Zahngoldbergen der Todeslager sein Gesicht verloren hat. (Vielleicht hat er als Frau noch eine Chance: Ikone in den Männermagazinen, oder auf den Altären der Peep-Show.) Die Kinder sind noch auf dem Marsch: Das Kind, das sich nicht waschen wollte, als der Kaiser zu Besuch kam, und das trotzige Kind, dem die Hand aus dem Grab wächst. Die jungen Mörder der amerikanischen Großstädte und die Kinderbanden in den Metropolen der Dritten Welt. Maos Rote Garden und die Würgeengel des Verlaine-Lesers Pol Pot.

7

DU SOLLST DIR KEIN BILD MACHEN. Die Gewaltmetaphern in BLAUBART sind nicht für den Hausgebrauch („so vergewaltigt man eine Frau"). Verstecken ist das erste Spiel: das Kind will verschwinden. Nacktheit ist Tabu: vor der Hochzeit darf der Bräutigam die Braut nicht sehn, und bis zur Hochzeit hat es böse Weile. Im Theater der Pina Bausch ist das Bild ein Dorn im Auge, die Körper schreiben einen Text, der sich der Publikation verweigert, dem Gefängnis der Bedeutung. Befreiung von den Zwängen des Balletts, dem das Stigma der Leibeigenschaft aufgeprägt ist, das es den jeweiligen Herrn der jeweiligen Schöpfung lieb macht wie die Jagd, das andere feudale Hobby. Die Demokratisierung zur Revue ist ein Übergang, Bauernbefreiung zum Fließband: in den Stadien wird die Masse Ornament. Die Kongruenz von Ornament und Trophäe wird schmerzhaft sichtbar in dem Blitzlicht einer Ballettparodie: Blaubarts Frauen als Wandbehang in Blaubarts Burg. Nach dem Theater ohne Text, von Zadeks HAMLET bis zu Steins ORE-STIE, um nur zwei Goldene Kälber zu nennen, vor denen einem das Hören in glücklichen Augenblicken vergeht, eine neue Sprache des Theaters. Nach Grübers groß gescheitertem Versuch, mit einem mittelmäßigen Epochenstück das Theater in die Nord-Süd-Achse zu drehn, gegen ein Publikum, das auf den Schweißgeruch der Abendunterhaltung nicht verzichten wollte, ein andres Theater der Freiheit. Daß eine Sphinx uns anblickt, wenn wir der Freiheit ins Gesicht sehn, sollte uns nicht wundern.

1981

Ich wollte lieber Goliath sein

Hommage à Chaplin

Meine erste Erinnerung an Chaplin ist die Erinnerung an eine Irritation. Was mich anzog, war der Terror seiner kalten Schadenfreude auf der Rollschuhbahn oder am Fließband, was mich abstieß das Obszöne seiner Komik in der Angst vor dem feindlichen Riesen. Ich mochte das nicht und ich mochte auch nicht, daß ich es nicht mochte. Wenn so viel zappelnde Selbstentblößung der Preis des Überlebens war, wollte ich wider mein besseres Wissen lieber Goliath sein. Ich wußte noch nicht und ich ahnte schon, daß man kein Indianer bleiben kann, wenn man mit Kunst etwas ausrichten will. Wir schießen alle aus der Hüfte, und etwas ausrichten heißt in der Kunst etwas hinrichten, zuerst sich selber. Der berühmte Watschelgang war ein Gang zum Eisenhammer, der Brötchentanz ein Tanz auf vulkanischem Boden. Wo Chaplin die Brüderlichkeit entdeckte, weil der Boden aufbrach, ging es auf Kosten seiner Kunst. Sie wurde flügellahm über der Anstrengung, in einer schlimmen Welt gut zu sein. „Denn aller Trost ist trübe." Seine Utopie war von Dickens. Das Paradies liegt jenseits der „Erdbeben, die kommen werden". Was uns von Chaplin bleiben wird, ist nicht der gute Mensch, sondern der böse Engel.

1978

Drei Punkte. Zu PHILOKTET

1

Die Handlung ist Modell, nicht Historie. Haltungen zu zeigen, nicht Bedeutungen. Jeder Vorgang zitiert andere, gleiche, ähnliche Vorgänge in der Geschichte, soweit sie nach dem Philoktet-Modell gemacht wurde und wird. Der Kessel von Stalingrad zitiert Etzels Saal. (Im Rückblick auf beide Ereignisse mag die Umkehrung einsichtiger sein.) Die Reflektion der Vorgänge durch die Figuren, gedanklich und emotionell, hat ebenfalls Zitatcharakter. Der Zitatgestus darf Intensität und Spontaneität der Reaktionen nicht schmälern. Einfühlung im Detail bei Verfremdung des Ganzen. Die deutschen Soldaten haben im Kessel von Stalingrad die Lektion der Nibelungen nicht gelernt. Die wiederholte Einmaligkeit muß mit zitiert werden. Erst wenn das Modell geändert wird, kann aus der Geschichte gelernt werden.

2

Das Philoktet-Modell wird bestimmt von der Klassenstruktur der abgebildeten Gesellschaft (die Armee als Funktion des Feldherrn, eine Beziehung, die aus der Dialektik nur ideologisch herausgehalten werden kann: sie ist, durch Umkehrung, aufhebbar) und von der Eigentumsform (die Waffen, als Privatbesitz, sind Handlungselemente, keine Requisiten).

3

Der Ablauf ist zwangsläufig nur, wenn das System nicht in Frage gestellt wird. Komik in der Darstellung provoziert die Diskussion seiner Voraussetzungen. Nur der Clown stellt den Zirkus in Frage. Philoktet, Odysseus, Neoptolemos: drei Clowns und Gladiatoren ihrer Weltanschauung.

1968

Brief an den Regisseur der bulgarischen Erstaufführung
von PHILOKTET am Dramatischen Theater Sofia

Lieber Mitko Gotscheff, deine PHILOKTET-Inszenierung
am Theater Sofia hat mich das Stück neu sehen lassen. Ich
vermeide zu sagen: ich habe es zum erstenmal gesehn, weil
das von Kritikern, denen der Vergleich fehlt, als Höflichkeit
verstanden werden könnte. Für eine Inszenierung des
Stücks, die am Berliner Ensemble geplant war, gibt es einen
Bühnenbildentwurf von Karl von Appen. Er zeigt im Rahmen der Fassade von Schönbrunn auf einem schwarzen La-
vahaufen einen nackten Greis mit goldnem Bogen und in
Galarüstung an der Rampe die Delegierten des griechischen
Oberkommandos vor Troja. Ein anachronistisches Tableau.
Ich muß dir nicht sagen, daß Theater vom Anachronismus
lebt. Die Brechtsche Historisierung ist nur eine andre Benennung für die Kollision (das Drama) der Zeitebenen (des
Materials des Autors der Darsteller und des Publikums), die
seinen Lebensraum bestimmt. Schönbrunn steht für die Im-
plosion der Renaissance in den Barock. Die Aushöhlung
der Werte drückt sich im Pomp der Fassade aus, die große
Bewegung gerinnt zum großen Auftritt, der Humanismus
trägt Uniform. Der Greis in der Lava repräsentiert die Ausschließung, Motor und Preis des Fortschritts. Der Verschleiß der Galarüstungen im Dienst auf Lemnos sollte den
Glanz der Sprache durchsichtig machen für ihre Funktion
als Instrument von Herrschaft. (Solange der Nationalsozia-
lismus im Angriff war, brauchten seine Propagandafilme
wenig Text. Der Kapitalismus war mit sich identisch, die
Bilder sprachen für ihn, sein Interesse bestimmte die Auswahl. In den Gegenfilmen der Westalliierten, deren Krieg
gegen Deutschland im Wesen ein Bruderkrieg war, dominiert der Text.) Die Inszenierung von Hans Lietzau am
Münchner Residenztheater gab den Blick auf einen Zirkus
frei, in dem drei (blutige) Clowns sich und einander ihre
Weltanschauung um die Ohren schlagen. Da der Widerstand der Körper gegen den Text nicht organisiert war,
konnte der Darsteller des Odysseus die Tragödie der Figur
nicht lesbar machen. Ausfiel das utopische Moment, das in
der (Vers-) Sprache aufgehoben ist wie das Insekt im Bern-
stein. Helene Weigel hielt PHILOKTET, wie Brechts

MASSNAHME, für unspielbar. Ihr fehlte das Zufällige, Nichtnotwendige, der „Kies". Sie sah nicht, konnte als Brechtschauspielerin vielleicht nicht sehn, daß bei Stücken dieser Machart (bedingt durch ihr Material, Menschheit des Übergangs in der Verwerfung der Epochen) nur der Schauspieler den Zufall ins Spiel bringen kann, sein Körper der Kies, in den der Text sich einschreibt und verliert mit der gleichen Bewegung, Substitut für andre Körper, die dem Massaker der Ideen ausgesetzt sind, dem tödlichfaktischen Wort, das Hölderlin aus der Sophokleischen Tragödie grub, damit er sich die Stirn daran zerschlagen konnte, weil es seine Gegenwart nicht mehr begriff, dem Wort als Tatsache, dem Mord aus Worten, dem Terror, der einsetzt, wenn Praxis theoretisch wird, wie die Jagd des Ödipus nach der Wahrheit des Orakels.

In der Körpersprache eurer Aufführung am Theater Sofia habe ich diese Art Übersetzung von Text in Theater gesehn, die Transformation der Fabel vom Stellplatz der Widersprüche zur Zerreißprobe für die Beteiligten, den Widerstand der Körper gegen die Notzucht durch den Sachzwang der Ideen, das WORT DAS MORD WIRD. Die totale Zerreißprobe, der die menschlichen Kollektive in unserm vielleicht (wenn der Widerstand leerläuft und seinen Platz zwischen den Polen verfehlt) letzten Jahrhundert ausgesetzt sind, wird die Menschheit nur als ein Kollektiv überdauern. Der kommunistische Grundsatz KEINER ODER ALLE erfährt auf dem Hintergrund des möglichen Selbstmords der Gattung seinen endgültigen Sinn. Aber der erste Schritt zur Aufhebung des Individuums in diesem Kollektiv ist seine Zerreißung, Tod oder Kaiserschnitt die Alternative des NEUEN MENSCHEN. Das Theater simuliert den Schritt, Lusthaus und Schreckenskammer der Verwandlung. In diesem Sinn ist PHILOKTET, gegen die modisch kurz schließende Interpretation als Drama der Ent-Täuschung, das Negativ eines kommunistischen Stücks. Der Philoktet des Georgi Miladinow hat die stolze Dummheit (DUMM UND STOLZ WIE DIE ADLER) des tragischen Helden. Vielseitig schlau ist der Gebrauch, den er von seinem kranken Fuß macht: Ornament, Last, Beute. Auch Identität: In der Zeit, die dem Schmerz gehört, wird der Mann zur Fußnote, brüllender Kommentar des kranken

Glieds. Die Wunde kann als Waffe eingesetzt werden, weil der Fuß das Loch im Netz bezeichnet, die Lücke im System, den immer neu bedrohten und neu zu erobernden Freiraum zwischen Tier und Maschine, in dem die Utopie einer menschlichen Gemeinschaft aufscheint. Der hinkende Vogel verfremdet den Flug. Die Tragödie geht leer aus. Ihr Gang verwirft die Tröstung, die ein Aufschub ist. Er transportiert das Nichts, den möglichen Anfang. Es gibt tragische Rassen und Völker. Matthias Langhoff erzählt von einer Fiesta in einem Dorf in Yukatan: Aus der Stadt ist eine Beatband gekommen; 2000 Indios hören zwei Stunden lang mit steinernen Gesichtern und ohne einen Muskel zu bewegen der Sirenenmusik ihrer Feinde zu. Sie brauchen sich nicht an den Mast binden zu lassen (übrigens hätten sie wohl auch kein Personal für die Dienstleistung) wie Odysseus der Europäer, der in einer Person der Macher und der Liquidator der Tragödie ist. Seit Kolumbus essen sie den Tod. Über ihre Existenz entscheidet die Frage, wer sich an wem die Zähne ausbeißen wird. Das neue Rom heißt USA, Che Guevara ist das Kreuz des Südens.

Wie Jason, der erste Kolonisator, der auf der Schwelle vom Mythos zur Geschichte von seinem Fahrzeug erschlagen wird, ist Odysseus eine Figur der Grenzüberschreitung. Mit ihm geht die Geschichte der Völker in der Politik der Macher auf, verliert das Schicksal sein Gesicht und wird die Maske der Manipulation. Dante hat den point of no return auf die Feuerwand seines INFERNO projiziert, das Scheitern des Odysseus in der Brandung von Atlantis:

VOM NEUEN LAND HER EINES WIRBELS WEHEN

[...]

BIS ÜBER UNS DAS MEER ZUSAMMENSCHLUG

Mit seiner grimassierenden Spielweise schreibt Dimiter Ganew den Riß in die Figur, der das Stigma des Grenzgängers ist, und treibt sie aus der Plastik in die Rolle. Die Grenze passiert den Körper, der sie überquert: der Riß ist die Passage. Odysseus als der erste Schauspieler seines Schicksals ist der Fremde hier wie dort, sein Name Niemand, sein Land Niemands Land. Aus den Wüsten, die sein Schritt pflanzt, wächst der Sandsturm ihm entgegen und perforiert Hegels PLASTISCHEN GRIECHEN. Er wird der erste sein, der aus seiner Haut kann und die Schauer der Entfremdung erfährt. Er wird sie genießen. Nur manchmal wird die Grimasse, die sein Gesicht ist, noch gefrieren, als ob sie sich in den geschlossenen Raum der Plastik zurücknehmen will, abgeschottet gegen Bild und Blick, bei der Lektüre des Textes, der aus dem Abgrund hinter dem löchrigen Zaun seiner Zähne quillt, seit Homer ihm die Zunge gelöst hat, blind für die Folgen.

Neoptolemos bleibt in der Plastik. Er ist von dem Stoff, aus dem die Denkmäler gebaut werden. Das Kapitel Philoktet beschreibt den ersten Schritt auf seinem Marsch in die Versteinerung, den ersten Arbeitsgang des Bildhauers, der die Geschichte ist, an der Skulptur, Odysseus der Pragmatiker das Werkzeug. Die Lektion, die das Kommandounternehmen Lemnos für den Rekruten bereit hält: Blut heilt Wunden. Wenn die Plastik aus dem Leim geht, werden die Fugen mit Blut verschmiert. Blut wird seine zweite Haut sein. Wenn es getrocknet ist, steht das Denkmal. Er verkörpert, im Gegensatz zu dem zerrissenen des Philoktet, das geflickte Selbstbewußtsein, das die Erfahrung der Gewalt in Aggression umsetzt. Unterstützt von seinem Kostüm, etwas zwischen Stein- und Endzeit, Saurierpanzer und Raumfahrerdreß, sein Körper vom Krampf der Pubertät geschüttelt wie von Wehen, als ob er die Geburt des Todes anzeigen will, der seine Antwort auf die nicht bewältigte Unordnung des Lebens sein wird, zeichnet Ivailo Gerasow den zitternden Umriß der heraldischen Figur des Kriegers aus der Schauspielerarie im HAMLET, die den Abstieg des Neoptolemos (der sich zum Pyrrhus gemausert hat) in den Ruhm des ersten Schlächters vor Troja beschreibt, ein Wunschkonzert für den Intellektuellen, der kein Blut sehn kann und es doch saufen will:

Der rauhe Pyrrhus, dessen finstre Rüstung
Schwarz wie sein Vorsatz, gleichsah jener Nacht,
Da er im Bauch des unglückschwangern Pferdes
Verborgen lag, hat seine Schreckgestalt
Beschmiert mit grausiger Heraldik: Jetzt
Von Haupt zu Fuß ganz scheußlich rot geschmückt
Mit Blut der Väter, Mütter, Töchter, Söhne
Das auf ihm trocknet in der Straßen Glut
Die grausam ein tyrannisches Licht verleihn
Zu ihres Herrn Mord. Heiß von Wut und Feuer

In Blut gekleidet so, mit Augen gleich
Karfunkeln, sucht der höllische Pyrrhus ihn
Den alten Priamus – Er findet ihn
Mit Griechen kämpfend, matt: Sein altes Schwert
Rebellisch seinem Arm liegt, wo es fällt
Verweigernd den Befehl. Ungleich gepaart
Stürzt Pyrrhus auf den Priam, holt weit aus.
Aber vom Sausen seines Schwertschwungs schon
Fällt der entnervte Greis. Das tote Ilium
Als fühlt es diesen Schlag, beugt flammend jetzt
Mit seiner Höhe sich auf seinen Grund
Und nimmt mit einem fürchterlichen Krachen
Gefangen des Pyrrhus Ohr: Dann seht, sein Schwert
Das schon sich senkte auf das milchige Haupt
Des Priamus, schien in der Luft zu stehn.
So, ein gemalter Schrecken, stand er, Pyrrhus
Und, wie parteilos zwischen Kraft und Willen
Tat nichts.
Doch wie wir oftmals sehn vor einem Sturm
Ein Schweigen in den Himmeln, die Wolken still
Sprachlos die Winde und der Erdkreis unten
Dumpf wie der Tod bis der gewaltige Donner
Die Luft zerreißt. So, nach der Ruhe, treibt
Die Rache neu den Pyrrhus an die Arbeit;
Und niemals trafen der Zyklopen Hämmer
Die Rüstung des Mars, geschmiedet für ewige Dauer,
Fühlloser als des Pyrrhus blutendes Schwert
Jetzt fällt auf Priamus.
Schande auf dich, Hure, Fortuna! All Ihr Götter
Im großen Rat, stoßt sie aus ihrer Macht
Brecht alle Speichen und Felgen ihres Rads
Und rollt vom Himmelsberg die runde Nabe
Bis zur Hölle hinab.
Doch wer oh Jammer
Gesehn hat die vermummte Königin –
Barfuß lief sie herum mit Tränengüssen
Den Flammen drohend, auf dem Haupte, wo
Das Diadem stand, ein Wischtuch und als Robe
um ihre magren Lenden, von Wehen erschöpft
Ein Laken, im Alarm der Furcht ergriffen:
Der das gesehn, hätte Verrat geschrien

Zunge in Gift getaucht, gegen Fortuna.
Doch wenn die Götter selbst sie da gesehn,
Als sie den Pyrrhus treiben sah sein Spiel
Mit seinem Schwert des Gatten Leib zerteilend:
Der erste Ausbruch ihres Schreiens hätte
(Wenn Sterbliches sie nicht ganz unbewegt läßt)
Des Himmels brennende Augen weinen gemacht
Und Götter Mitleid fühlen.

Nicht vor der letzten Schlacht werden die Denkmäler bluten. In keiner andern mir bekannten Aufführung ist das
Strukturproblem des Stücks gelöst worden: der Umschlag
der Tragödie in die Farce, bzw. in die von Schiller so genannte tragische Satire, durch den Gedankensprung des
Odysseus von der Unersetzlichkeit des lebenden zur Verwertung des toten Philoktet, mit dem eine neue Spezies die
Bühne betritt, das politische Tier. Wenn Odysseus, nach
dem improvisierten Staatsbegräbnis für die Wunderwaffe,
die zum Blindgänger geworden war und entschärft werden
mußte, seine Trickkiste aus der Kulisse zerrt und aus der
Kiste das Double, die teilbare Puppe, die den (unteilbaren)
Helden ersetzen wird, gibt er den Blick in eine Zukunft
frei, die mit der Auswechselbarkeit des Einzelnen technisch
ernst macht. Die Frage, ob der Kistentrick dem „Geschehen" den Anschein von Wahl nimmt, den Politik so nötig
hat wie das ältere Schicksal die Verkleidung des Zufalls als
Notwendigkeit, ist die Frage nach dem Ort des Theaters im
Zeitraum zwischen Stoff und Darstellung. Die Aufführung
behauptet ihn gegen den Kannibalismus der Einfühlung,
gegen den Terror des Begriffs, den Tod der Erfahrung. Der
Raumentwurf von Svetlana Zwetkowa verbannt das Publikum auf die Bühne, den Ort des Exils. Zwischen der Brandung des leeren Zuschauerraums und der Maschine des
Theaters, Fahrstuhl, Brücken, Drehscheibe, deren Gebrauch den Schauspielern vorbehalten ist, spielt es keine
Rolle mehr, Strandgut der eignen Geschichte, die der Text
aus dem gefrorenen Meer seiner Erinnerung schneidet. Mit
dem Nihilismus als dem Fluchtpunkt christlich kapitalisti-
scher Politik schlägt die Stunde des Schauspielers. Der Verweis auf die andere Seite macht das Wirkliche zum Anlaß,
Welt zum Vorwand. Das Theater kann sein Gedächtnis für

die Wirklichkeit nur wieder finden, wenn es sein Publikum vergißt. Der Beitrag des Schauspielers zur Emanzipation des Zuschauers ist seine Emanzipation vom Zuschauer. Dramaturgische Konsequenz der Raumlösung ist die Placierung des Prologs in der Nabe des Stücks, dem Freiraum des Zuschauers, frei für das Denken eines andern Ablaufs durch die Einsicht der Antagonisten in das Zufällige ihrer Gegnerschaft, gegen die Gewohnheit der Personalisierung von Zwangslagen, die auf dem Irrtum der Individualität beruht. Der Prolog stellt den Zirkus in Frage: Das Gespenst der Komödie denunziert die List der Vernunft als Treppenwitz. Die Nabe des Stücks ist die stille Mitte des Sturms, dessen Ausdehnung und Geschwindigkeit von dem zweimaligen Drehen der Scheibe markiert wird. Die Scheibe dreht langsam für den Taumel des jugendlichen Fans bei seiner blinden Laudatio auf die Selbsttötung des Ajax, blind für den Sturz des Helden aus dem Gleichgewicht seiner heroischen Illusion über das Unternehmen HELENA. (Der Wahnsinn des beleidigten Griechen, der das Vieh anfällt, mit dessen Fleisch die Belagerer ihre Kampfkraft reproduzieren, weil er sie mit seinen Landsleuten verwechselt, mit dem eigentlichen Schlachtvieh, zeichnet selbst die dumpfe Skizze einer sehr viel späteren Einsicht, blinde Vorschau auf den finsteren Blick des Euripides in die Tiefgaragen der Geschichte, den seine Tragikomödie von der ägyptischen Helena auftut: Nach der Zerstörung Trojas, auf dem Schiff des Menelaos, kaum in See, löst sich die wiedereroberte Helena in feurige Luft auf. Bei der Zwischenlandung in Ägypten tritt den verwirrten Siegern aus einem Tempel, wo sie die Zeit des Trojanischen Krieges verbracht hat, lebend die wirkliche Helena entgegen. Der Kriegsgrund war ein Phantom, ein wilder Scherz bösartiger Götter.) Der Novize hat sich den Helden einverleibt, das Vorbild, und tanzt mit dem Toten, eine erotische Figur der Initiation. Die Toten pflanzen sich per Beispiel fort, die pubertäre Energie speist die Kriegsmaschine, schwanger marschiert der Jüngling in die Schlacht, den Tod als Embryo unter dem Herzen. Ich erinnere mich an einen Fetzen Lyrik von einem zu Recht vergessenen Autor, der den Vorgang auf den faschistischen Nenner bringt: WENN DER HELD AUFSTEHT / IN DER SEELE DES KNABEN / GROSSÄUGIG UND STUMM /

EWIGER SENDUNG SICHER ... Die Ewigkeit der Sendung versteht sich als der imperialistische Traum von der Kontinuität des Völkermords. Das bleibende Bild der Besetzung des Subjekts als Voraussetzung von Kolonisation liefert Goethes Fassung der Ballade vom Erlkönig: WILLST FEINER KNABE DU MIT MIR GEHN ... Die zweite (schnelle) Scheibendrehung ist dem Paroxysmus der Rache vorbehalten. Der Verbannte Philoktet, auf seine tierische Existenz reduziert durch eine politische Entscheidung, probt seine Heimkehr in die Menschheit, indem er den Funktionär seiner Verbannung zum Vierbeiner macht. Neoptolemos, der den in die herrschende Verkehrsform nicht mehr Integrierbaren aus dem Verkehr zieht, bringt die Sache auf den Punkt und die Scheibe zum Stehn, sein Aktionsradius der weiteste, weil sein Horizont der engste ist. Zum Realismus der Aufführung gehört die Behauptung der Realität des Theaters im Umgang mit den Requisiten. Eine andre, zum Beispiel die des Publikums oder der Geschichte, wird nicht simuliert. Der Kiste für das Double entspricht die Glasvitrine für den Bogen. Als Waffe eingesetzt wird er nur einmal, zur Tötung des Philoktet, und, um das Bild des Kriegs in die Gegenwart des Schauspiels zu verlängern, als Parodie der Maschinenpistole. Die Ausstellung des Bogens als Museumsstück oder Reliquie bereitet die schauerliche Einsicht des Odysseus vor, daß der Gebrauchswert des toten Funktionärs dem des lebenden nicht nachsteht, ihn möglicherweise übersteigt, solange die Armee das Eigentum bzw. die Funktion des Feldherrn ist. Die erste Ausgrabung: Geburt des archäologischen Denkens. (Konsequenz der Archäologie und das vorläufige Finalprodukt des Humanismus, als der Emanzipation des Menschen vom Naturzusammenhang, ist die Neutronenbombe.) Der staatliche Griff nach den Toten zeigt den römischen Zuschnitt des Sophokles, den die Bearbeitung vornimmt, mit dem Blick auf den Trojanischen Krieg als blutigen Umweg der Geschichte zur Gründung Roms, das die Ära Griechenlands beenden wird. Die neuzeitliche Parallele: Hitlers Überfall auf die Sowjetunion und sein gegenläufiges Resultat, die Öffnung der kapitalistischen Welt für die Druckwelle der IM NAMEN DER AKROPOLIS ausgepowerten dritten, ausgelöst von der Oktoberrevolution. Die Fortsetzung der

Kolonialpolitik per Entwicklungshilfe sammelt das Potential für den Umsturz des Systems. Die Spirale der Geschichte ruiniert die Zentren, indem sie sich durch die Randzonen mahlt. In dieser Gangart, die sich aus dem Blickpunkt einer Generation der Sinngebung entzieht, liegt der Zweifel am Fortschritt begründet. Er ist existentiell, solange die Menschheit Gattungsbewußtsein, dessen Voraussetzung die Möglichkeit von Universalgeschichte, nicht neu entwickelt hat. Sein Verlust war der Preis, der für den Auszug aus der Tierwelt gezahlt werden mußte. Der Weg zurück ist Indianerromantik, der moderne Versuch, den Gang der Spirale in eine Kreisbahn abzubiegen, zielt auf die Zerstörung des Planeten.

Während ich das schreibe, sehe ich ein Renaissancebild: Zwei gesattelte Pferde, allein auf einem weiträumigen, von romanischer Architektur gerahmten Platz. Mit den Hufen auf einem Steinboden scharrend, der nichts hergibt als für Menschenaugen unsichtbaren Staub, ihre Hälse aneinander reibend, warten sie auf ihre Reiter, die vielleicht in einem der Innenhöfe gerade geschlachtet werden oder einer den andern schlachten. Wenn die Diskotheken verlassen und die Akademien verödet sind, wird das Schweigen des Theaters wieder gehört werden, das der Grund seiner Sprache ist.

27. 3. 83

Zum Beispiel Paul Dessau

NAPOLEON ZUM BEISPIEL *weinte, als*
Bei Wagram seine Garde ihren Fluchtweg
Über die eigenen Blessierten nahm
Und die Geschundnen schrien VIVE L'EMPEREUR.
Das Denkmal war gerührt: sein Mörtel schrie.
An einem Sonntag nach der Arbeit fuhr
Er, LENIN, *auf die Hasenjagd, gelenkt*
Von seinem Fahrer, sonstige Begleitung
Keine. Das war sein Urlaub. In den Wald
Ging er allein. Nämlich der Fahrer mußte
Beim Auto bleiben, das war unersetzlich.
Lenin traf einen Bauern, der den Wald
Nach Pilzen abging. Seine Jagd fiel aus.
Der Alte schimpfte auf die Sowjetmacht
Im Dorf, Oben und Unten immer noch
Viel Reden, wenig Mehl. Die Pilze auch knapp
Lachte, als Lenin die Beschwerden aufschrieb
Das Dorf, Namen und Felder der Genossen.
Er hatte sich auch schon beschwert. Nicht zweimal.
Wer sind wir. Wenn du Lenin wärst zum Beispiel
Und Lenin wär ein Mann wie du der zuhört
Man könnte glauben daß es anders wird
Aber du bist nicht Lenin und so bleibt es.
Warum Lenin dem Alten nicht gesagt hat
Im Wald vor Moskau, daß er Lenin war ...

Ich verdanke ihm mehr als die Öffentlichkeit angeht. Und ich weiß, daß ich damit für viele spreche. Das hat mit seiner praktischen Freundlichkeit zu tun. Ob sie eine Begabung war oder eine im Existenzkampf der Emigration und in den Kulturkämpfen der fünfziger Jahre erworbene Fähigkeit, sie scheint mit seiner Generation vom Aussterben bedroht. Spätestens hier würde Paul Dessau mir widersprochen haben. Er hielt für lernbar, was gebraucht wird. Vom Komponieren bis zum Stehlen von Notenpapier, was eine nicht zu kurze Zeit lang zu den Voraussetzungen seines Komponierens gehörte, in einem Filmstudio in Hollywood. Er hätte nicht gezögert, die zweitgenannte Tätigkeit für schwieriger und doppelt nutzbringend zu halten. Ich habe viel von ihm

71

gelernt. Das Beispiel seiner Arbeitshaltung. Sie hatte den Ernst des Kinderspiels. Das die avancierteste Weise der Produktion ist, Arbeit auf höchstem Niveau, ein Vorgriff in das Reich der Freiheit. Er hat einen lebenslangen Kampf gegen die Dummheit nicht nur in der Musik geführt. Mit den unvermeidlichen Niederlagen und ohne die Todsünden des sozialistischen Künstlers, deren Namen Kompromiß und Hochmut sind, häufiger als unbedingt notwendig zu begehn. Er vergaß nicht, die Dummheit nach ihrem Einkommen zu fragen bzw. nach ihrer sozialen Herkunft. Er wußte, daß man von den Sirenen etwas lernen kann nur wenn man ihnen zuhört. Er hat auch den Freunden keine Note erlassen, die er für unerläßlich hielt. Er hat sein Leben gelebt und seine Arbeit getan. Möge seine Hölle gut beheizt sein, kein lauwarmer Pfuhl, sein Himmel nicht voll Geigen. *Was zählt ist das Beispiel der Tod bedeutet nichts.*

1979

Motiv bei A. S.

Debuisson auf Jamaika
Zwischen schwarzen Brüsten
In Paris Robespierre
Mit zerbrochenem Kinn.
Oder Jeanne d'Arc als der Engel ausblieb
Immer bleiben die Engel aus am Ende
FLEISCHBERG DANTON KANN DER STRASSE
   KEIN FLEISCH GEBEN
SEHT SEHT DOCH DAS FLEISCH AUF DER
   STRASSE
JAGD AUF DAS ROTWILD IN DEN GELBEN
   SCHUHN.
Christus. Der Teufel zeigt ihm die Reiche der Welt
WIRF DAS KREUZ AB UND ALLES IST DEIN.
In der Zeit des Verrats
Sind die Landschaften schön.

1958

Lange glaubte er noch den Wald zu durchschreiten, in dem betäubend warmen Wind, der von allen Seiten zu wehen schien und die Bäume wie Schlangen bewegte, in der immer gleichen Dämmerung der kaum sichtbaren Blutspur auf dem gleichmäßig schwankenden Boden nach, allein in die Schlacht mit dem Tier. In den ersten Tagen und Nächten, oder waren es nur Stunden, wie konnte er die Zeit messen ohne Himmel, fragte er sich noch manchmal, was unter dem Boden sein mochte, der unter seinen Schritten Wellen schlug so daß er zu atmen schien, wie dünn die Haut über dem unbekannten Unten und wie lange sie ihn heraushalten würde aus den Eingeweiden der Welt. Wenn er vorsichtiger auftrat, schien es ihm, als ob der Boden, von dem er geglaubt hatte, daß er seinem Gewicht nachgäbe, seinem Fuß entgegenkam, ihn sogar, mit einer saugenden Bewegung, anzog. Auch hatte er das deutliche Gefühl, daß seine Füße schwerer wurden. Er zählte die Möglichkeiten. 1) Seine Füße wurden schwerer und der Boden saugte seine Füße an. 2) Er fühlte seine Füße schwerer werden, weil der Boden sie ansaugte. 3) Er hatte den Eindruck, daß der Boden seine Füße ansaugte, weil sie schwerer wurden. Die Fragen beschäftigten ihn eine Zeit (Jahre Stunden Minuten) lang. Er fand die Antwort in dem zunehmenden Schwindelgefühl, das der konzentrisch wehende Wind ihm verursachte: Seine Füße wurden nicht schwerer, der Boden saugte seine Füße nicht an. Das eine wie das andere war eine Sinnestäuschung, durch seinen fallenden Blutdruck bedingt. Das beruhigte ihn und er ging schneller. Oder glaubte er nur schneller zu gehn. Als der Wind zunahm, wurde er häufiger an Gesicht Hals Händen von Bäumen und Ästen gestreift. Die Berührung war zunächst eher angenehm, ein Streicheln oder als prüften sie, wenn auch oberflächlich und ohne besonderes Interesse, die Beschaffenheit seiner Haut. Dann schien der Wald dichter zu wachsen, die Art der Berührung änderte sich, aus dem Streicheln wurde ein Abmessen. Wie beim Schneider, dachte er, als die Äste seinen Kopf umspannten, dann den Hals, die Brust, die Taille usw., sogar an seinem Schritt schien der Wald interessiert zu sein, bis sie ihn von Kopf bis Fuß Maß genommen hatten. Das Automatische des Ablaufs irritierte ihn. Wer oder was lenkte die Bewegungen dieser Bäume, Äste oder was immer da an seiner Hutnummer Kragenweite Schuhgröße interessiert war. Konnte dieser Wald, der keinem der Wälder glich, die er gekannt, „durchschritten" hatte, überhaupt noch ein Wald genannt werden. Vielleicht war er selber schon zu lange unterwegs, eine Erdzeit zu lange, und Wälder überhaupt waren nur mehr was dieser Wald war. Vielleicht machte nur noch die Benennung einen Wald aus und alle andern Merkmale waren schon lange zufällig und auswechselbar geworden, auch das Tier, das zu schlachten er diese vorläufig noch Wald benannte Gegebenheit durchschritt, das zu tötende Monstrum, das die Zeit in ein Exkrement im Raum verwandelt hatte, war nur noch die Benennung von etwas nicht mehr Kenntlichem mit einem Namen aus einem alten Buch. Nur er, der Unbenannte, war sich selber gleichgeblieben auf seinem langen schweißtreibenden Gang in die Schlacht. Oder war auch, was auf seinen Beinen über den zunehmend schneller tanzenden Boden ging, schon ein andrer als er. Er dachte noch darüber nach, als der Wald ihn wieder in den Griff nahm. Die Gegebenheit studierte sein Skelett, Zahl, Stärke, Anordnung, Funktion der Knochen, die Verbindung der Gelenke. Die Operation war schmerzhaft. Er hatte Mühe, nicht zu schreien. Er warf sich nach vorn in einen schnellen Spurt aus der Umklammerung. Er wußte, nie war er schneller gelaufen. Er kam keinen Schritt weit, der Wald hielt das Tempo, er blieb in der Klammer, die sich jetzt um ihn zusammenzog und seine Eingeweide aufeinanderpreßte, seine Knochen aneinanderrieb, wie lange konnte er den Druck aushalten, und begriff, in der aufsteigenden Panik: der Wald war das Tier, lange schon war der Wald, den zu durchschreiten er geglaubt hatte, das Tier gewesen, das ihn trug im Tempo seiner Schritte, die Bodenwellen seine Atemzüge und der Wind sein Atem, die Spur, der er gefolgt war, sein eigenes Blut, von dem der Wald, der das Tier war, seit wann, wieviel Blut hat ein Mensch, seine Proben nahm; und daß er es immer gewußt hatte, nur nicht mit Namen. Etwas wie ein Blitz ohne Anfang und Ende beschrieb mit seinen Blutbahnen und Nervensträngen einen weißglühenden Stromkreis. Er hörte sich lachen, als der Schmerz die

Kontrolle seiner Körperfunktionen übernahm. Es klang wie Erleichterung: kein Gedanke mehr, das war die Schlacht. Sich den Bewegungen des Feindes anpassen. Ihnen ausweichen. Ihnen zuvorkommen. Ihnen begegnen. Sich anpassen und nicht anpassen. Sich durch Nichtanpassen anpassen. Angreifend ausweichen. Ausweichend angreifen. Dem ersten Schlag Griff Stoß Stich zuvorkommen und dem zweiten ausweichen. Umgekehrt. Die Reihenfolge ändern und nicht ändern. Dem Angriff begegnen mit gleicher und (oder) andrer Bewegung. Geduld des Messers und Gewalt der Beile. Er hatte seine Hände nie gezählt. Er brauchte sie auch jetzt nicht zu zählen. Überall wo immer wenn er sie brauchte, verrichteten sie seine Arbeit, Fäuste bei Bedarf, die Finger einzeln verwendbar, die Nägel gesondert, die Kanten aus dem Ellbogen. Seine Füße hielten den im Aufstand gegen die Gravitation zunehmend schneller rotierenden Boden fest, die Personalunion von Feind und Schlachtfeld, den Schoß der ihn behalten wollte. Die alte Gleichung. Jeder Schoß, in den er irgendwie geraten war, wollte irgendwann sein Grab sein. Und das alte Lied. ACH BLEIB BEI MIR UND GEH NICHT FORT AN MEINEM HERZEN IST DER SCHÖNSTE ORT. Skandiert vom Knacken seiner Halswirbel im mütterlichen Würgegriff. TOD DEN MÜTTERN. Seine Zähne erinnerten sich an die Zeit vor dem Messer. Im Gewirr der Fangarme, die von rotierenden Messern und Beilen nicht, der rotierenden Messer und Beile, die von Fangarmen nicht, der Messer Beile Fangarme, die von explodierenden Minengürteln Bombenteppichen Leuchtreklamen Bakterienkulturen nicht, der Messer Beile Fangarme Minengürtel Bombenteppiche Leuchtreklamen Bakterienkulturen, die von seinen eigenen Händen Füßen Zähnen nicht zu unterscheiden waren in dem vorläufig Schlacht benannten Zeitraum aus Blut Gallert Fleisch, so daß für Schläge gegen die Eigensubstanz, die ihm gelegentlich unterliefen, der Schmerz beziehungsweise die plötzliche Steigerung der pausenlosen Schmerzen in das nicht mehr Wahrnehmbare sein einziges Barometer war, in dauernder Vernichtung immer neu auf seine kleinsten Bauteile zurückgeführt, sich immer neu zusammensetzend aus seinen Trümmern in dauerndem Wiederaufbau, manchmal setzte er sich falsch zusammen, linke Hand an rechten Arm,

Hüftknochen an Oberarmknochen, Stimmen, die ihm ins Ohr sangen, Chöre von Stimmen BLEIB IM RAHMEN LASS DAMPF AB GIB AUF oder weil es ihm langweilig war, immer die gleiche Hand am gleichen Arm immerwachsende Fangarme Schrumpfköpfe Stehkragen zu kappen, die Stümpfe zum Stehen bringen, Säulen aus Blut; manchmal verzögerte er seinen Wiederaufbau, gierig wartend auf die gänzliche Vernichtung mit Hoffnung auf das Nichts, die unendliche Pause, oder aus Angst vor dem Sieg, der nur durch die gänzliche Vernichtung des Tieres erkämpft werden konnte, das sein Aufenthalt war, außer dem vielleicht das Nichts schon auf ihn wartete oder auf niemand; in dem weißen Schweigen, das den Beginn der Endrunde ankündigte, lernte er den immer andern Bauplan der Maschine lesen, die er war aufhörte zu sein anders wieder war mit jedem Blick Griff Schritt, und daß er ihn dachte änderte schrieb mit der Handschrift seiner Arbeiten und Tode.

1972

Der Vater

Ein toter Vater wäre vielleicht
Ein besserer Vater gewesen. Am besten
Ist ein totgeborener Vater.
Immer neu wächst Gras über die Grenze.
Das Gras muß ausgerissen werden
Wieder und wieder das über die Grenze wächst.

1

1933 am 31. Januar 4 Uhr früh wurde mein Vater, Funktionär der Sozialdemokratischen Partei Deutschlands, aus dem Bett heraus verhaftet. Ich wachte auf, der Himmel vor dem Fenster schwarz. Lärm von Stimmen und Schritten. Nebenan wurden Bücher auf den Boden geworfen. Ich hörte die Stimme meines Vaters, heller als die fremden Stimmen. Ich stieg aus dem Bett und ging zur Tür. Durch den Türspalt sah ich, wie ein Mann meinem Vater ins Gesicht schlug. Frierend, die Decke bis zum Kinn hochgezogen, lag ich im Bett, als die Tür zu meinem Zimmer aufging. In der Tür stand mein Vater, hinter ihm die Fremden, groß, in braunen Uniformen. Sie waren zu dritt. Einer hielt mit der Hand die Tür auf. Mein Vater hatte das Licht im Rücken, ich konnte sein Gesicht nicht sehn. Ich hörte ihn leise meinen Namen rufen. Ich antwortete nicht und lag ganz still. Dann sagte mein Vater: Er schläft. Die Tür wurde geschlossen. Ich hörte, wie sie ihn wegführten, dann den kurzen Schritt meiner Mutter, die allein zurückkam.

2

Meine Freunde, Söhne eines kleinen Beamten, erklärten mir nach der Verhaftung meines Vaters, daß sie nicht mehr mit mir spielen dürften. Es war an einem Vormittag, Schnee lag in den Straßengräben, es ging ein kalter Wind. Ich fand meine Freunde auf dem Hof im Geräteschuppen, auf Holzklötzen sitzend. Sie spielten mit Bleisoldaten. Vor der Tür hatte ich gehört, wie sie Kanonendonner machten. Als ich eintrat, verstummten sie und sahen einander an. Dann

78

spielten sie weiter. Sie hatten die Bleisoldaten in Schlacht-
reihen gegeneinander aufgestellt und rollten abwechselnd
Murmeln in die gegnerische Front. Dabei machten sie den
Kanonendonner. Sie redeten sich mit Herr General an und
schrien einander triumphierend nach jedem Schuß die Ver-
lustziffern zu. Die Soldaten starben wie die Fliegen. Es ging
um einen Pudding. Der eine General hatte schließlich keine
Soldaten mehr, seine Armee lag vollzählig am Boden. Damit war der Sieger ermittelt. Die Gefallenen flogen, Freund
und Feind durcheinander, zusammen mit dem einen Überlebenden, in die Pappschachtel. Die Generäle standen auf.
Sie gingen jetzt frühstücken, sagte der Sieger, und, im Vor-
beigehn, ich könnte nicht mitkommen, sie dürften mit mir
nicht mehr spielen, weil mein Vater ein Verbrecher sei.
Meine Mutter hatte mir gesagt, wer die Verbrecher waren.
Aber auch, daß es nicht gut war, sie zu nennen. So sagte ich
es meinen Freunden nicht. Sie erfuhren es, zwölf Jahre später, ins Feuer geschickt von großen Generälen, unter dem
Donner zahlloser wirklicher Geschütze, in den schrecklichen letzten Schlachten des zweiten Weltkrieges, tötend
und sterbend.

3

Ein Jahr nach der Verhaftung meines Vaters bekam meine
Mutter die Erlaubnis, ihn im Lager zu besuchen. Wir fuh-
ren mit der Kleinbahn bis zur Endstation. Die Straße lief in
Windungen bergan, vorbei an einem Sägewerk mit dem Ge-
ruch von frischem Holz. Auf dem flachen Bergkegel ging
der Weg zum Lager ab. Die Felder am Weg lagen brach.
Dann standen wir vor dem breiten Tor mit dem Drahtgitter,
bis sie meinen Vater brachten. Durch das Drahtgitter blik-
kend sah ich ihn kommen, auf der Lagerstraße, die mit
Schotter bedeckt war. Er ging langsamer je näher er kam.
Die Sträflingskleider waren ihm zu weit, so daß er sehr
klein aussah. Das Tor wurde nicht geöffnet. Er konnte uns
durch den engmaschigen Draht nicht die Hand geben. Ich
mußte dicht an das Tor herantreten, um sein mageres Gesicht ganz zu sehen. Es war sehr blaß. Ich kann mich nicht
erinnern, was gesprochen wurde. Hinter meinem Vater

stand mit rundem rosigem Gesicht der bewaffnete Posten.

Ich wünschte mein Vater wäre ein Hai gewesen
Der vierzig Walfänger zerrissen hätte
(Und ich hätte schwimmen gelernt in ihrem Blut)
Meine Mutter ein Blauwal mein Name Lautréamont
Gestorben in Paris 1871 unbekannt

4

Meine Mutter bekam, weil sie seine Frau war, keine Arbeit. So nahm sie das Angebot eines Fabrikanten an, der bis 1932 Mitglied der Sozialdemokratischen Partei gewesen war. Ich durfte mittags an seinem Tisch mitessen. So stemmte ich mich jeden Mittag gegen das eiserne Tor vor dem Haus des Wohltäters, ging die breite Steintreppe hinauf in den ersten Stock, drückte zögernd auf den weißen Klingelknopf, wurde von einem Mädchen in weißer Schürze in das Eßzimmer gebracht und von der Frau des Fabrikanten an dem großen Tisch placiert, unter ein Bild, das einen Hirsch darstellte, der zusammenbrach und Hunde, die über ihn herfielen. Umgeben von den massigen Gestalten der Gastgeber aß ich ohne aufzublicken. Sie waren freundlich zu mir, erkundigten sich nach meinem Vater, schenkten mir Süßigkeiten und erlaubten mir, ihren Hund zu streicheln: er war dick und stank. In der Küche essen mußte ich nur einmal, als Gäste kamen, die sich an meiner Gegenwart stießen. Als ich mich zum letzten Mal gegen das eiserne Tor stemmte, bis es, in den Angeln kreischend, nachgab, regnete es. Ich hörte den Regen niedergehen, als ich die Steintreppe hinaufstieg. Der Mann saß nicht mit am Tisch. Er war zur Jagd gefahren. Es gab Kartoffelklöße mit Rindfleisch und Meerrettich. Während ich aß hörte ich den Regen. Das letzte Stück Kartoffelkloß fiel mir in zwei Hälften von der Gabel auf den Teppich. Die Frau merkte es und sah mich an. Im gleichen Augenblick hörte ich auf der Straße ein Fahrgeräusch, dann, vor dem Haus, Bremsen und einen Schrei. Ich sah, wie die Frau an ein Fenster ging und aus dem Zimmer stürzte. Ich lief zum Fenster. Auf der Straße stand, neben seinem Auto, vor der Frau, die er überfahren hatte, der Fabrikant. Als ich aus dem Zimmer in den Flur trat, wurde sie von zwei Arbeitern hereingetragen und auf den Fußboden gelegt; ich konnte ihr Gesicht sehen, den verzerrten Mund, aus dem Blut rann. Dann kam ein anderer Arbeiter mit der Jagdbeute, Hasen und Rebhühnern, die er ebenfalls auf den Fußboden legte, weit genug von der blutenden Frau. Ich merkte, wie mir der Meerrettich aufstieß. Auf der Steintreppe war Blut. Ich hatte das eiserne Tor noch nicht erreicht, als ich mich erbrach.

5

Mein Vater wurde freigelassen, unter der Bedingung, daß er sich in seinem Wohnkreis nicht mehr blicken ließ. Das war 1934 im Winter. Zwei Wegstunden vor dem Dorf, auf der offenen Landstraße, die mit Schnee bedeckt war, erwarteten wir ihn. Meine Mutter hielt ein Bündel unter dem Arm, seinen Mantel. Er kam, küßte mich und die Mutter, zog den Mantel an und ging die Straße zurück durch den Schnee, gebückt, als trüge er schwer an dem Mantel. Wir standen auf der Straße und sahen ihm nach. In der kalten Luft konnte man weit sehen. Ich war fünf Jahre alt.

6

Meine Mutter arbeitete, da mein Vater arbeitslos war, wieder als Näherin. Die Fabrik lag zwei Wegstunden von dem Dorf, in dem wir ein Zimmer und eine Dachkammer hatten. Das Haus gehörte den Eltern meines Vaters. Einmal nahm mich meine Mutter mit in die Stadt, zur Sparkasse. An einem Schalter bezahlte sie drei Mark. Der Mann am Schalter lächelte auf mich herab und sagte, ich wäre nun ein reicher Mann. Dann gab er meiner Mutter das Sparbuch. Sie zeigte mir meinen Namen auf der ersten Seite. Als wir gingen, sah ich, wie ein Mann neben uns einen dicken Packen Geldscheine sich in die Jackentasche stopfte. Meine Großmutter stand in der Küche am Herd, als ich ihr das Sparbuch zeigte. Sie las die Summe und lachte. Drei Mark, sagte sie und warf ein großes Stück Butter in die Bratpfanne. Sie stellte die Pfanne auf den Herd. Ja, sagte ich und sah zu, wie die Butter zerging. Sie schnitt ein zweites kleineres Stück Butter ab und tat es dazu. Weil mein Vater gegen Hitler sei, müßte ich Margarine essen. Sie nahm aus einem Topf Kartoffeln, schnitt sie in Scheiben und ließ sie in das siedende Fett fallen. Auf das Sparbuch, das ich in der Hand hielt, kam ein Spritzer. Sie würde keine Margarine essen, sagte sie und: Hitler gibt uns Butter. Sie hatte fünf Söhne. Die drei jüngeren fielen an der Wolga, in Hitlers Krieg um Öl und Weizen. Ich war dabei, als sie die erste Todesnachricht empfing. Ich hörte sie schreien.

7

Als Hitler die Autobahnen bauen ließ, mußten in den deutschen Schulen Aufsätze über das große Projekt angefertigt werden. Für die besten waren Preise ausgesetzt. Ich sagte das, aus der Schule kommend, meinem Vater. Er sagte: Du mußt keinen Preis haben, zwei Stunden später jedoch: Du mußt dir Mühe geben. Er stand am Herd, schlug ein Ei in die Pfanne, dann, schon zögernd, ein zweites und schließlich, nach langem Ansehen und InderHandhalten, das dritte. Das gibt ein gutes Essen, sagte er. Wir aßen und mein Vater sagte: Du mußt schreiben, du bist froh, daß Hitler die Autobahnen baut. Da bekommt bestimmt auch mein Vater wieder Arbeit, der so lange arbeitslos war. Das mußt du schreiben. Nach dem Essen half er mir, den Aufsatz so zu schreiben. Dann ging ich spielen.

8

Dreizehn Jahre später, wir wohnten in einer Kreisstadt in Mecklenburg, saß an unserm Tisch eine Freifrau, Witwe eines Generals, der nach dem mißglückten Attentat vom 20. Juli 1944 auf Adolf Hitler hingerichtet worden war, und bat meinen Vater, den Funktionär der neu gegründeten Sozialdemokratischen Partei, um Hilfe gegen die Bodenreform. Er versprach, ihr zu helfen.

1951 ging mein Vater, um sich herauszuhalten aus dem Krieg der Klassen, über den Potsdamer Platz in Berlin in den amerikanischen Sektor. Meine Mutter hatte ihn bis Berlin begleitet, ich war allein in der Wohnung. Ich saß am Bücherschrank und las Gedichte. Draußen regnete es, während ich las, hörte ich den Regen. Ich legte den Gedichtband weg, zog Jacke und Mantel an, schloß die Wohnung ab und ging durch den Regen zum andern Ende der Stadt. Ich fand ein Gasthaus mit einem Tanzsaal. Ich hörte von weitem den Lärm. Als ich in der Tür zum Tanzsaal stand, wurde eine Pause angesagt. So trat ich in die Gaststube. An einem der kleineren Tische saß eine Frau allein und trank Bier. Ich setzte mich neben sie und bestellte Schnaps. Wir tranken. Nach dem vierten Schnaps berührte ich ihre Brust und sagte, sie hätte schönes Haar. Da sie entgegenkommend lächelte, bestellte ich mehr Schnaps. Nebenan im Tanzsaal hatte die Musik wieder eingesetzt, dröhnte das Schlagzeug, plärrten die Saxophone, schrien die Geigen. Ich preßte Zähne und Lippen auf den Mund der Frau. Dann zahlte ich. Als wir auf die Straße traten, hatte der Regen aufgehört. Der Mond stand weiß am Himmel und verbreitete ein kaltes Licht. Wir gingen den Weg schweigend. Auf dem Gesicht der Frau war ein starres Lächeln, als sie sich neben dem Doppelbett im Schlafzimmer meiner Eltern ohne Umstände auszog. Nach dem Beischlaf schenkte ich ihr Zigaretten oder Schokolade. Meine eher höfliche Frage: Wann sieht man sich wieder? beantwortete sie mit: Wenns gewünscht wird und verbeugte sich beinah vor mir, beziehungsweise vor der Position, in der sie meinen Vater noch glaubte. Er fand seinen Frieden, Jahre später, in einer badischen Kleinstadt, Renten auszahlend an Arbeitermörder und Witwen von Arbeitermördern.

10

Ich sah ihn zuletzt auf der Isolierstation eines Krankenhauses in Charlottenburg. Ich fuhr mit der Stadtbahn bis Charlottenburg, ging, vorbei an Ruinen und Baumrümpfen, eine breite Straße hinunter, wurde im Krankenhaus durch einen langen hellen Gang geführt, an die Glastür der Isolierstation. Man klingelte. Hinter dem Glas erschien eine Krankenschwester, nickte stumm, als ich nach meinem Vater fragte, schritt den langen Gang hinab und verschwand in einem der letzten Zimmer. Dann kam mein Vater. Er sah klein aus in dem gestreiften Schlafanzug, der ihm zu weit war. Seine Pantoffeln schlappten auf den Steinfliesen. Wir standen, zwischen uns das Glas, und sahen uns an. Sein mageres Gesicht war blaß. Wir mußten mit erhobener Stimme sprechen. Er rüttelte an der verschlossenen Tür und rief die Schwester. Sie kam, schüttelte den Kopf und ging. Er ließ die Arme sinken, sah durch das Glas auf mich und schwieg. Ich hörte, wie in einem der Krankenzimmer ein Kind schrie. Als ich ging, sah ich ihn hinter der Glastür stehen und winken. Im Licht, das durch das große Fenster am Ende des Ganges fiel, sah er alt aus. Der Zug fuhr schnell, vorbei an Trümmern und Bauplätzen. Draußen war das eisengraue Licht des Oktobertages.

1958

SCHOTTERBEK, als er, an einem Junimorgen 1953 in Berlin, unter den Schlägen seiner Mitgefangenen aufatmend zusammenbrach, hörte aus dem Lärm der Panzerketten, durch die preußisch dicken Mauern seines Gefängnisses gedämpft, den nicht zu vergessenden Klang der Internationale

etwa 1953

Sie war tot, als ich nach Hause kam. Sie lag in der Küche auf
dem Steinboden, halb auf dem Bauch, halb auf der Seite,
ein Bein angewinkelt wie im Schlaf, der Kopf in der Nähe
der Tür. Ich bückte mich, hob ihr Gesicht aus dem Profil
und sagte das Wort, mit dem ich sie anredete, wenn wir allein waren. Ich hatte das Gefühl, daß ich Theater spielte.
Ich sah mich, an den Türrahmen gelehnt, halb gelangweilt
halb belustigt einem Mann zusehen, der gegen drei Uhr
früh in seiner Küche auf dem Steinboden hockte, über
seine vielleicht bewußtlose vielleicht tote Frau gebeugt, ihren Kopf mit den Händen hochhielt und mit ihr sprach wie
mit einer Puppe für kein andres Publikum als mich. Ihr Gesicht war eine Grimasse, die obere Zahnreihe schief in dem
aufgeklappten Mund, als ob der Kiefer ausgerenkt wäre. Als
ich sie aufhob, hörte ich etwas wie ein Stöhnen, das mehr
aus ihren Eingeweiden als aus ihrem Mund zu kommen
schien, jedenfalls von weit. Ich hatte sie schon oft wie tot
daliegen sehen, wenn ich nach Hause kam, und aufgehoben
mit Angst (Hoffnung), daß sie tot war, und der schreckliche
Laut klang beruhigend, eine Antwort. Später klärte mich
der Arzt auf: eine Art Aufstoßen, durch die Lageverände-
rung bedingt, ein Rest von Atemluft, vom Gas aus den Lun-
gen gepreßt. Oder ähnlich. Ich trug sie ins Schlafzimmer,
sie war schwerer als gewöhnlich, nackt unter dem Morgen-
rock. Als ich die Last auf der Bettcouch ablegte, fiel ihr eine
Zahnprothese aus dem Mund. Sie mußte sich, in der Ago-
nie, gelockert haben. Ich wußte jetzt, was ihr Gesicht ent-
stellt hatte. Ich hatte nicht gewußt, daß sie eine Zahnprothese trug. Ich ging zurück in die Küche und stellte den
Gasherd ab, dann, nach einem Blick auf ihr leeres Gesicht,
zum Telefon, dachte, den Hörer in der Hand, an mein Leben mit der Toten bzw. an die verschiedenen Tode, die sie
dreizehn Jahre lang gesucht und verfehlt hatte, bis zu der
heutigen erfolgreichen Nacht. Sie hatte es mit einer Rasier-
klinge probiert: als sie mit einer Pulsader fertig war, rief sie
mich, zeigte mir das Blut. Mit einem Strick, nachdem sie die
Tür abgeschlossen, aber, mit Hoffnung oder aus Zerstreut-
heit, ein Fenster offen gelassen hatte, das vom Dach aus zu
erreichen war. Mit Quecksilber aus einem Fieberthermome-

ter, das sie, für diesen Zweck, zerbrochen hatte. Mit Tabletten. Mit Gas. Aus dem Fenster oder vom Balkon springen wollte sie nur, wenn ich in der Wohnung war. Ich rief einen Freund an, ich wollte immer noch nicht wissen, daß sie tot war und eine Sache der Behörden, dann das Rettungsamt. SIND SIE WAHNSINNIG MACHEN SIE SOFORT DIE ZIGARETTE AUS TOT SIND SIE SICHER JA SEIT MINDESTENS ZWEI STUNDEN ALKOHOL DAS HERZ HABEN SIE NICHT GEMERKT DASS IHRE FRAU WO IST DER BRIEF WAS FÜR EIN BRIEF HAT SIE KEINEN BRIEF HINTERLASSEN WO WAREN SIE VON WANN BIS WANN MORGEN NEUN UHR ZIMMER DREIUNDZWANZIG VORLADUNG DIE LEICHE WIRD ABGEHOLT AUTOPSIE KEINE SORGE MAN SIEHT NICHTS. Warten auf den Leichenwagen, im Nebenzimmer eine tote Frau. Die Unumkehrbarkeit der Zeit. Zeit des Mörders: ausgelöschte Gegenwart in der Klammer von Vergangenheit und Zukunft. Ins Nebenzimmer gehen (dreimal), die Tote NOCH EINMAL ansehen (dreimal), sie ist nackt unter der Decke. Wachsende Gleichgültigkeit gegen Dasda, mit dem meine Gefühle (Schmerz Trauer Gier) nichts mehr zu tun haben. Die Decke wieder über den Körper ziehen (dreimal), der morgen aufgeschnitten wird, über das leere Gesicht. Beim drittenmal die ersten Spuren der Vergiftung: blau. Zurück ins Wartezimmer (dreimal). Mein erster Gedanke an den eigenen Tod (es gibt keinen andern), in dem kleinen Haus in Sachsen, in der winzigen Schlafkammer, drei niedrige Stockwerke hoch, fünf oder sechs Jahre alt ich, allein gegen Mitternacht auf dem unvermeidlichen Nachttopf, Mond im Fenster. DER DIE KATZE HIELT UNTER DEN MESSERN DER SPIELKAMERADEN WAR ICH / ICH WARF DEN SIEBENTEN STEIN NACH DEM SCHWALBENNEST UND DER SIEBENTE WAR DER DER TRAF / ICH HÖRTE DIE HUNDE BELLEN IM DORF WENN DER MOND STAND / WEISS GEGEN DAS FENSTER DER KAMMER IM SCHLAF / WAR ICH EIN JÄGER VON WÖLFEN GEJAGT MIT WÖLFEN ALLEIN / VOR DEM EINSCHLAFEN MANCHMAL HÖRTE ICH IN DEN STÄLLEN DIE PFERDE SCHREIN. Gefühl des Universums beim Nachtmarsch auf dem Bahndamm in Mecklenburg, in zu engen Stiefeln und zu weiter Uniform: die dröhnende Leere. HÜHNERGESICHT. Irgendwo auf dem Weg durch den Nachkrieg hatte er sich an mich gehängt, eine dürre Gestalt im schlotternden Militärmantel, der am Boden nachschleifte, eine zu große Feldmütze auf dem zu kleinen Vogelkopf, der Brotbeutel in Kniehöhe, ein Kind in Feldgrau. Trottete neben mir her, stumm, ich kann mich nicht erinnern, daß er ein Wort gesagt hätte, nur wenn ich schneller ging, sogar lief, um ihn abzuschütteln, stieß er zwischen keuchenden Atemzügen kleine klägliche Laute aus. Ein paarmal glaubte ich schon, ihn endgültig abgehängt zu haben, er war nur noch ein Punkt in der Ebene hinter mir, dann auch das nicht mehr; aber im Dunkeln holte er auf, und spätestens wenn ich aufwachte, in einer Scheune oder im Freien, lag er wieder neben mir, in seinen löchrigen Mantel gerollt, der Vogelkopf in Höhe meiner Knie, und wenn es mir gelungen war, aufzustehen und wegzukommen, bevor er wach wurde, hörte ich bald hinter mir sein klägliches Keuchen. Ich beschimpfte ihn. Er stand vor mir, sah mich aus schwimmenden Hundeaugen dankbar an. Ich weiß nicht mehr, ob ich ihn angespuckt habe. Ich konnte ihn nicht schlagen: Hühner schlägt man nicht. Nie war mein Wunsch, einen Menschen zu töten, so heftig. Ich erstach ihn mit dem Seitengewehr, das er aus den Tiefen seines Militärmantels geklaubt hatte, um sein letztes Büchsenfleisch mit mir zu teilen, ich aß zuerst, damit ich seinen Speichel nicht mitessen mußte, stieß das Bajonett zwischen seine spitzen Schulterblätter, bevor er an der Reihe war, sah ohne Bedauern sein Blut auf dem Gras glänzen. Das war an einem Bahndamm, nachdem ich ihn getreten hatte, damit er einen andern Weg ging. Ich erschlug ihn mit seinem Feldspaten, als er gerade gegen den Wind, der über die Ebene ging, auf der wir übernachten mußten, einen Wall aufgeschüttet hatte. Er wehrte sich nicht, als ich ihm den Spaten aus der Hand riß; nicht einmal als er das Spatenblatt kommen sah, brachte er einen Schrei zustande. Er mußte es erwartet haben. Er hob nur die Hände über den Kopf. Mit Erleichterung sah ich in der schnell einbrechenden Dunkelheit, wie eine Maske aus schwarzem Blut das Hühnergesicht auslöschte. An einem sonnigen Maitag stieß ich ihn von einer Brücke, die gesprengt worden war. Ich hatte ihn vorgehen lassen, er sah sich nicht um, ein Stoß in den Rücken genügte; das Sprengloch war zwanzig Meter breit, die Brücke hoch genug für einen Todesfall, unten Asphalt. Ich beobachtete seine Flugbahn, der Mantel gebläht wie ein Segel, das Seitenruder des leeren Brotbeutels, die tödliche Landung. Dann überschritt ich das Sprengloch: ich brauchte nur die Arme auszubreiten, von der Luft getragen wie ein Engel. Er hat in meinen Träumen keinen Platz mehr, seit ich ihn getötet habe (dreimal). TRAUM Ich gehe in einem alten von Bäumen durchwachsenen Haus, die Wände von Bäumen gesprengt und gehalten, eine Treppe hinauf, über der nackt eine riesige Frau mit mächtigen Brüsten, Arme und Beine weit gespeizt, an Stricken aufgehängt ist. (Vielleicht hält sie sich auch ohne Befestigung in dieser Lage: schwebend.) Über mir die ungeheuren Schenkel, aufgeklappt wie eine Schere, in die ich mit jeder Stufe weiter hineingehe, das schwarze wildbuschige Schamhaar, die Roheit der Schamlippen.

1975

Und vieles
Wie auf den Schultern eine
Last von Scheitern ist
Zu behalten ...
(Hölderlin)

1

Eugen Gottlob Winkler, einer der vielen deutschen „Früh-
vollendeten", schreibt 1936 in einem Text über ERNST
JÜNGER ODER DAS UNHEIL DES DENKENS: Zwi-
schen der Verschiedenheit zweier Erfahrungen kann es
kein Streitgespräch geben. Bei dem Versuch, für Leser in
Frankreich etwas wie einen „Kulturbrief" aus der DDR-
Hauptstadt zu schreiben, geht mir die Wahrheit dieses Sat-
zes auf. Das Unternehmen hat den Schwierigkeitsgrad einer
Beschreibung der erdabgewandten Seite des Mondes. Die
Sozialismusklischees der Medien von Dissidenz und/oder
Dogma greifen an der Wirklichkeit vorbei. Sie wohnt nicht
in den Extremen. Was für die Eliten Geschichte, ist für die
Massen noch immer Arbeit gewesen. Die Klischees bedie-
nen den Appetit auf Signale von Verrat aus dem Lager jen-
seits des Kapitalismus, garantieren das gute Gewissen des
Konsums, den Frieden der Korruption.

2

Ich bin im westlichen Ausland gelegentlich gefragt worden,
warum ich in der DDR bleibe. Niemand wird einen Franzo-
sen fragen, warum er in Frankreich bleibt. Was nicht nur
für die Zustände in seinem Land spricht: Ein Bürger der
ersten französischen Republik, die mit Blut die Tafeln beschrieben hat, die heute gegen den Sozialismus gehalten
werden, mußte mit dieser Frage leben und/oder sterben,
die Differenz eine Frage der Interpunktion, die das Amt
der Guillotine war. Die Unfähigkeit, der Geschichte ins
Weiße im Auge zu sehn, als die Grundlage der Politik.
Brecht, in einer ersten Diskussion mit Studenten 1948 nach
seiner Übersiedlung in die sowjetische Besatzungszone,
sprach von Ideologiezertrümmerung als der Zielsetzung

seines Theaters für zwanzig Jahre. Er ist nicht der zahnlose Löwe, als den ihn zu betrachten modisch wird, weil er zum Baustein einer Ideologie gebraucht werden kann. Der Stein arbeitet in der Wand. Sein Versuch der Synthese von Realismus und Volkstümlichkeit ist gescheitert. Sein Theater war nicht volkstümlich, als es realistisch, es war nicht mehr realistisch, als es volkstümlich war.

3

Der Diskurs über Rezeptionsprobleme des Theaters in der DDR braucht den Kontext, der von Begriffen wie Bürokratie und Zensur nicht erhellt wird. Zwei verschiedene deutsche Erfahrungen sind geronnen zu zwei deutschen Staaten. Die BRD ist eine durch zwei Weltkriege gesundgeschrumpfte Firma, gegründet auf den Boden der Tatsachen, der der Sumpfboden der deutschen Geschichte ist, die Identität seiner Bevölkerung der Kurs der D-Mark. Die DDR eine Notgeburt per Kaiserschnitt durch Klassen, Familien, Individuen, auf dem Rücken den ALP TOTER GESCHLECHTER, ihr Boden die Utopie, mit einer Bevölkerung, die ihre nationale Identität nur im internationalen Kontext finden kann, unvermeidlich eingebunden in eine imperiale Struktur, die seine Präsenz garantiert und seine Zukunft einfärbt. Die Kritik der Bedürfnisse erstes Bedürfnis, konkret geworden in der Grenze. Aus dem verwüsteten Frankfurt über die Vitrine Westberlin heimgekehrt in das trübe Licht am Bahnhof Friedrichstraße, bin ich froh, daß Rosa Luxemburg, Jüdin aus Polen, Revolutionär in Deutschland, auf dieser Seite der Mauer begraben liegt.

4

Die Frage von Michel Foucault, welche Revolution lohnt welchen Preis, ist eine privilegierte Frage. Wenn Victor Schklowski Eisensteins OKTOBER als das bildgewordene Ende der Warenwelt beschreibt, weiß er, daß dieses Ende von den Massen zunächst als Einschränkung der Warenproduktion erlebt wird. Die soziale Sicherheit hat ihren Preis. Eine Bevölkerung, die dem Trommelfeuer der Werbung für die Wunder des Kapitalismus als dem verschlossenen Garten der Lüste täglich unmittelbar ausgesetzt ist, zahlt ihren Beitrag zur Befestigung der Zukunft nicht mit Jubel. Die totale Information wird zum Stabilitätsfaktor und zementiert den Status quo, wenn sie nicht in eine Praxis übersetzt werden kann. Die Warenwelt schwappt über und beißt Lücken in die Zukunft wie in eine Beute, bis die Löcher als das Bild erscheinen. Wenn keine andere Wahl ist, ziehe ich den Kannibalismus der Lebenden dem Vampirismus der Toten vor.

5

Die Raumzeit der Kunst ist zwischen der Zeit des Subjekts und der Zeit der Geschichte. Die Differenz ist ein potentieller Kriegsschauplatz. Hier zeigt die Frage von Foucault ihren Januskopf. Das Ende der Eliten ist Programm, die Lage fordert Privilegien. Privilegien müssen bezahlt werden: zu den Arbeiten der Intelligenz gehört ihre Selbstkritik. Schon Talent ist ein Privileg, der Eigenbeitrag zur Enteignung gehört zu den Kriterien. Erst auf diesem Hintergrund kann Systemkritik produktiv werden, sind Optimismus und Pessimismus gleichermaßen Zeitverlust. Die Gefahr, daß wichtige Autoren sich aus der Wirklichkeit der DDR hinausschreiben in ein Niemandsland zwischen dem verständlichen Affirmationswunsch überarbeiteter Funktionäre und dem ebenso verständlichen Ventilbedürfnis eines unzufrieden korruptionsbereiten Publikums, die beide mit Kunst nicht bedient werden können, ist real. Die Bildungspolitik und die Sozialstruktur der DDR bringen mehr Begabungen hervor, als der Staat gebrauchen kann. Der Überschuß wird in der BRD durch Vermarktung dem Gebrauch (in beiden Staaten) entzogen.

6

Im REICH DER NOTWENDIGKEIT sind Realismus und Volkstümlichkeit zwei Dinge, aber das REICH DER FREIHEIT rückt nicht näher, wenn die Synthese nicht immer neu versucht wird, unter den wachsamen Augen der Brecht-Erben am BERLINER ENSEMBLE oder der Stadtväter in der VOLKSBÜHNE AM LUXEMBURG-PLATZ, im ersten Fall vom akademischen Starrkrampf, im zweiten vom Niveausturz bedroht. Oder in VILLEURBANNE gegen den Sog der Medien. Das Theater sucht seine Funktion. Das aktuelle Ausweichmanöver, Kompromiß mit der feudalistischen Struktur des (Theater-)Betriebes ist der Mißbrauch der Klassiker. Rekurs auf Molière. Shakespeare als Alibi. Ein immer noch strahlendes Material wird mit Patina überzogen, um eine Struktur zu konservieren, die es einmal gesprengt hat. Das Theater wird seine Funktion nicht finden, solange es sich aus der Teilung in Spieler und Publikum konstituiert. Es lebt aus der Spannung zwischen Bühne und Zuschauerraum, von der Provokation der Texte.

7

Die Schwerkraft der Massen, im Kapitalismus Bedingung, ist in der sozialistischen Gesellschaft Korrektiv der Politik. Die Blindheit der Erfahrung ist der Ausweis ihrer Authentizität. Nur der zunehmende Druck authentischer Erfahrung entwickelt die Fähigkeit, der Geschichte ins Weiße im Auge zu sehn, die das Ende der Politik und der Beginn einer Geschichte des Menschen sein kann. Die Prognose, daß die Dummheit noch schreckliche Tragödien aufführen wird, bei Marx nachzulesen, ist für die Opfer kein Trost, aber wir können nichts tun als unsre Arbeit, die wenig Folgen hat und für die Toten keine.

Ich bedaure, daß ich so allgemein geblieben bin. Es ist schwer, ohne Öffentlichkeit und aus der Entfernung nicht in Versalien zu schreiben. Im Detail steckt der Teufel, wie Hegel in Preußen gelernt hat. Theater ist eine Projektion in die Utopie oder es ist nicht besonders. Ich grüße den einsamen Baum an der Einfahrt zum Flughafen CHARLES DE GAULLE.

1979

Ich möchte ein Unbehagen aussprechen und eine Frage
stellen, auf die ich keine Antwort weiß.

Wenn wir vom Frieden in Europa reden, reden wir von einem Frieden im Krieg. Krieg auf mindestens drei Kontinenten. Der Frieden in Europa ist nie etwas anderes gewesen.
So wie der Faschismus eine weißglühende Episode in dem
vielhundertjährigen kapitalistischen Weltkrieg war, ein geo-
graphischer Lapsus, Genozid in Europa statt, was die Norm
war und ist, in Südamerika, Afrika, Asien.

Wir reden aneinander vorbei, wenn wir auf der Ebene der
Macht miteinander reden. Wir reden aneinander vorbei,
wenn wir unsere Differenzen zudecken, statt sie zu formulieren. Wenn wir über die gleichen Waffen reden, reden wir
über die gleichen und über verschiedene Dinge. Rüstung in
der kapitalistischen Welt erhält und schafft Arbeitsplätze.
Das Gegenteil muß noch bewiesen werden. Rüstung in unserer Welt senkt nicht nur das materielle Lebensniveau. Das
beweist sich in unserem Alltag. Auch die Friedensbewe-
gung, wenn sie sich als blauäugige Einheit versteht, wiederholt das Trauerspiel der Kinderkreuzzüge.

Hinter der Frage Krieg oder Frieden steht mit der nuklearen Drohung die schrecklichere Frage, ob noch ein andrer
Frieden denkbar ist als der Frieden der Ausbeutung und
der Korruption. Der Alptraum, daß die Alternative Sozialismus oder Barbarei abgelöst wird durch die Alternative Untergang oder Barbarei. Das Ende der Menschheit als Preis
für das Überleben des Planeten. Eine negative Friedensuto-
pie. Ich hätte gern, daß auch davon gesprochen wird. Ich
möchte noch nicht glauben, daß in dieser Lage Subversion
mehr kann als Diskussion. Ich rede nicht von der Subversion der Kunst, die notwendig ist, um die Wirklichkeit unmöglich zu machen.

New York oder Das eiserne Gesicht der Freiheit

1

FATZER (kommt mit Fleisch in einer Zeitung)
fleisch.
KAUMANN
wie kommt das blut
an deinen ärmel, fatzer?
FATZER
wollt ihr fleisch fressen
und könnt kein blut sehn.
da ist ein zeitungsblatt!
darin steht daß wir viele
städte gebaut haben
über
dem atlantischen meer, zwanzig
stockwerke hoch, aus reinem
zement und eisen! es ist
ein bild da, ich kenne die
häuser, ich hab sie mir so gedacht.
hier ist das bild.
eine neue
stadt mit namen new york
dies hat gemacht
unser geschlecht oder eines
das ihm ähnlich ist.
KOCH
was hat es genützt? jetzt
laufen wir wie ratten in dieser
höhle herum …

(aus: Brecht UNTERGANG DES EGOISTEN FATZER)

2

Gestern habe ich geträumt, daß ich durch New York ging.
Die Gegend war verfallen und von Weißen nicht bewohnt.
Vor mir auf dem Gehsteig stand eine goldne Schlange auf,
und als ich über die Straße ging, beziehungsweise durch

den Dschungel aus kochendem Metall, der die Straße war, auf dem andern Gehsteig eine andre Schlange. Sie war leuchtend blau. Ich wußte im Traum: die goldene Schlange ist Asien, die blaue Schlange, das ist Afrika. Beim Erwachen vergaß ich es wieder. Wir sind drei Welten. Warum weiß ich es jetzt ...

(aus: DER AUFTRAG)

3

Ihr Arm mit dem Schwert ragte wie neuerdings empor und um ihre Gestalt wehten die freien Lüfte ...

(aus: Kafka AMERIKA)

4

Ungeheuer, Atalanta
Leuchtet deine Sonne.

(aus: Hanns Eisler JOHANN FAUSTUS)

5

In Kafkas AMERIKA trägt die Freiheitsstatue an der Hafeneinfahrt von New York ein Schwert statt der Fackel. In New York zeigt die Freiheit ihr eisernes Gesicht. Manchmal ist es das Gesicht der Gorgo, deren Blick versteint. Seit London, erschöpft von Herrschaft wie eine Frau von Geburten, nicht mehr in der Nachfolge Roms steht (der eigentliche Verlierer des Zweiten Weltkriegs, als einer Phase im Weltbürgerkrieg des zwanzigsten Jahrhunderts, ist England), sind New York und Moskau die Metropolen der Welt, New York das Flaggschiff des Kapitals im BAUCH DER BESTIE, wie Che Guevara die USA genannt hat, mit der Blutbahn der Banken, Moskau die narbenbedeckte Hoffnung der Welt, lange Zeit dem Blick entzogen durch einen blutigen Nebel. So wenig wie Moskau ist New York eine feste Stadt. Moskau seit dem Sturm aus Asien, der die Rache der Kinder Abels an den Erben des Brudermörders und ersten Städtebauers Kain war, immer neu gegen den Wind gebaut, nomadisch bis in die Architektur; noch der Stalinbarock hat durch seine Ornamentik die Fliehkraft von Zeltgiebeln: asiatische Verfremdung der kalt monumentalen Wallstreetgeometrie, die der architektonische Ausdruck des Puritanismus ist, einer Religion für Kolonisatoren.

New York ein Gebilde, das aus seiner eignen Explosion besteht, UNSTET UND FLÜCHTIG im Sinn der biblischen Verfluchung, Schnittpunkt von Kontinenten, kein Schmelztiegel, wie die landläufige Vorstellung meint, sondern ein Ort der Trennung, die Elemente (Rassen Klassen Nationen) bleiben separat (Little Italy Chinatown Lower Eastside Haarlem), mit keiner andern Solidarität als der des Geldes. Die berühmte Skyline täuscht: New York, ein Pfahlbau, ist dem Wasser näher als dem Himmel, sein Grund die Leiber der toten Indianer, die Abels weniger glückliche Nachkommen sind. (Auf den Baugerüsten arbeiten die letzten Irokesen, schwindelfrei durch einen Zufall der Natur.) Und manchmal schlägt der Grund zurück: Im New York der siebziger Jahre, als es Mode wurde, Kindern statt Goldhamster kleine Alligatoren zu schenken (der leichte Weg, das Spielzeug wieder loszuwerden, wenn es lästig wurde, die Spülung des WC, SEE YOU LATER ALLIGATOR), kehrten immer häufiger Kanalarbeiter von ihrer Arbeit unter der Stadt nicht zurück. Suchtrupps entdeckten in den Abwässern der Kanalisation Geschwader von ausgewachsenen Alligatoren. Sie waren weiß und blind und satt. Wenn als Folge der Klimaverschiebung, ein Triumph der Technik, Nord- und Südpol schmelzen, holt der Atlantik vielleicht seine Hauptstadt heim, das Wasser den Beton, schwimmen die Haie durch die Banken. Inzwischen ist das Gesetz des Wachstums von New York das Gesetz des Dschungels: Wucher und Verfall, und aus den Ghettos wächst die Wüste auf die Stadt zu, während mit schnellerem Wachstum im Schatten der Erdbeben Los Angeles die Nachfolge antritt, Hauptstadt des Pazifik und ein neues Babel. Auf den ersten Blick ist New York die letzte intakte europäische Stadt, eine Jungfrau unter den Städten: keine Bombe vom Himmel hat es berührt, es hat keine Panzer gesehen. Der tägliche Krieg findet in den Subways, in den Ghettos, auf den Straßen, in Appartements und Fahrstühlen statt. Eine Stadt der Einsamkeit: nirgendwo hört man so viele Menschen mit sich selber reden wie in den Straßenschluchten von New York. Stadt der Extreme: reiche Witwen mit Penthouse und Chauffeur, bewacht von schwarzen oder irischen Türstehern, ihre Hunde von Negerinnen ausgeführt, Schaufel und Plastiktüte unvermeidlich im Griff, um, wie das Gesetz es befiehlt, die Scheiße wegzuräumen; junge schwarze Mörder, für die nicht einmal in den Gefängnissen Platz ist. Schwierig, New York mit Kunst beizukommen: Vor dem Tanz der fliegenden Zeitungen und im Wirbel der Mülltonnen, die der Wind aus den Indianerprärien über die Straßen am Hudson treibt, schrumpft sie auf das Beispiel Andy Warhol, Klassiker New Yorks durch die Qualität der kleinsten Größe. Unvergeßlich die Trauer im Gesicht des alten Juden, Hegel- und Marxübersetzers (er hatte, wie er beim Whisky gestand, in der McCarthy-Ära vor die Wahl zwischen Management und Alkohol gestellt, die Flucht in den Alkohol vorgezogen), bei seiner Erzählung von einem Besuch im METROPOLITAN MUSEUM am Vortag: er stand vor einem altägyptischen Relief, zwei junge Schwarze stellten sich rechts und links neben ihn: WHAT ARE YOU DOING HERE THIS IS OUR CULTURE. Er kannte gut die sozialen Wurzeln des schwarzen Antisemitismus: Mietwucher in Harlem, Bauspekulation, Brandstiftung gehört zum Geschäft, in den Ghettos, Krieg der Minderheiten. Sein Resümee: Was Marx vergessen oder nicht gewußt hat: die Gewalt des Tribalismus. Erst wenn die Verführungskraft der Fassaden schwindet (die den Bewohnern der Hölle den Himmel auf Erden verspricht), weil das Mahlwerk der Ausbeutung unter der staatlichen Schuldenlast stockt, kann in den Ghettos eine andre Solidarität aufblühn als die des Kapitals gegen das Elend. Bevor man stirbt, sollte man New York gesehen haben, einen der großen Irrtümer der Menschheit.

UNGEHEUER IST VIEL DOCH NICHTS / UNGEHEU-
RER ALS DER MENSCH.

7. 7. 87

Ich bedaure, daß ich an dieser Veranstaltung nicht teilnehmen kann, um so mehr als eine meiner Arbeiten den diesjährigen Anlaß darstellt. Die Proben zur Uraufführung eines älteren Stücks sind in einer Phase, die mehr als gewöhnlich meine Mitarbeit braucht, und ich habe außerdem die Arbeit an einem neuen Stück aufgenommen. In dieser Situation würde mein Auftritt in Mülheim mich mehr kosten als einfach zwei Arbeitstage. Ich bitte Sie deshalb um Verständnis für meinen Entschluß, darauf zu verzichten.

Der Wunsch, von mir etwas über die heutige Dramatik zu hören, bringt mich in Verlegenheit. Die Wirklichkeit des Dramas, das Theater, ist immer Gegenwart, und in der gegenwärtigen Lage geht mich, um annähernd gleichrangige Beispiele zu nennen, Hamlet mehr an als Godot, der Wallenstein mehr als die Courage. Ich rede von Stücken, nicht von Autoren. Immer noch und immer wieder interessiert mich Brechts „Fatzer"-Fragment vor Shakespeares „Wintermärchen". Daß die klassischen Texte noch wirken, hat mit ihrem Reservoir an Utopie zu tun; daß sie nicht mehr geschrieben werden können oder noch nicht wieder, mit der Gefährdung bzw. mit dem Schwund der Utopie. Gegenstand der neueren Dramatik ist, das S c h o n oder N o c h eine Frage des politischen Standorts, der reduzierte Mensch. Am Verschwinden des Menschen arbeiten viele der besten Gehirne und riesige Industrien. Der Konsum ist die Einübung der Massen in diesen Vorgang, jede Ware eine Waffe, jeder Supermarkt ein Trainingscamp. Das erhellt die Notwendigkeit der Kunst als Mittel, die Wirklichkeit unmöglich zu machen. Die Schwerkraft der Massen, im Kapitalismus Bedingung, ist in der sozialistischen Gesellschaft Korrektiv der Politik, die Blindheit der Erfahrung der Ausweis ihrer Authentizität. Sozialismus-Klischees von Dissidenz und/oder Dogma greifen an der Wirklichkeit vorbei; sie wohnt nicht in den Extremen. Was für die Eliten Geschichte, ist für die Massen noch immer Arbeit gewesen. Die Klischees bedienen den Appetit auf Signale von Verrat aus dem Lager jenseits des Kapitalismus, garantieren das gute Gewissen des Konsums, den Frieden der Korruption. Nur der zunehmende Druck authentischer Erfahrung ent-

wickelt die Fähigkeit, der Geschichte ins Weiße im Auge zu sehen. Die Raumzeit der Kunst ist zwischen der Zeit des Subjekts und der Geschichte, die Differenz ein potentieller Kriegsschauplatz. Meine Schwierigkeit im Umgang mit der Dramatik aus Ihrem anderen deutschen Staat liegt in meiner nachbürgerlichen Erfahrung mit einem anderen Subjekt und mit einer anderen Geschichte. Das schwarze Drama in den USA ist mir weniger fremd als die kapitalistischen Trauerspiele von Botho Strauß, in denen Geschichte nur in ihrer Abwesenheit, als Leerstelle, vorkommt bzw. als Kapitalbewegung, die dem Blick entzogen ist, die Angst um den Standard als religiöse Erfahrung. Thomas Bernhards grauschwarze Schwänke, die von sensiblen Kritikern, mit ihren privaten Traurigkeiten besetzt, neuerdings als Dynamit gehandelt werden, bleiben grimmig affirmative Witze, solange der Marktzwang des Theaters den Texten die Trauer austreibt. Meine Solidarität gehört Franz Xaver Kroetz und seinem heroischen Versuch, in dem politischen Vakuum, das die Mitte Ihrer Welt ist, den Kommunismus als das Mittlere zu behaupten, obwohl meine Erfahrung ihn eher als das Andere ausweist. In beiden deutschen Staaten ist die Dramatik ein weiteres Feld als die Theater auszuschreiten bereit oder in der Lage sind, um so begrüßenswerter eine Einrichtung wie die Mülheimer Theatertage, die wenigstens die Illusion ermöglicht, daß es auch in der Bundesrepublik ein breiteres Interesse an der heutigen Dramenproduktion in deutscher Sprache gibt. Im ganzen ist das Stückeschreiben wieder ein einsames Geschäft, sind die Theorien im Leerlauf der Diskussionen grau geworden; was nur durch Politik zu ändern ist und nicht ohne den politischen Beitrag der Kunst.
Seit dem RUNDGANG DES FATZER DURCH DIE STADT MÜLHEIM, der in bösen Sätzen den Zusammenhang von Krieg und Geschäft reflektiert, hat sich an den Eigentumsverhältnissen in Mülheim wohl nicht viel geändert. Der Dramatikerpreis ist insofern etwas wie ein Ablaß. Meine Hoffnung ist eine Welt, in der Stücke wie GERMANIA TOD IN BERLIN nicht mehr geschrieben werden können, weil die Wirklichkeit das Material dafür nicht mehr bereithält. In diesem Sinne danke ich der Stadt Mülheim für den Preis.

6. 9. 1979

Zu Wallenstein

I

UND WENN DER STERN AUF
DEM DU LEBST UND WOHNST
AUS SEINEM GLEISE TRITT
SICH BRENNEND WIRFT
AUF EINE NÄCHSTE WELT
UND SIE ENTZÜNDET
DU KANNST NICHT WÄHLEN
OB DU FOLGEN WILLST

(Schiller: Wallenstein)

BORSCHTSCHI: Sterne.
BADJIN: Ich interessiere mich nicht für Astronomie.
BORSCHTSCHI: Die Sterne interessieren sich auch nicht für uns, Genosse Badjin.
BADJIN: Tot brauch ich sie nicht mehr zu sehn.

(Müller: Zement)

1

Hegel kritisiert an Schillers WALLENSTEIN das Ausbleiben der Versöhnung, den Mangel an HÖHERER VERNÜNFTIGKEIT. Das Stück ist realistisch: der Gang der Handlung schleift den Triumphbogen der Theodizee, den der glücklichere Shakespeare noch als Bauelement seines Theaters subversiv gebrauchen konnte, sein Humor steckt im Detail, Schillers im ganzen. Hinter WALLENSTEIN taucht der Schatten Napoleons auf, des letzten Protagonisten der Macht im Sprung aus der Geschichte in die Politik, die Tragödie nicht mehr im Gepäck hat, der Anlauf ist die Revolution. Über den Ausgang entscheidet schon die Kaufkraft, Wallenstein kann seine Mörder nicht bezahlen; aus dem Schauspieler wird das Mannequin der Macht: dem Toten müssen die Beine gebrochen werden, der zu kurz gewählte Sarg reduziert ihn auf seine künftige Größe. Letzte Ironie: der Sieger verliert den favorisierten Absatzmarkt, die Familie. Die Ironie schließt das Stück an das Drama der Griechen, die das Duell zwischen Mensch und Gott an den

Punkt führen, wo der Gott nicht mehr satisfaktionsfähig ist. Ödipus und der Großinquisitor. Christus die Neinstimme gegen das Jüngste Gericht: UND SIEHE ES WAR NICHT GUT. Schiller und der Vatermord.

2

„Also hinweg mit der falsch verstandenen Schonung und dem schlaffen verzärtelten Geschmack, der über das ernste Angesicht der Notwendigkeit einen Schleier wirft und, um sich bei den Sinnen in Gunst zu setzen, eine Harmonie zwischen dem Wohlsein und Wohlverhalten lügt, wovon sich in der wirklichen Welt keine Spuren zeigen! Stirne gegen Stirne zeige sich uns das böse Verhängnis. Nicht in der Unwissenheit der uns umlagernden Gefahren – denn diese muß doch endlich aufhören – nur in der Bekanntschaft mit denselben ist Heil für uns ..." (ÜBER DAS ERHABENE)
Der Prolog ist eine Publikumsbeschimpfung. Gegen den Selbstgenuß der Bürgerwelt, die Kuhwärme des privaten Kollektivs, die Sicherheit der Ausschließung. Noch der beliebte Schlußvers ERNST IST DAS LEBEN HEITER IST DIE KUNST behauptet, im ironischen Kontext des Realpolitikers Schiller gelesen, zugleich mit der Autonomie der Kunst die Kritik der Idylle, zu der der Blick durch die Augenbinde der jeweils herrschenden Ordnung die Utopie verkommt. Die Verwandlung von Sprengsätzen in TEEKANNENSPRÜCHE ist die Leistung der deutschen Misere in der Philologie.

3

Der Text von WALLENSTEINS LAGER sollte, im Idealfall, vom Publikum gelesen werden, mit dem Blick in den Spiegel der Bühne, die das Menschenmaterial präsentiert, mit dem die Schlachten geschlagen werden, das mit den Schlachten geschlagen wird. Folklore ist Arbeit am Genocid, der Idealfall utopisch, warum. Ist es erlaubt, die Angst des Reformators vor den materiellen Konsequenzen seiner Kopfgeburt, Luthers Verrat am Krieg der Bauern, zur Ent-

hauptung des deutschen Proletariats in Beziehung zu setzen, die der Mord an Luxemburg und Liebknecht war, den
Dreißigjährigen Folgekrieg, der dem deutschen Charakter
das Rückgrat brach (keine Gesichter mehr für Cranach oder
Dürer, Emigration der Kunst in die Idee), zur Mobilmachung des revolutionären Potentials in Deutschland für Holocaust und zweiten Weltkrieg (Spätfolge: das Verschwinden der Gesichter in den Larven, Emigration der Kunst in
das Design). Führt Angst vor der Revolution in Vernichtung, die das Ende der Angst ist und Revolution nicht mehr
braucht.

4

Aus der Erfahrung, daß der Fortschritt der Technologie die
Emanzipation der Mittel vom Zweck unendlich beschleunigt, eine Textkorrektur:
Statt
UND WIRFT IHN UNTER DEN
HUFSCHLAG SEINER PFERDE:
UND WIRFT IHN IN DEN
HUFSCHLAG SEINER PFERDE
Bei der Lektüre von WALLENSTEIN fällt die Nähe zu
Kleist auf. Schiller entdeckt die Kriegsmaschine, deren Eigenbewegung der Griff des Feldherrn nach den Sternen
nicht mehr in die Kontrolle zwingt. Der lyrische Imperativ
der Max-Thekla-Episode ist die verzweifelte Notwehr des
Idealisten gegen die kommende Realität der militärisch industriellen Masturbation. Der masochistische Preuße wird
sich mit der Maschine identifizieren. Die Hochzeit des Samurai.

5

AUF DES DEGENS SPITZE DIE
WELT JETZT STEHT

1985

Versuch, über Shakespeare zu schreiben, zwischen Berlin, Frankfurt, Mailand, Genua. Mit dem Haufen der Notizen wächst der Horror vor der Formulierung. Shakespeare am nächsten in Genua, nachts im mittelalterlichen Stadtkern und in Hafennähe. Enge Gassen, im Mittelalter waren sie mit Ketten abgesperrt gegen das Volk, zwischen den Palästen der Aristokratie des Stadtstaats, der Dorias zum Beispiel, die Udo Lindenberg populär gemacht hat. An einer Hauswand die Sprühschrift WELCOME TO HELL NO PITY HERE. Das ganze wie der Weg zum GLOBE in Giordano Brunos Beschreibung, an Kneipen Bordellen Mördergruben vorbei. Erinnerung an die erste Lektüre: HAMLET aus der Schulbibliothek, gegen die Warnung des Lehrers an den Dreizehnjährigen vor der Schwierigkeit des Originals. Ein schwarzer Lederband, auf der Titelseite der Stempel des ehemals großherzoglichen Gymnasiums. Ich ahnte mehr als ich verstand, aber der Sprung macht die Erfahrung, nicht der Schritt. Das Stück selbst ist der Versuch, eine Erfahrung zu beschreiben, die keine Wirklichkeit hat in der Zeit der Beschreibung. Ein Endspiel in der Morgenröte eines unbekannten Tags. DOCH SEHT DER MORGEN GEHT IM ROTEN MANTEL / ÜBER DEN TAU DES HÜGELS DORT IM OSTEN. Fast vierhundert Jahre später eine andre Lesart: IM ROTEN MANTEL GEHT DER MORGEN DURCH / DEN TAU DER SCHEINT VON SEINEM GANG WIE BLUT. Dazwischen liegt, für meine Generation, der Lange Marsch durch die Höllen der Aufklärung, durch den Blutsumpf der Ideologien. Hitlers geografischer Lapsus: Genocid in Europa statt, wie gewohnt und Praxis heute wie gestern, in Afrika Asien Amerika. Der Veitstanz der Dialektik in den Moskauer Prozessen. Der lidlose Blick auf die Wirklichkeit der Arbeits- und Vernichtungslager. Die Dorf-gegen-Stadt-Utopie des Hegellesers und Verlaineliebhabers Pol Pot. Die verspätete jüdische Rache am falschen Objekt, klassischer Fall von verspätetem Gehorsam. Der Starrkrampf einer zum Sieger geschlagenen Partei beim Umgang mit der geschenkten oder aufgezwungenen Macht in der Mangelwirtschaft des realen Sozialismus. DIE NARBEN SCHREIN NACH

WUNDEN UND DIE MACHT / IST ÜBER SIE GEKOM-
MEN WIE EIN SCHLAG. Der Clinch von Revolution und
Konterrevolution als Grundfigur der Mammutkatastrophen
des Jahrhunderts. Shakespeare ist ein Spiegel durch die Zeiten, unsre Hoffnung eine Welt, die er nicht mehr reflektiert. Wir sind bei uns nicht angekommen, solange Shakespeare unsre Stücke schreibt. Die Anfangszeile von
MIRANDAS SONG aus Audens Kommentar zu STURM:
MY DEAR ONE IS MINE AS MIRRORS ARE LONELY
ist eine Shakespearemetapher, die über Shakespeare hinaus-
greift. NO MORE HEROES / NO MORE SHAKE-
SPEAROS lautet der Refrain eines Punksongs. Ein Hölder-
linfragment beschreibt den unerlösten Shakespeare: WILD-
HARREND / IN DER FURCHTBAREN RÜSTUNG /
JAHRTAUSENDE. Shakespeares Wildnis. Worauf wartet
er, warum in Rüstung, und wie lange noch. Shakespeare ist
ein Geheimnis, warum soll ich es sein, der es verrät, gesetzt, ich kennte es, und warum im shakespearefernen Weimar. Ich habe die Einladung angenommen und stehe nun
vor Ihnen, Sand in den Händen, der mir durch die Finger
rinnt. HAMLET ist ein Lustobjekt der Interpreten. Für
Eliot die Mona Lisa der Literatur, ein mißlungenes Stück:
die Reste des Rächerdramas, marktgängiges Zeitgenre wie
heute der Horrorfilm, ragen sperrig in die neue Konstruktion, behindern Shakespeares Material in der Entfaltung.
Ein Diskurs, den das Schweigen bricht. Die Dominanz der
Monologe ist kein Zufall: Hamlet hat keinen Partner. Für
Carl Schmitt ein bewußt, aus politischen Gründen, verwirr-
ter und verdunkelter Text, begonnen in der Regierungszeit
der Elisabeth, abgeschlossen nach der Machtübernahme des
ersten Stuart, Sohn einer Mutter, die den Mörder ihres
Mannes geheiratet hatte und unter dem Beil starb, eine
Hamletfigur. Der Einbruch der Zeit in das Spiel konstituiert den Mythos. Der Mythos ist ein Aggregat, eine Maschine, an die immer neue und andre Maschinen ange-
schlossen werden können. Er transportiert die Energie, bis
die wachsende Beschleunigung den Kulturkreis sprengt.
Meine erste Hürde bei der Lektüre war Horatios befremdli-
che Rede, befremdlich aus dem Mund des Studenten von
Wittenberg, beim Auftritt des Toten an der Küste von Hel-
singör. ALS ROM IM STAND DER HÖCHSTEN BLÜTE

WAR / UND GRAD BEVOR DER MÄCHTIGE CÄSAR FIEL / STANDEN DIE GRÄBER LEER VERHÜLLT DIE TOTEN / KREISCHTEN UND HEULTEN DURCH DIE GASSEN ROMS / BLUTIG DER TAU FEUERGE-SCHWEIFT DIE STERNE / DIE SONNE FLECKIG UND DER FEUCHTE MOND / AUF DESSEN EINFLUSS NEP-TUNS REICH SICH GRÜNDET / KRANK AN VER-FINSTRUNG WIE ZUM JÜNGSTEN TAG … Geschichte im Naturzusammenhang. Shakespeares Blick ist der Blick der Epoche. Nie zuvor sind die Interessen so nackt aufge-treten, ohne den Faltenwurf, das Kostüm der Ideen. MEN-SCHEN SIND GESTORBEN VON ZEIT ZU ZEIT UND WÜRMER HABEN SIE GEGESSEN ABER NICHT AUS LIEBE. Die Toten haben ihren Platz auf seiner Bühne, die Natur hat Stimmrecht. Das hieß, in der Sprache des neun-zehnten Jahrhunderts, die zwischen Oder und Elbe noch Konferenzsprache ist; Shakespeare hat keine Philosophie, keinen Sinn für Geschichte: seine Römer sind aus London. Inzwischen ist der Krieg der Landschaften, die am Ver-schwinden des Menschen arbeiten, der sie verwüstet hat, keine Metapher mehr. Finstere Zeiten, als ein Gespräch über Bäume fast ein Verbrechen war. Die Zeiten sind heller geworden, der Schatten geht aus, ein Verbrechen das Schweigen über die Bäume. Der Schrecken, der von Shake-speares Spiegelungen ausgeht, ist die Wiederkehr des Glei-chen. Ein Schrecken, der Nietzsche, den gottverlassnen Pa-storensohn, aus dem Elend der Philosophien in seinen Messertanz mit den Gespenstern aus der Zukunft trieb, aus dem Schweigen der Akademien auf das glühende Drahtseil der Geschichte, gespannt VON EINEM IRREN VOLL MIT LÄRM UND WUT zwischen MORGEN UND MOR-GEN UND MORGEN. Das Und trägt den Akzent, die Wahrheit reist im Zwischendeck, der Abgrund ist die Hoff-nung. Wassili Grossmann läßt Stalin, den Verdienten Mör-der des Volkes, wie Brecht ihn genannt hat, in den deut-schen Panzertürmen gegen Moskau tausendfach den ermordeten Trotzki sehn, Schöpfer der Roten Armee und Henker von Kronstadt. Eine Shakespearevariation: Macbeth sieht Banquos Geist, und eine Differenz. Unsre Aufgabe, oder der Rest wird Statistik sein und eine Sache der Com-puter, ist die Arbeit an der Differenz. Hamlet, der Versager, hat sie nicht geleistet, dies sein Verbrechen. Prospero ist der untote Hamlet: immerhin zerbricht er seinen Stab, Replik auf Calibans, des neuen Shakespearelesers, aktuellen Vorwurf an alle bisherige Kultur:/

YOU TAUGHT ME LANGUAGE AND MY PROFIT ON'T
IS I KNOW HOW TO CURSE.

23. 4. 1988

PHÖNIX heißt der Vogel, der sich alle fünfhundert Jahre selbst verbrennt und neu aufsteigt aus seiner eignen Asche. Manchmal sind seine 500 Jahre nur eine Nacht lang: Er fliegt am Abend in die Sonne und tritt am Morgen seinen Rückflug auf die Erde an, BRENNEND, ABER NICHT VERZEHRT, Flammen im Gefieder. Manchmal ist seine Nacht 500 Jahre lang. Das Feuer verzehrt nur die Schlakken, mit denen der Abraum menschlicher Arbeit: Moden Medien Industrien, und das Leichengift der Kriege sein Federkleid beschwert. Sein Geheimnis ist die ewige Flamme, die in seinem Herzen brennt. Er vergißt die Toten nicht und wärmt die Ungeborenen.

Für Udo Lindenberg von HEINER MÜLLER

1986

Das Theater hat Gezeiten wie die Nordsee, seine Geschichte ist mit der Geschichte der Staaten und Gesellschaften, die es aushalten, nicht ohne weiteres auf einen Nenner zu bringen, die Wellenlängen sind verschieden. Auf das Weitere, auf die zarte Differenz, wie Goethe es genannt hat, kommt es wahrscheinlich an, wenn man den hellen oder dunklen Schein der Gegenwart, der das Theater ist, in die Zukunft verlängert. Manchmal greift das Theater dem Gesellschaftsplan vor, das ist die Zeit der Wirkungen. Wenn das Publikum die Bühne einholt, ist die Zeit des Erfolgs gekommen, der die Wirkungen aufhebt. Dann braucht das Theater den Schritt ins nächste Unbekannte. Wenn es zu lange zögert, weil es an seiner (sozialen) Funktion unsicher wird, werden Dekor und Kostüm hypertroph: Selbstdarstellung des Theaters auf Kosten seines Gegenstands. Wenn aus der Geschichte des Theaters in der DDR etwas gelernt werden kann, so ist es die Binsenwahrheit, daß Theater sich aus den Kämpfen der Zeit nicht heraushalten kann, auch aus den Scheinkämpfen nicht, die manchmal länger dauern und, auf dem Feld der Kunst, mehr Opfer fordern: der Spiegel der Epoche bildet auch ihre Dummheit ab. Im Gegensatz zur dramatischen Literatur, die nach Generationen aus dem Abseits ins Zentrum der Epoche treten kann, greift das Theater nicht ungestraft daneben, das heißt: am Blickfeld der zeitgenössischen Mehrheit vorbei, so beschränkt das sein mag und auch wenn der aktuelle Blickpunkt auf einer optischen Täuschung beruht, bedingt durch falsches Bewußtsein, mit dem das Rad der Geschichte von Zeit zu Zeit offenbar geölt werden muß: auch Illusionen machen Geschichte. Die Französische Revolution steht dafür, die Mutter der Freien Marktwirtschaft, die den Menschenrechten den Warencharakter aufgeprägt hat, der sie in Umlauf bringt. Theater lebt aus dem Rhythmus von Störung und Bewahrung. Die große produktive Störung des Theaterbetriebs in der DDR, später global, war die Arbeit Brechts mit dem Berliner Ensemble, Polemik gegen das Göringtheater und gegen den neuen Kitsch, der auf die Harmonisierung der Widersprüche ausging. Das Experimentierfeld für sein Theater der Versuche, die Freiheit der

Produktion vom Verkaufszwang, garantierte der neue Gesellschaftsentwurf. Inzwischen gehört die Arbeit Brechts und seiner Nachfolger am Berliner Ensemble zu den Voraussetzungen von Theaterarbeit in der DDR überhaupt. Der Gewinn bringt Verluste: eine Figur vom Rang Brechts behauptet ihr Territorium, besetzt ein weites Feld. Wie Shakespeare nach wie vor das englische Versdrama bewenn nicht verhindert, ist es unmöglich, nach Brecht Parabelstücke zu schreiben (oder Balladen und epigrammatische Lyrik auf seinem Niveau). Und vieles am Werk auch der großen Autoren gehört ihrer Epoche. Das deutsche Theater hat sich, was sein Verhältnis zu Racine und Corneille angeht, bis dato von Lessings Verdikt nicht erholt, das bürgerlich-emanzipatorisch und national motiviert war. (Die Mediokrität der Übersetzungen, mit der Ausnahme von Schillers Phädra, geht darauf zurück.) Das DDR-Theater tut sich, Brecht im Rücken, mit dem Spätzeitdrama der Ibsen Strindberg Tschechow Hauptmann schwer, deren Oberflächenrealismus in der gedehnten Zeit mehr oder weniger friedlicher Koexistenz der Systeme in seiner Tiefendimension erscheint; leichter mit Gorkis gröberen Strukturen, vom Vorschein der Revolution schon versengt und in die Plastik getrieben, der in Tschechows erkaltender Welt noch ein Traum von Wärme war.

Der Widerstand ist eine Chance, der fremde Blick sieht vielleicht mehr: das beweisen die geglückten Inszenierungen dieser Literatur gerade von Brechtregisseuren nicht nur in der DDR.

Der Wegfall des Privilegs auf Bildung in der DDR ändert die Publikumsstruktur. Erstes Bedürfnis ist vielleicht die Kritik der Bedürfnisse, aber die Kritik wird nicht angenommen, wenn sie nicht, im doppelten Sinn, unterhält. Unser Theater arbeitet im Spannungsfeld von Unterhalt der Gesellschaft und Unterhaltung des Publikums.

November 1986

Rede während des Internationalen Schriftstellergesprächs
„BERLIN – EIN ORT FÜR DEN FRIEDEN"

Was jetzt in der Sowjetunion versucht wird, ist eine ungeheure Korrektur, die Renaissance einer Hoffnung, die mit den Namen Lenin und Trotzki verbunden war und von Stalin auf Eis gelegt wurde. Ich weiß, wie gefährlich es ist, Geschichte an Namen zu binden, ihre Nennung erschwert Analyse, aber ich muß mich kurz fassen. Die Hoffnung des Oktober war die Einheit von Freiheit und Gleichheit, ihre Bedingung war und ist der Frieden. Der siebzigjährige heiße und kalte Krieg gegen die Sowjetunion hat die Welt in zwei Teile gespalten: Freiheit ohne Gleichheit auf der einen Seite, konkret die Freiheit der Ausbeutung, oder, mit Sartre, die Auspowerung von Kontinenten im Namen der Akropolis, die Menschenrechte eine Phrase; Gleichheit auf Kosten der Freiheit auf unserer Seite, die Menschenrechte eine Arbeit mit Blut Schweiß und Tränen. Eine Konsequenz dieser Teilung ist die Mauer zwischen Berlin und Berlin. Sie ist auch ein Denkmal für Rosa Luxemburg und Karl Liebknecht. Die westliche Umarmung für das Gorbatschow-Programm, was seinen innenpolitischen Teil angeht (in der Abrüstungsfrage fällt die Umarmung eher gehemmt aus), sollte uns nicht blind machen für die Tatsache, daß es dabei nicht um eine Annäherung an den Westen geht, sondern im Gegenteil um die Herausbildung des Anderen, um die wirkliche Alternative zum Kapitalismus, nicht um das Aufgeben von Positionen, sondern um die Eroberung der einzigen Position, die Zukunft möglich macht. Wir haben keinen anderen Weg nach vorn als zurück zu Marx und Lenin, die Analyse und Berücksichtigung der veränderten neuen Bedingungen vorausgesetzt. Wir können das Unrecht in unserer Gesellschaft nicht ewig auf Hitler zurückführen. Die DDR trägt auch die Hypothek des Stalinismus. Der bürokratische Umgang mit Kunst Literatur Theater kommt aus diesem Erbe. Vieles was in der DDR geleistet und erreicht worden ist, mußte durchgesetzt werden nicht nur gegen feindliche Obstruktion, sondern auch gegen manchmal mehr und manchmal weniger freundlichen Widerstand. Noch die anachronistische Frage des Zöllners an der Staatsgrenze nach Druckerzeugnissen ist ein stalinistisches Relikt und keine friedensfördernde Maßnahme. Der Frieden ist das A und O, aber wenn wir das Leben in unserer Gesellschaft nicht attraktiv machen, werden unsere Worte wie Asche im Mund sein.

6. 5. 1987

Die Wunde Woyzeck

Für Nelson Mandela

1

Immer noch rasiert Woyzeck seinen Hauptmann, ißt die
verordneten Erbsen, quält mit der Dumpfheit seiner Liebe
seine Marie, staatgeworden seine Bevölkerung, umstellt von
Gespenstern: Der Jäger Runge ist sein blutiger Bruder, pro-
letarisches Werkzeug der Mörder von Rosa Luxemburg;
sein Gefängnis heißt Stalingrad, wo die Ermordete ihm in
der Maske der Kriemhild entgegentritt; ihr Denkmal steht
auf dem Mamaihügel, ihr deutsches Monument, die Mauer,
in Berlin, der Panzerzug der Revolution, zu Politik geronnen. DEN MUND AN DIE SCHULTER DES SCHUTZ-
MANNES GEDRÜCKT, DER LEICHTFÜSSIG IHN DA-
VONFÜHRT, hat Kafka ihn von der Bühne verschwinden
sehn, nach dem Brudermord MIT MÜHE DIE LETZTE
ÜBELKEIT VERBEISSEND. Oder als den Patienten, dem
der Arzt ins Bett gelegt wird, mit der Wunde offen wie ein
Bergwerk, aus der die Würmer züngeln. Goyas Riese war
seine erste Erscheinung, der auf den Bergen sitzend die
Stunden der Herrschaft zählt, Vater der Guerilla.
Auf einem Wandbild in einer Klosterzelle in Parma habe
ich seine abgebrochenen Füße gesehen, riesig in einer arka-
dischen Landschaft. Irgendwo schwingt vielleicht auf den
Händen sein Körper sich weiter, von Lachen geschüttelt
vielleicht, in eine unbekannte Zukunft, die vielleicht seine
Kreuzung mit der Maschine ist, gegen die Schwerkraft getrieben im Rausch der Raketen. Noch geht er in Afrika seinen Kreuzweg in die Geschichte, die Zeit arbeitet nicht
mehr für ihn, auch sein Hunger ist vielleicht kein revolutio-
näres Element mehr, seit er mit Bomben gestillt werden
kann, während die Tambourmajore der Welt den Planeten
verwüsten, Schlachtfeld des Tourismus, Piste für den Ernstfall, kein Blick für das Feuer, das der Armierungssoldat
Franz Johann Christoph Woyzeck beim Steckenschneiden
für den Spießrutenlauf um den Himmel bei Darmstadt fahren
sah. Ulrike Meinhoff, Tochter Preußens und spätgeborene
Braut eines andern Findlings der deutschen Literatur, der sich
am Wannsee begraben hat, Protagonistin im letzten Drama

der bürgerlichen Welt, der bewaffneten WIEDERKEHR DES JUNGEN GENOSSEN AUS DER KALKGRUBE, ist seine Schwester mit dem blutigen Halsband der Marie.

2

Ein vielmal vom Theater geschundener Text, der einem Dreiundzwanzigjährigen passiert ist, dem die Parzen bei der Geburt die Augenlider weggeschnitten haben, vom Fieber zersprengt bis in die Orthografie, eine Struktur wie sie beim Bleigießen entstehen mag, wenn die Hand mit dem Löffel vor dem Blick in die Zukunft zittert, blockiert als schlafloser Engel den Eingang zum Paradies, in dem die Unschuld des Stückeschreibens zu Hause war. Wie harmlos der Pillenknick der neueren Dramatik, Becketts WARTEN AUF GODOT, vor diesem schnellen Gewitter, das mit der Geschwindigkeit einer anderen Zeit kommt, Lenz im Gepäck, den erloschenen Blitz aus Livland, Zeit Georg Heyms im utopielosen Raum unter dem Eis der Havel, Konrad Bayers im ausgeweideten Schädel des Vitus Bering, Rolf Dieter Brinckmanns im Rechtsverkehr vor SHAKESPEARES PUB, wie schamlos die Lüge vom POSTHISTOIRE vor der barbarischen Wirklichkeit unserer Vorgeschichte.

3

DIE WUNDE HEINE beginnt zu vernarben, schief; WOYZECK ist die offene Wunde. Woyzeck lebt, wo der Hund begraben liegt, der Hund heißt Woyzeck. Auf seine Auferstehung warten wir mit Furcht und/oder Hoffnung, daß der Hund als Wolf wiederkehrt. Der Wolf kommt aus dem Süden. Wenn die Sonne im Zenit steht, ist er eins mit unserm Schatten, beginnt, in der Stunde der Weißglut, Geschichte. Nicht eh Geschichte passiert ist, lohnt der gemeinsame Untergang im Frost der Entropie, oder, politisch verkürzt, im Atomblitz, der das Ende der Utopien und der Beginn einer Wirklichkeit jenseits des Menschen sein wird.

1985

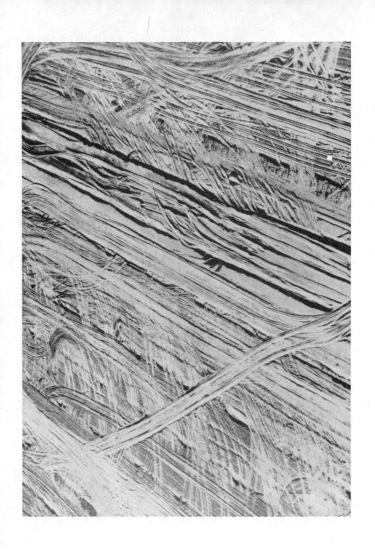

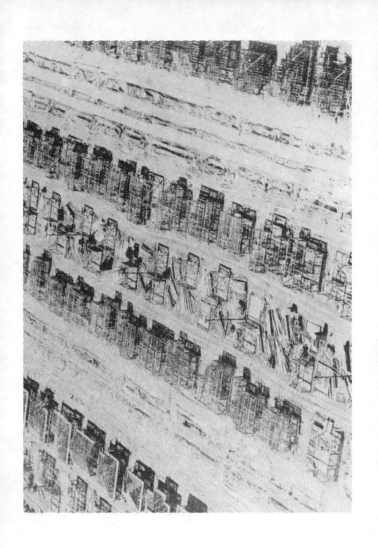

KOMMENTARE

Frank Hörnigk

„Texte, die auf Geschichte warten ..."

Zum Geschichtsbegriff bei Heiner Müller

1

Etwa 1958 fragte mich Paul Dessau, ob ich aus dem Brechtfragment REISEN DES GLÜCKSGOTTS ein Libretto machen könnte. Ich wußte über das Fragment nicht mehr, als Brecht in der merkwürdig sinnlichen, mit Blick auf den Friedhof geschriebenen Prosa seines späten Vorworts zu den frühen Stücken mitgeteilt hatte, und sagte zu.[1]

Die fast zwanzig Jahre später notierte Erinnerung Heiner Müllers an diesen Vorgang betont zunächst und vor allem die Erfahrung eigenen Scheiterns; die Unmöglichkeit, ein Material *auszuschreiben*, das unter anderen historischen Voraussetzungen entstanden war. Eingeschlossen in diese Erfahrung ist allerdings das Bewußtsein, mit dem Hinweis lediglich auf die gewandelten gesellschaftlichen Bedingungen kaum ausreichend begründen zu können, was mit der Methode Brechts für die neuen Verhältnisse und ihre Literatur weiterhin zu gewinnen sei, aber auch an Desidiraten historischer Einsicht notwendig benannt werden müßte.

Brecht hatte Anfang der 40er Jahre im amerikanischen Exil an einem Projekt gearbeitet, das er Paul Dessau als Libretto für eine Oper vorschlug: „der gott derer, die glücklich zu sein wünschen, bereist den kontinent, hinter ihm her eine furche von exzessen und totschlag, bald werden die behörden aufmerksam auf ihn, den anstifter und mitwisser mancher verbrechen, er muß sich verborgen halten, wird illegal, schließlich denunziert, verhaftet, im prozeß überführt, soll er getötet werden, er erweist sich als unsterblich."[2]

Müllers abgebrochener Versuch, Ende der 50er Jahre aus diesem Stoffangebot einen fertigen Text zu erstellen, vor allem aber die Schlußfolgerung, die er für sich selbst aus dieser Lage ableitete, erscheinen programmatisch: der Widerstand gegenüber dem Vorschlag Brechts wird zur Selbstanforderung, in seiner eigenen Person Geschichte neu schreiben zu müssen, selbst Erfahrungen zu benennen und ästhetisch zu verarbeiten. Ein Vorgang, der – theoretisch und praktisch weiterentwickelt –, später zu einer der Grundkonstanten aller seiner Arbeiten werden wird; die Genealogie des Wissens verdichtet sich zur Genealogie eigenen Wissens. Die in solchem Prozeß entstandenen Fragmente zum GLÜCKSGOTT sind in diesem Sinne paradigmatisch für eine Haltung, die über ihren Anlaß hinausweist; sie schließt Abgrenzung wie Annäherung ein: So lautet 1958 einer der Entwürfe, das Erbe Brechts dadurch für sich produktiv zu machen, daß es fragwürdig (befragbar) gemacht wird:

DER GLÜCKLOSE ENGEL. *Hinter ihm schwemmt Vergangenheit an, schüttet Geröll auf Flügel und Schultern, mit Lärm wie von begrabnen Trommeln, während vor ihm sich die Zukunft staut, seine Augen eindrückt, die Augäpfel sprengt wie ein Stern, das Wort umdreht zum tönenden Knebel, ihn würgt mit seinem Atem. Eine Zeit lang sieht man noch sein Flügelschlagen, hört in das Rauschen die Steinschläge vor über hinter ihm niedergehn, lauter je heftiger die vergebliche Bewegung, vereinzelt, wenn sie langsamer wird. Dann schließt sich über ihm der Augenblick: auf dem schnell verschütteten Stehplatz kommt der glücklose Engel zur Ruhe, wartend auf Geschichte in der Versteinerung von Flug Blick Atem, bis das erneute Rauschen mächtiger Flügelschläge sich in Wellen durch den Stein fortpflanzt und seinen Flug anzeigt.*[3]

Zu den bewußt wahrgenommenen Traditionen, mit denen sich Müller hier auseinandersetzt, gehört neben Brecht auch Walter Benjamin. In seinen Thesen „über den Begriff der Geschichte"[4] ist ein Abschnitt enthalten, in dem die Korrespondenzen zu der Metapher des GLÜCKLOSEN ENGELS mehr als deutlich sind. Die These IX lautet:

„Es gibt ein Bild von Klee, das Angelus Novus heißt. Ein Engel ist darauf dargestellt, der aussieht, als wäre er im Begriff, sich von etwas zu entfernen, worauf er starrt. Seine Augen sind weit aufgerissen, sein Mund steht offen und seine Flügel sind ausgespannt. Der Engel der Geschichte muß so aussehen. Er hat das Antlitz der Vergangenheit zugewendet. Wo eine Kette von Begebenheiten vor uns erscheint, da sieht er eine einzige Katastrophe, die unablässig Trümmer auf Trümmer häuft und sie ihm vor die Füße schleudert. Er möchte wohl verweilen, die Toten wecken und das Zerschlagene zusammenfügen. Aber ein Sturm weht vom Paradiese her, der sich in seinen Flügeln verfangen hat und so stark ist, daß der Engel sie nicht mehr schließen kann. Dieser Sturm treibt ihn unaufhaltsam in die Zukunft, der er den Rücken kehrt, während der Trümmerhaufen vor ihm zum Himmel wächst. Das, was wir den Fortschritt nennen, ist d i e s e r Sturm."

Benjamins ENGEL DER GESCHICHTE ist ein Getriebener; der Eindruck einer Bewegung im Stillstand drängt sich auf. Aber es ist ein Stillstand infolge des Zwanges äußerer Bewegung: der Sturm verhindert die Möglichkeit e i g e n e r Praxis; der Engel kann seine Flügel nicht schließen, den Blick nicht wenden, es bleibt die Erfahrung von Zeugenschaft, die er im Angesicht der Vergangenheit sehend erleidet. Zwar werden ihm „unablässig Trümmer … vor die Füße" geschleudert, aber er kann nicht eingreifen, nicht helfen. Der Sturm, den Benjamin im Text als Synonym seines Begriffs von Fortschritt gebraucht,[5] erscheint ebenso als die Begründung jener Gewalt, die den ENGEL von der geschichtlichen Wirklichkeit fortreißt (abtrennt), wie er andererseits als die Gewähr dafür beschworen wird, nicht von ihren Katastrophen überflutet zu werden. In seiner widersprüchlichen Qualität bewahrt er ihm also die Möglichkeit zu sehen – wie er die Erfahrung praktischen Tätigwerdens verhindert.

Müllers GLÜCKLOSER ENGEL ist in einer anderen Lage: die Vergangenheit, die ihn einholt, erreicht ihn stehend, den Blick der Zukunft zugewandt. Beide Räume, der Raum der Vergangenheit wie der der Zukunft, schaffen – untrennbar miteinander verbunden – einen Begründungszusammenhang neuer Art für die Katastrophen, die über diesen Engel hereinbrechen. Er arbeitet: *Eine Zeit lang sieht man noch sein Flügelschlagen … die vergebliche Bewegung* – dann haben ihn die *Steinschläge* der Geschichte zum Stillstand gebracht, erstarren lassen. Das letzte Bild, das vor seinen Augen auftaucht, ist eine Zukunft, die nichts durchdringt, die sich vor ihm staut, schließlich seine *Augäpfel sprengt*, die Sprache erstickt. Es ist die Gewalt der ihn überflutenden

Trümmer der Geschichte, aber auch dieser Alptraum von Zukunft, der ihn nicht der Vergangenheit entkommen läßt. Indem er der Zukunft ins Gesicht schaut, bekommt er die Geschichte blind zu spüren. Hierin vor allem unterscheidet er sich von den Bildern des Glücksgotts bzw. jenes Engels der Geschichte, die Brecht und Benjamin entworfen haben; von der Vorstellung des Glücksgotts im besonderen, der trotz aller Erfahrungen und erlittenen Niederlagen fröhlich in die Zukunft schauen kann, überzeugt, daß es unmöglich ist, „... das Glücksverlangen der Menschheit ganz zu töten"[6], aber auch von dem Engel Benjamins, dessen Blick ausschließlich zurückgewandt bleibt und deshalb den Zwang zu sehen nicht aufbrechen muß (kann) durch die *Blindheit* einer geschichtlichen Erfahrung, die für Müller dort zum eigentlichen *Ausweis ihrer Authentizität* wird,[7] wo Geschichte alle bisherige Erfahrung überschritten hat. Mit Blick auf die Parabel Brechts heißt es in diesem Zusammenhang: *Stehende Figuren (Götter Denkmäler Typen) sind als Katalysatoren brauchbar, wenn Erfahrung die Geschichte überholt hat. Versteinerungen, an denen Weisheit sich ablagern kann, die bei Abruf durch den Fortschritt als Sprengstoff zur Verfügung steht. Wenn der umgekehrte Überholvorgang einsetzt, sind sie es nicht mehr ... Positiv: auf dem Hintergrund von Weltgeschichte, die den Kommunismus (Chancengleichheit) zur Bedingung hat, steht der Dialog für die Befreiung der Vergangenheit.*[8] Er wird zur vorläufig einzigen Möglichkeit, weiterzuschreiben.

Brechts GLÜCKSGOTT, Benjamins ENGEL DER GESCHICHTE wie auch Müllers GLÜCKLOSEM ENGEL ist gemeinsam, daß sie die bisherige Geschichte als Kontinuum anhaltender Katastrophen wahrnehmen: Unterschiedlich sind die verschiedenen Perspektiven und Standpunkte, mit diesem Wissen umzugehen, sich zu verhalten, das heißt die Erfahrungen zu ertragen, die in diesem Zusammenhang als Möglichkeiten bzw. Determinanten für die geschichtlichen Subjekte vorgegeben sind.

Bei Müller lautet der Satz, der die Dauer der Wartezeit seines ENGELS „perspektivisch" besetzt: *... wartend auf Geschichte in der Versteinerung von Flug Blick Atem. Bis das erneute Rauschen mächtiger Flügelschläge sich in Wellen durch den Stein fortpflanzt und seinen Flug anzeigt;* erst dann wird Geschichte in Bewegung geraten.

Es ist das Bild einer versteinerten Hoffnung, die sich in dieser Vorstellung andeutet. Aber es ist eine Hoffnung, der einzig mögliche Entwurf einer Utopie. Er hält der Geschichte stand, indem er sie benennt und sich mit ihr auseinandersetzt, an ihrer Überwindung arbeitet, ausdauernd, ohne Illusion, immer wieder und notwendig die historisch vorhandenen Schranken gesellschaftlicher Emanzipation vorzeigend, den Kommunismus nicht als Ausweg, sondern als „wirkliche Bewegung" formulierend. Ein messianisches Bild von der klassenlosen Gesellschaft ist darin so wenig enthalten wie die teleologische Projektion eines Ideals in die Gegenwart. Müllers Engel ist aufgehoben im historischen Prozeß und wird sich aus eigener Kraft befreien müssen, um weiter in den Raum der Geschichte eintreten zu können. Es ist ein kritischer Punkt – Benjamin bezeichnet ihn als den kritischen Augenblick geschichtlicher Bewegung, an dem der Status quo erhalten zu bleiben droht – wartend auf die neue Bewegung, die auf den Stillstand folgt, der das Ende der erfolgten Bewegung abschloß. Was aber erzwang diesen Stillstand? Für Heiner Müller erzwang ihn der anhaltende Erfahrungsdruck eigener Geschichte und Vorgeschichte, das Erschrecken vor dem *Schlachthaus* des Faschismus, eingebettet in die *Eiszeit* eines *vielhundertjährigen kapitalistischen Weltkrieg(s)*[9]; ebenso aber auch das Bewußtsein über die Vergangenheit der Revolution, die 1945 im Osten Deutschlands mit den Gewehren der Roten Armee durchgesetzt wurde, die damit zugleich ihre eigene Geschichte, die Geschichte der Sowjetunion und des Sozialismus unter der Herrschaft Stalins, als Vorschein anhaltender neuer Widersprüche auf die Befreiten übertrug. Gerade in diesem Zusammenhang erweitert sich der historische Standort Müllers gegenüber den Positionen jener Generation, zu der Brecht und Benjamin gehörten, radikal. Sein später Satz, der an die Notwendigkeit erinnert, … *über Stalin zu schweigen, weil sein Name, solange Hitler an der Macht war, für die Sowjetunion stand*[10], bestätigt deutlich die Bedingtheiten und Zwänge ihrer auch ästhetisch verschiedenen Auffassungen: Brecht trieben sie in *die Allgemeinheit der Parabel*, in ein *klassisches Dilemma*, aus dem es angesichts der späteren *Situation der DDR im nationalen und im internationalen Kontext … keinen Ausweg* mehr für ihn gegeben habe;[11] Benjamin nahm sich nur wenige Monate nach der Niederschrift seiner Thesen, auf der Flucht vor dem Faschismus, das Leben.

Müllers eigener Eintritt in die Literatur, Mitte der 50er Jahre, mag in der Beziehung zu Brecht – so gesehen – tatsächlich *Aufschluß geben über den Funktionswechsel von Literatur in einer Übergangsperiode*[12]. Für sich selbst bestimmt er die Veränderungen vor allem mit dem Verweis auf die unterschiedlich widergespiegelte Struktur von Wirklichkeit, die sich in den Texten ausweise: *Brechts poetischer Einstieg – ein Engel mit versengtem Flügel, von der Erde kommend, die von Kriegen zerfleischt wird, stört den Glücksgott auf –, der das Problem auf gegebenem Spielfeld zur Verhandlung bringt, basierte auf der Vorstellung der Welt als einer runden Sache. Meine Wirklichkeit von 1958 schien mir so geschlossen nicht mehr darstellbar und noch nicht; mein Globus bestand aus kämpfenden Segmenten, die bestenfalls der Clinch vereint. Die runde Figur des GG … konnte ich nur als Spielball einsetzen … er bringt kein Bein auf die Erde.*[13]

Hier wird – bei aller Differenziertheit im einzelnen – die größere Nähe zu einer Auffassung von Geschichte deutlich, wie sie Benjamin vorgeschlagen hat, zu einem Begriff, der sich grundsätzlich jeder Vorstellung von Geschlossenheit verweigert, indem er ohne Unterschied der „offenen Wunden" aller geschichtlichen und revolutionären Bewegungen nachfragt, der vergangenen wie der gegenwärtigen. Auf der Überzeugung beharrend, daß der Eintritt in eine qualitativ neue Phase von Geschichte den Unterdrückten der ganzen bisherigen Geschichte verpflichtet sein müsse, kann der Ausbruch aus dem Kontinuum des geschichtlichen Prozesses nur im Namen aller Toten, aller Generationen Getöteter gedacht werden – oder gar nicht. Das muß in der Konsequenz erst recht für die proletarische Revolution gelten, die ihre Legitimation ausdrücklich auf den Anspruch gründete, mit der Selbst-Befreiung der Arbeiterklasse zugleich die Befreiung von der Vergangenheit insgesamt erkämpfen zu wollen und damit ein menschheitlich allgemeines Glücksverlangen einzulösen. Dieses Auftrags wird gedacht. Es ist ein „Eingedenken"[14], das Müller mit Benjamin teilt, auch oder gerade wegen der verschiedenen Blickwinkel, mit denen im einen wie im anderen Falle Geschichte wahrgenommen wird.

Ende der 70er Jahre legt Heiner Müller das Stück DER
AUFTRAG vor. Sein Untertitel lautet: ERINNERUNG AN
EINE REVOLUTION. Dem Text vorangestellt ist der Hinweis auf Anna Seghers' Erzählung „Das Licht auf dem Gal-
gen". In dem Gedicht „Motiv bei A. S.", aus dem Jahr 1958,
hatte Müller den Stoff schon einmal befragt. Belege fortdau-
ernden „Eingedenkens":

> *MOTIV BEI A. S.*
> *Debuisson auf Jamaika*
> *Zwischen schwarzen Brüsten*
> *In Paris Robespierre*
> *Mit zerbrochenem Kinn*
> *Oder Jeanne d'Arc als der Engel ausblieb*
> *Immer bleiben die Engel aus am Ende*
> *Fleischberg Danton kann der Straße kein Fleisch*
> *geben*
> *Seht doch das Fleisch auf der Straße*
> *Jagd auf das Rotwild in den gelben Schuhn*
> *Christus. Der Teufel zeigt ihm die Reiche der Welt*
> *WIRF DAS KREUZ AB UND ALLES IST DEIN*
> *In der Zeit des Verrats*
> *Sind die Landschaften schön.*[15]

Beide Texte – das Stück wie das Gedicht – beginnen mit
der Beschwörung einer Erinnerung. Es ist die Erinnerung
an die Revolution des Jahres 1789, gebrochen durch die Erfahrung der Niederlage ihrer Avantgarde. Diese betrifft
nicht nur ihr Zentrum Paris. Auch in anderen Teilen der
Welt hat sich diese Niederlage vollzogen. Und es ist die Erinnerung an die *Zeit des Verrats*: das Gedicht endet mit der
Betonung der Gewalt eines Zusammenhangs. Die Schönheit und der Verrat an der Revolution sind seine Pole.
Das Stück DER AUFTRAG nimmt dieses Bild nach 20 Jahren erneut auf – und erweitert es. In dem Brief, den der
Revolutionär Galloudec an Antoine richtet, wird es, als
Grunderfahrung einer geschichtlichen Niederlage aufgeho-
ben, dem gesamten Text vorangestellt: *Galloudec an Antoine.
Ich schreibe diesen Brief auf meinem Totenbett. Ich schreibe in mei-
nem Namen und im Namen des Bürgers Sasportas, der gehängt wor-*

den ist im Port Royal. Ich teile Ihnen mit, daß wir den Auftrag zu-
rückgeben müssen, den der Konvent durch Ihre Person uns erteilt
hat, da wir ihn nicht erfüllen konnten. Vielleicht richten andere
mehr aus. Von Debuisson werden Sie nichts mehr hören, es geht ihm
gut. Es ist wohl so, daß die Verräter eine gute Zeit haben, wenn die
Völker im Blut gehn ...[16]

Es ist die Aufforderung an den im Versteck lebenden ehemaligen Revolutionär, sein Gesicht zu zeigen, zu seiner Geschichte zu stehen, sie anzunehmen – und damit zugleich
die Zurücknahme eines scheinbar unverrückbaren Grund-
satzes revolutionärer Disziplin: dem „Einverständnis mit
der Auslöschung seines Gesichts"[17]. Die von Paris nach Jamaika geschickten Emissäre Debuisson, Sasportas und Galloudec, ausgesandt zum Export der Großen Revolution,
hatten diese Tarnung für ihren Auftrag ursprünglich selbst
bestätigt: *Unser Platz ist der Käfig, wenn unsre Masken reißen*
vor der Zeit.[18] Mit der Erfahrung der Niederlage entsteht eine
andere Lernhaltung: das Abnehmen der Masken wird als
Voraussetzung zur Weitergabe des revolutionären Auftrags
an jene begriffen, die ihnen nachfolgen müssen. Antoine
nimmt diese Botschaft auf, er gibt sich am Ende zu erkennen, als er den Namen Sasportas hört. Sein Gesicht zeigen
– das ist in Zeiten der Niederlage die einzige Alternative
zum Verrat.[19] Es ist ein Schritt, der Verzweiflung und Mut-
losigkeit einschließt, aber auch Erstarrung und Tod verhindern kann – im Namen der Opfer.
Müller greift hier erneut das Symbol des Engels auf: DER
GLÜCKLOSE ENGEL wird zu einem verzweifelten Engel;
mit ihm setzt die wiederholte Arbeit der Erinnerung ein:
Ich bin der Engel der Verzweiflung. Mit meinen Händen teile ich
den Rausch aus, die Betäubung, das Vergessen, Lust und Qual der
Leiber. Meine Rede ist das Schweigen, mein Gesang der Schrei. Im
Schatten meiner Flügel wohnt der Schrecken. Meine Hoffnung ist der
letzte Atem. Meine Hoffnung ist die erste Schlacht. Ich bin das Messer
mit dem der Tote seinen Sarg aufsprengt. Ich bin der sein wird. Mein
Flug ist der Aufstand, mein Himmel der Abgrund von morgen.[20]
Danach fangen die Toten an zu sprechen: *Wir waren auf Ja-*
maika angekommen ...[21] Ihr Bericht ist die Geschichte einer
Niederlage, die von ihnen durchgespielt wird. Doch gerade
mit diesem Bericht beginnt der Flug des Engels aufs neue.
Er kommt wieder in Bewegung, wenn er den Toten die

Särge aufbricht und damit die Vergangenheit befreit. Es ist ein Aufstand in die Zukunft, eine Explosion. Mit ihr kann das Kontinuum gesprengt werden. Geschichte kann beginnen. Ihr Ort heißt jetzt Afrika, Asien, Lateinamerika, die dritte Welt. Für Heiner Müller *die große Bedrohung für den Westen und die große Hoffnung für unsere Seite*[22]. Eigene Geschichte ordnet sich hier ein, wird erkennbar als Teil einer Weltgeschichte, die offen bleibt.

3

Die Metapher des „glücklosen Engel" – seine Versteinerung, aber auch die Utopie seines Aufstands aus Verzweiflung – ist ein Topos, der die Arbeiten Heiner Müllers von Beginn an übergreifend bestimmt hat. Mehr als die Veränderungen in der Aufnahme neuer Stoffe, in der Wahl formästhetischer Mittel usw., verweist die anhaltende Auseinandersetzung mit ihm auf die Zwänge (Produktivität) eines seit Jahrzehnten an den gleichen Fragen sich abarbeitenden Werkes: seine Kollisionen scheinen vorgegeben. Immer geht es um das Benennen historischer Erfahrungen – poetische Rückerinnerung wird zur Voraussetzung weiterzuleben. Es ist eine Erinnerung, die schmerzt: der nicht abzuwendende *Blick in die Sonne*[23] betont die „unreine" Wahrheit des Prozesses, aber ebenso den Standort damit verbundener Solidarität. Gerichtet ist sie, wie sich zeigt, auf die Lebenspraxis jener, die mit ihren Tätigkeiten, ihren Opfern zu allen Zeiten die geschichtlichen Veränderungen bewirkt haben und weiter bewirken, ohne selbst schon bei ihren „eignen Inhalten angekommen" zu sein, die sich immer wieder „ruinieren" im Prozeß dieser Veränderungen – und doch die Last der Vergangenheit nicht loswerden in der begrenzten Zeitspanne ihres Lebens. Ihrem Schicksal wird nachgefragt.
Es ist der Erfahrungsdruck dieses Wissens, das Bewußtsein seiner geschichtlichen Tragik, die Müllers Sprache in die Dichtung und damit auch in die Richtung eines ästhetischen Modells treiben, das gleichermaßen an der Zielstellung revolutionärer Bewegungen festhält, gerade daraus aber seinen Auftrag bezieht, der Verletzungen und Selbstverletzungen der historischen Kämpfer zu gedenken; das

Fortschritt bejahen kann, weil es seinen Preis benennt – ohne Verbindlichkeit.

1972 lautet eine Notiz: *Je mehr der Sozialismus den Gang der Geschichte bestimmt, desto wichtiger die Erinnerung, was er gekostet hat.*[24] Dahinter steht die Überzeugung, in einem Prozeß kollektiver Anstrengungen endlich an den Punkt gelangt zu sein, wo die Last der geschichtlich aufgetürmten Trümmer abgebaut werden könnte – und mit ihnen auch jene Ängste und Verdrängungen, die immer wieder verhinderten, sich der Widersprüchlichkeit der ganzen Geschichte zu stellen – um sie *loszuwerden*.

Es ist eine Überzeugung, die die Geschichte der DDR einbezieht; sie kann weder herausgelöst werden aus den Bewegungen der Vergangenheit und Gegenwart, noch ist sie ihr Zentrum oder ausschließlicher Bezugspunkt. Für Heiner Müller, der aus ihrer sozialen Wirklichkeit heraus schreibt, war sie letzteres im übrigen zu keinem Zeitpunkt. Aber sie blieb der Ort, von dem aus der Blick in die Geschichte immer mit Notwendigkeit auszugehen hatte. Wo diese als eigene Vorgeschichte aufgerufen wird, bedeutet Erinnerung vor allem Selbstbesinnung auf dunkle und belastende Traditionen. Das Bild des Vaters, das wiederholt motivisch aufgenommen wird – seine Verhaftung 1933 – und das Bild des Sohnes, der sich während dieses Vorgangs schlafend stellt, wird von Müller später als *die erste Szene meines Theaters*[25] bezeichnet. Dieses Bild vernarbt nicht, bleibt eine offene Wunde; es ist die Wunde des massenhaften, gewöhnlichen Faschismus und individuelles Grunderlebnis. Das anhaltende Insistieren darauf in allen Texten muß ständig mitgedacht und wahrgenommen werden, es darf jedoch die „andere" Seite der geschichtlichen Erfahrungen, die „unreine" Wahrheit auch des Sozialismus im widersprüchlichen Prozeß seiner eigenen Entwicklung, nicht verschweigen: *Das vielleicht folgenreichste Unglück in der neueren Geschichte war das Scheitern der proletarischen Revolution in Deutschland und ihre Abwürgung durch den Faschismus, seine schlimmste Konsequenz die Isolierung des sozialistischen Experiments in der Sowjetunion auf ein Versuchsfeld mit unentwickelten Bedingungen. Die Folgen sind bekannt und nicht überwunden. Die Amputation des deutschen Sozialismus durch die Teilung der Nation gehört nicht zu den schlimmsten.*[26]

Müllers Arbeiten sind exemplarische Belege dieser Epochen-Bilanz. Das gilt für den Typus des LOHNDRÜCKER ebenso wie für die Antike-Bearbeitungen, für ZEMENT und AUFTRAG wie für BILDBESCHREIBUNG oder WOLOKOLAMSKER CHAUSSEE. Sie alle sind mit dieser gegenwärtigen Erfahrung aufgeladen.

Die erneute Auseinandersetzung mit dem schon 1957 in der DDR uraufgeführten Text DER LOHNDRÜCKER belegt diesen Zusammenhang nachhaltig. Wiederaufgenommen und erinnert ist der historische Vorgang: die legendäre Aktivistentat des Maurers Hans Garbe, aufgehoben zur Allegorie eines ganzen Epochenumbruchs.[27] Die Inszenierung am Deutschen Theater im Jahre 1988, von Heiner Müller selbst besorgt, nimmt nichts davon zurück. Aber sie erweitert tradierte Rezeptionsmuster entscheidend. Denn was hier als geschichtliche Leistung anerkannt bleibt, schließt das Eingeständnis ihrer widersprüchlichen, „unreinen" Seiten mehr denn je ein. Die in den Text montierten Szenen DER HORATIER und WOLOKOLAMSKER CHAUSSEE IV bestätigen in diesem Sinne die Geräumigkeit einer Metapher, indem sie ihr gleichzeitig neue Dimensionen kritischer Selbstbefragung „zuweisen".

Mit dem Gleichnis des Horatier, der als Sieger für die Stadt Rom zu Ehren kommt, als Mörder seiner Schwester aber verurteilt und gerichtet wird, rückt Müller die Möglichkeit/ Notwendigkeit eines Sprechens in den Vordergrund, das die Gewaltmechanismen aller Klassengesellschaften aufzeigt, denunziert – und aus ihren eigenen Voraussetzungen begründet. Es handelt sich dabei um eine „Denkfigur"[28], wie sie vorerst für den Autor nur mittels der Sprache von Kunst zu bewegen ist. Sie kann den Rest, der darin nicht aufgeht, nur benennen, nicht eigentlich aufheben; der tote Körper des Siegers/Mörders kann nur künstlich wieder zusammengesetzt werden – und auch das nur *ungefähr*[29] – nicht in Wirklichkeit. Gerade aus dem Bewußtsein solchen Ungenügens von Sprache aber erwächst Hoffnung: Es könnte gelernt werden, *nicht verbergend den Rest / Der nicht aufging*[30].

Hier entsteht ein Eingedenken, das sowohl deutliches

Warnbild als auch der Ansatz einer möglichen Utopie ist. Der Fall des Horatier ist der Mythos, an dem diese Selbsterfahrung demonstriert wird:

Er soll genannt werden der Sieger über Alba
Er soll genannt werden der Mörder seiner Schwester
Mit einem Atem sein Verdienst und seine Schuld.
Und wer seine Schuld nennt und nennt sein Verdienst nicht
Der soll mit den Hunden wohnen als ein Hund
Und wer sein Verdienst nennt und seine Schuld nicht
Der soll auch mit den Hunden wohnen.
Wer aber seine Schuld nennt zu einer Zeit
Und nennt sein Verdienst zu anderer Zeit
Redend aus einem Mund zu verschiedener Zeit anders
Oder für verschiedene Ohren anders
Dem soll die Zunge ausgerissen werden.[31]

Bezogen auf das Modell von LOHNDRÜCKER wird diese Erfahrung historisch: Balkes/Garbes Verdienst und Schuld sind sowenig voneinander zu trennen, wie die Vergangenheit des Parteisekretärs Schorn unter der Folter faschistischer Gefängnisse nicht die Widersprüche der Gegenwart des Sozialismus aufheben kann, an denen er Anteil hat – und an denen er leidet.

Beide entkommen ihrer Geschichte nicht, sie holt sie ein; das Urteil über ihren Weg ist offen bis zum Schluß, ihre „Umarmung" vorläufig, die Zwänge bleiben. Schorn braucht am Ende die Panzer, um die neue Macht zu sichern, er bedient sich ihrer im „gesellschaftlichen Interesse" – gegen den Widerstand jener, für deren Interessen er eintritt. Er wird dabei zu einem Täter, der nur noch handeln kann, weil seine Sprache versagt. Es ist ein Rollenwechsel voller Qual und Selbstzweifel – historisch ebenso notwendig (!) wie verletzend. Daran wird erinnert.

Auch der Arbeiter Balke vollzieht seinen Rollenwechsel: Mit seiner neuen Tat für den Sozialismus trägt er eine alte Schuld ab, seine Feigheit vor den Faschisten; ein Rest bleibt: Seine Anstrengungen isolieren ihn, wie den Parteisekretär Schorn, von den anderen Arbeitern. Das verbindet sie, den Aktivisten und den Funktionär, macht sie aber für die, denen ihr Beispiel vor allem gelten sollte (mußte), fremd. Die „Massen" sind der „Rest", der nicht aufgeht.

Die in allen bisherigen Inszenierungen und auch in der ursprünglichen Textfassung Müllers enthaltene Hoffnung auf ihr Einverständnis, das versöhnende Bild möglicher Kollektivität, hier fehlt es, wird als historisch noch immer offenes Versprechen benannt. Mit der Projektion des Textes WOLOKOLAMSKER CHAUSSEE IV (KENTAUREN) in die Szene erweitert sich dieser Eindruck noch, wird in einem grotesken Alptraum – Warnbild – von Zukunft gebrochen: die dabei ins Spiel gebrachte Satire auf einen „Vorgesetzten", der mit seinem Schreibtisch und seinen Akten kentaurisch verwächst, entgrenzt die auf den ersten Blick noch ironisch gebrochene Vorstellung „perfekt" bürokratisierter Verhältnisse am Ende zu einer Schreckensvision von Staatsmacht, die restlos gesiegt haben könnte und dann ihre Allmacht nur noch als Ohnmacht erleben würde. Der Text bricht ab mit einem Hilfeschrei! Sein Adressat ist das Publikum, bei dem allein der Ansatz möglicher „Lösungen" liegen könnte und die Hoffnung Müllers, daß *wieder gelernt werden kann, gelernt werden muß*[32]. Das ist nicht eigentlich neu. Schon Ende der 50er Jahre lautete die Spielanweisung: *Das Stück versucht nicht, den Kampf zwischen Altem und Neuem, den ein Stückeschreiber nicht entscheiden kann, als mit dem Sieg des Neuen vor dem letzten Vorhang abgeschlossen darzustellen; es versucht ihn in das neue Publikum zu tragen, das ihn entscheidet.*[33] Dennoch weist die aktuelle Erfahrung über die historische hinaus, besetzt sie mit anderer Realität: der Sieg des Neuen wird möglich, erst wenn die Fähigkeit zu sprechen wahrgenommen, als Notwendigkeit voll erkannt und anerkannt wird: *Nämlich die Worte müssen rein bleiben... / Kenntlich machend die Dinge oder unkenntlich.*[34] Davon hängt es ab. Es ist ein „Eingedenken" auf neuer Ebene, im Bewußtsein zukünftiger Aufgaben. Der Blick nach vorn macht sie benennbar.

Berlin, April 1988

1 Heiner Müller, Glücksgott, in: Heiner Müller, Theater-Arbeit, Berlin (West) 1975, S. 7.
2 Bertolt Brecht, Arbeitsjournal 1938–1955, Berlin und Weimar 1977, S. 193.

3 Heiner Müller, Glücksgott, a. a. O., S. 18.
4 Walter Benjamin, über den Begriff der Geschichte, in: Walter Benjamin, Allegorien kultureller Erfahrungen, Leipzig 1984, S. 156–196.
5 Vgl. u. a. Walter Benjamin, Das Passagen-Werk, Frankfurt (Main) 1982, Erster Band (Erkenntnistheoretisches, Theorie des Fortschritts), S. 592 ff.
6 Bertolt Brecht, Schriften zum Theater 3, Gesammelte Werke 17, Frankfurt (Main) 1967, S. 948.
7 Heiner Müller, Fatzer ± Keuner, in: Heiner Müller, Rotwelsch, Berlin (West) 1982, S. 141.
8 Heiner Müller, Glücksgott, a. a. O., S. 7.
9 Heiner Müller, Diskussionsbeitrag auf der „Berliner Begegnung" vom 13./14. Dezember 1981, in: Heiner Müller, Rotwelsch, a. a. O., S. 199.
10 Heiner Müller, Fatzer ± Keuner, a. a. O., S. 141.
11 Ebd.
12 Heiner Müller, Glücksgott, a. a. O., S. 8.
13 Ebd.
14 Walter Benjamin, Das Passagen-Werk, a. a. O., S. 589; über den Begriff der Geschichte, a. a. O., S. 166.
15 Heiner Müller, Motiv bei A. S., in: Heiner Müller, Germania Tod in Berlin, Berlin (West) 1977, S. 80.
16 Heiner Müller, Der Auftrag, in: Sinn und Form, 31. Jahr, 1979, 6. Heft, S. 1244–1262.
17 Bertolt Brecht, Die Maßnahme, in: Stücke, Bd. 4, Berlin 1955, S. 265.
18 Heiner Müller, Der Auftrag, a. a. O., S. 1249.
19 Vgl. Frank Hörnigk, Zu Heiner Müllers Stück „Der Auftrag", in: Weimarer Beiträge, 27. Jahrgang, 1981, Heft 3, S. 114 ff.
20 Heiner Müller, Der Auftrag, a. a. O., S. 1246 f.
21 Ebd.
22 Heiner Müller, Mauern (Gespräch mit Sylvere Lotringer), in: Rotwelsch, a. a. O., S. 64.
23 Heiner Müller, Fatzer ± Keuner, a. a. O., S. 141.
24 Zitiert nach Genia Schulz, Heiner Müller, Stuttgart 1980, S. 9.
25 Heiner Müller, Gespräch mit S. Lotringer, a. a. O., S. 68.
26 Heiner Müller, Fatzer ± Keuner, a. a. O., S. 140.
27 Vgl. Marianne Streisand, Heiner Müllers „Der Lohndrücker" – Zu verschiedenen Zeiten ein anderes Stück, in: Werke und Wirkungen, DDR-Literatur in der Diskussion, Leipzig 1987, S. 306 ff.
28 Vgl. Hans-Thies Lehmann, „Der Horatier", in: Genia Schulz, Heiner Müller, Stuttgart 1980, S. 93–98.

29 Heiner Müller, Der Horatier, in: Heiner Müller, Mauser, a. a. O., S. 51.
30 Ebd., S. 53.
31 Ebd.
32 Heiner Müller, Solange wir an unsere Zukunft glauben, brauchen wir unsere Vergangenheit nicht zu fürchten. (Gespräch mit Gregor Edelmann), in: Theater der Zeit, 2/86, S. 62–64.
33 Heiner Müller, Der Lohndrücker, in: Heiner Müller, Geschichten aus der Produktion I, Berlin (West) 1984, S. 15.
34 Heiner Müller, Der Horatier, a. a. O., S. 53.

WOLFGANG EMMERICH

Der vernünftige, der schreckliche Mythos

Heiner Müllers Umgang mit der griechischen
Mythologie

1

1932 erschien eine Rezension Walter Benjamins über An-
dré Gides neues Theaterstück „Ödipus" unter dem merk-
würdigen Titel „Ödipus oder der vernünftige Mythos"[1].
Darin zitiert Benjamin Gide, und zwar uneingeschränkt zu-
stimmend, mit folgenden Sätzen: „‚Wie hat man nur der-
gleichen glauben können?' ruft Voltaire. Und dennoch: an
erster Stelle ist es die Vernunft und nur die Vernunft ist es,
an die jeder Mythos sich wendet und keinen hat man verstanden, wenn nicht zuerst die Vernunft ihn annimmt. Die
griechische Sage ist von Grund auf vernünftig […]."[2] Benjamin selbst bekräftigt noch einmal – und versucht das für
den „Ödipus" zu belegen –, daß „die Konstruktion, die Logik, die Vernunft" Kern des Mythos sei.[3]
Dieses positive Urteil über den Mythos aus der Feder eines
Marxisten ist zunächst einmal irritierend. Schließen Mythologie und Marxismus einander nicht aus? Gehört nicht das
eine in die Vor-Geschichte und damit zugleich in ein vor-
wissenschaftliches Zeitalter, während das andere, nach seinem eigenen Verständnis, emphatischer Inbegriff des wissenschaftlichen Zeitalters und, auf der Ebene gesellschaftlicher Praxis, bewußter, selbstgemachter Geschichte ist?
Marx' grundsätzliche Aussage zum Mythos aus seiner „Ein-
leitung zur Kritik der Politischen Ökonomie" scheint die Ir-
rationalität und Überlebtheit des Mythos zu bestätigen. Sie
lautet: „Ist die Anschauung der Natur und der gesellschaftlichen Verhältnisse, die der griechischen Phantasie und daher der griechischen Mythologie zugrunde liegt, möglich
mit Selfaktors und Eisenbahnen und Lokomotiven und
elektrischen Telegraphen? Wo bleibt Vulkan gegen Roberts
et Co., Jupiter gegen den Blitzableiter und Hermes gegen
den Crédit mobilier? Alle Mythologie überwindet und beherrscht und gestaltet die Naturkräfte in der Einbildung
und durch die Einbildung: verschwindet also mit der wirklichen Herrschaft über dieselben."[4]

Marx reduziert damit, ganz Kind des 19. Jahrhunderts, Mythologie weitgehend auf Naturmythologie. Der griechische Mythos ist ihm „unbewußt künstlerische Verarbeitung der Natur" durch die „Volksphantasie"[5]. Eine Verarbeitung sozialer Vorgänge im Mythos (und deren mögliche Aktualität) hat er kaum erwogen. Was ihn im weiteren irritiert, ist allein die Tatsache, daß jene frühen, eben mythischen Kristallisationen menschlicher Einbildung, die er kraft rationaler Wirklichkeitsaneignung als endgültig überwunden ansieht, „für uns noch Kunstgenuß gewähren und in gewisser Hinsicht als Norm und unerreichbare Muster gelten"[6]. Marx löst das Problem auf überraschende Art: „Warum sollte die geschichtliche Kindheit der Menschheit, wo sie am schönsten entfaltet, als eine nie wiederkehrende Stufe nicht ewigen Reiz ausüben? Es gibt ungezogene Kinder und altkluge Kinder. Viele der alten Völker gehören in diese Kategorie. Normale Kinder waren die Griechen."[7] Und eben diese ‚Normalität' einer schönstens entfalteten Kindheit der Gattung ist es, auf die Marx die andauernde Attraktivität der griechischen Kunst und der in ihnen gestalteten Mythen zurückführt. Damit malt der materialistische Historiker Marx an einem Antikebild der bürgerlichen Aufklärung und Klassik weiter, das in Winckelmanns Wort von der „edlen Einfalt und stillen Größe" seinen formelhaften Ausdruck gefunden hatte.

Doch fehlt nicht noch mehr und Entscheidendes in dieser klassisch gewordenen Vorstellung vom griechisch-antiken Mythos und dem, was er transportiert? Peter Hacks hat einmal am Beispiel des Tantalidenmythos von Tantalos über Pelops, Atreus, Thyestes und Agamemnon bis zu Orest hin exemplarisch illustriert und ironisch pointiert, was da eigentlich geschieht: „In den unmittelbaren Begebenheiten dieser fünf Herren ereigneten sich die Schlachtung und Verspeisung von 6 Knaben, der Diebstahl 1 goldenen Hundes und 1 goldenen Lammes, 2 der klassischen und beispielgebenden Fälle von Homosexualität, 2 Schändungen von Töchtern durch ihre Väter, 1 Vatermord, 1 Muttermord, 1 Gattenmord, 1 Tochtermord, nicht zu rechnen Selbstmorde, Ehebrüche und minder intime Bluttaten unter Verwandten zweiten oder noch entfernteren Grades."[8]

Gewiß, so könnte man einwenden, macht sich Hacks einer

grob stofflichen Verkürzung der mythologischen Überlieferung und damit ihrer Verballhornung schuldig. Doch hat dieses Verfahren den Vorteil, die traditionelle Verkürzung des Mythos auf Mimesis gattungsgeschichtlicher Kindheit im Zustand schönster, harmonischer ‚Normalität' in Frage zu stellen und darauf aufmerksam zu machen, daß fast alle Mythen Geschichten der Gewalt und des Schreckens, sprich: Terrorgeschichten sind. Die Vermutung liegt nahe, daß sie dies weniger sind, um mutwillig die Nerven zu kitzeln, sondern vielmehr deshalb, weil ihnen ein historisch-sozialer Kern real schrecklicher Vorgänge zugrunde liegt, der in der Mythe als traumatische Erinnerung weitergereicht wurde. Nicht anders sieht es Christa Wolf, wenn sie die griechischen Tragödien „als Zusammenfassungen, vorläufige Endprodukte ungeheuerster jahrhundertelanger Kämpfe" beschreibt, „in denen die Moral der Sieger formuliert ist", während doch „hinter der Fabel, die sie diktieren, die Bedrohung durch Älteres, Wildes, Ungezügeltes durchschimmert"[9].

Damit bekräftigt sie Auffassungen von Friedrich Engels, die dieser in Anlehnung an Johann Jakob Bachofens Studien zum Mutterrecht in „Der Ursprung der Familie, des Privateigentums und des Staats" entwickelt hatte. Engels war der konkret historische und gesellschaftliche Gehalt der griechischen Mythen als wie immer modifizierter mimetischer Darstellungen des Übergangs von der noch tendenziell klassenlosen, matrilinear strukturierten Gentilgesellschaft zur patriarchalischen Klassengesellschaft nahezu selbstverständlich. Und er zögerte, anders als Marx, auch nicht, als ein wesentliches Merkmal dieser im Mythos manifestierten ‚Übergangsgesellschaft' die „ganze Brutalität ihrer Jugendlichkeit"[10] zu konstatieren. Freilich: Läßt sich von Friedrich Engels die sozialhistorische Lesart des Mythos lernen – daß nämlich „das homerische Epos und die gesamte Mythologie [...] die Haupterbschaften" waren, „die die Griechen aus der Barbarei übernahmen in die Zivilisation" –, so bleibt dabei immer noch offen, was spätere, und zumal sozialistische, Autoren von Brecht, Seghers und Arendt bis zu Franz Fühmann, Peter Hacks, Christa Wolf, Heiner Müller und Volker Braun dazu veranlaßt hat, die historische Erbschaft dieser ‚Barbarei' erneut zu thematisieren, und zwar als je aktuelle. Kein deutschsprachiger Autor des 20. Jahrhunderts hat sich dabei so hartnäckig, verstörend und erhellend auf den Mythos eingelassen wie Heiner Müller. Nur scheinbar paradox enthalten seine poetischen Versionen des Mythischen regelmäßig eine Dimension der Vernunft und eine solche des Schreckens.

2

Eine Lesart von Heiner Müllers Textproduktion über mittlerweile etwa 35 Jahre ist bemüht, sie in Phasen einzuteilen. So hat z. B. Wolfgang Schivelbusch vorgeschlagen (und viele sind ihm darin gefolgt), die drei Phasen der Produktionsstücke (50er Jahre), der Antikenstücke (60er Jahre) und der Deutschlandstücke (70er Jahre) zu unterscheiden (er sprach salopp vom „Produktions-Müller", vom „Antike-Müller" und vom „Parabel-Müller").[11] Doch gegen diese allzu übersichtliche Einteilung spricht vieles. Der Widerspruch zwischen ‚alter' und ‚neuer' Produktion ist für Müller bis heute ein wichtiges Thema geblieben, über ZEMENT (1972) und TRAKTOR (1974; die Anfänge des Stücks liegen freilich um 1955) bis zu WOLOKOLAMSKER CHAUSSEE III. Umgekehrt reicht die Faszination durch den ‚Terror, der aus Deutschland kommt', bis in die frühen und mittleren 50er Jahre zurück, wie die Anfänge von SCHLACHT (1951) und GERMANIA TOD IN BERLIN (1956) belegen. Und am wenigsten ist Müllers Beschäftigung mit der griechischen Antike und ihrer Mythologie auf die 60er Jahre einzuengen. Vom Anfang der 50er Jahre stammen Gedichte wie PHILOKTET 1950 und ULYSS sowie eine erste Beschäftigung mit dem Medea-Stoff. Mag die Konzentration auf die antiken Stoffe am Ende der 60er Jahre nachgelassen haben: von den Intermedien zu Prometheus und Herakles und anderen wichtigen mythologischen Anspielungen aus ZEMENT bis zu VERKOMMENES UFER MEDEAMATERIAL LANDSCHAFT MIT ARGONAUTEN (abgeschlossen 1982) und BILDBESCHREIBUNG (1985) bleibt der Mythos ein zentrales Bezugssystem für Heiner Müller. Warum?
Der Autor hat auf diese Frage, wie nicht anders zu erwarten, widersprüchliche Antworten gegeben. Einerseits hat er

diejenigen bestätigt, die seinen Antikebearbeitungen „das Problemfeld Stalinismus" als „geheimen ‚Subtext'" unterstellen, wie z. B. Genia Schulz und Hans-Thies Lehmann.[12] 1982 antwortete Müller in einem Gespräch mit Sylvère Lothringer auf die einschlägige Frage: *Ich möchte heute kein antikes Stück, keine Bearbeitung eines antiken Stoffs mehr schreiben. Aber in den frühen sechziger Jahren konnte man kein Stück über den Stalinismus schreiben. Man brauchte diese Art von Modell, wenn man die wirklichen Fragen stellen wollte. Die Leute hier verstehen das sehr schnell.*[13]

Doch im gleichen Interview – und in zwei anderen noch deutlicher – machte Müller auch sehr viel allgemeinere geschichtsphilosophische Gründe dafür namhaft, warum ihn die antiken Mythen so stark – und dauerhaft – faszinierten. Er erkannte in ihnen *sehr frühe Formulierungen kollektiver Erfahrungen*, die *schlimmerweise* immer noch stimmten, weil *die condition humaine sich in den letzten Jahrhunderten ganz wenig verändert hat. Die Entwicklung des Menschen als Gegenstand der Anthropologie ist absolut minimal.*[14] Diese Feststellung Müllers ist ernüchternd und erinnert auf den ersten Blick an Friedrich Nietzsches Vorstellung von der „ewigen Wiederkehr des Gleichen", ein geschichtsphilosophisches Modell, das nicht nur die Fortschrittsidee, sondern jegliche Teleologie und reale Bewegung aus der Geschichte hinauseskamotiert hat.

Nicht zufällig taucht das Problem im Zusammenhang mit Nietzsche in einem weiteren Gespräch auf, das Heiner Müller 1985 mit Ulrich Dietzel für „Sinn und Form" geführt hat. Hier nun benennt Müller einen Punkt als entscheidend für sein Interesse an der Antike, der seinen wiederholten Umgang mit dem Mythos in einer neuen Perspektive erscheinen läßt. Er sieht die klassische griechische Tragödie mit ihren mythologischen Fabeln *an einem historischen Drehpunkt* angesiedelt, nämlich *dem Übergang von der clanorientierten Gesellschaft zur Klassengesellschaft, beim Übergang von der Familie zum Staat, zur Polis. […] Und daraus kommt die Kollision, daraus kommt die Tragödie. Und dann schien mir interessant, daß an einem neuen historischen Drehpunkt, wo auf dem Programm steht die Aufhebung der Klassengesellschaft, daß man diese alten Kollisionen ganz neu sehen kann, und daß es ungeheuer wichtig ist und produktiv, auf dieser neuen Drehscheibe die alte Drehscheibe anzusehen, und die Formulierung von kollektiven Erfahrungen, die in diesen Texten gegeben ist, neu zu interpretieren. Das war der Ansatz. Es war also eigentlich nicht die Wiederkehr des Gleichen, sondern unter ganz anderen Umständen die Wiederkehr des Gleichen und dadurch auch die Wiederkehr des Gleichen als eines Anderen. Das wäre eine Differenz. Mein Interesse an der Wiederkehr des Gleichen· ist ein Interesse an der Sprengung des Kontinuums, auch an Literatur als Sprengsatz und Potential von Revolution.*[15]

Damit wird das zyklische Geschichtsmodell Nietzsches denn doch an einer entscheidenden Stelle durchbrochen: Müller konstatiert zwar als Realist, der er ist, die „longue durée" menschlichen Verhaltens und mit ihm der gesellschaftlichen Verhältnisse, aber er artikuliert ebenso deutlich das Bedürfnis und die soziale Notwendigkeit, dieses Kontinuum des Schreckens zu durchbrechen, und zwar nicht in Richtung auf einen „Übermenschen", wie die verzweifelt individualistische Lösung Nietzsches hieß. Vielmehr imaginiert Müller in seiner „Arbeit am Mythos"[16], die immer auch Arbeit an der Geschichte ist, die Wiederkehr verdrängter, unbewältigter, nur ‚verschobener' Traumata – das Gleiche als ein Anderes –, indem er den alten Erfahrungen und Figuren heutige Erfahrungen und Figuren substituiert. Der Zweck dieser geschichtsphilosophischen Entzifferung des Mythos, in der er sich übrigens mit einem marxistischen Althistoriker wie George Thomson[17], aber auch mit Jean-Pierre Vernant[18] oder Max Horkheimer und Theodor W. Adorno[19] trifft, ist die Aufsprengung des Status quo, die revolutionäre Aufhebung dessen, was am mythischen Material als ‚vernünftig-unvernünftig' durchschaut ist. Ich will dies wenigstens an drei dramatischen Antikenadaptionen Müllers zu zeigen versuchen.

3

Müllers erstes und wichtigstes ‚mythologisches' Stück ist PHILOKTET, an dem er von 1958 bis 1964 schrieb. Es nimmt zunächst die sophokleische Fabel sozusagen korrekt auf. Odysseus und der ihn begleitende jugendliche Neoptolemos, Sohn des Achill, landen auf der Insel Lemnos, um den wegen einer stinkenden Wunde am Fuß dort ausgesetzten Bogenschützen Philoktet nach Troja zurückzuholen, denn, so das Orakel, ohne den göttlichen Bogen des Philoktet werde Troja nicht fallen. Mehrfach scheint es so, als ob die Lügen und Listen des Odysseus zum Erfolg führen. Doch am Ende muß in der Version des Sophokles ein deus ex machina eingreifen. Es ist Herakles, der Philoktet einst den treffsicheren Bogen schenkte und der ihn jetzt, Heilung versprechend, dazu überreden kann, sich mit seinem Todfeind Odysseus zu versöhnen, um den Griechen vor Troja zum Sieg zu verhelfen. – Anders der Stückschluß Heiner Müllers, der ohne deus ex machina auskommt. Neoptolemos, der „schnelle Schüler" des Odysseus, rennt dem Philoktet sein Schwert in den Rücken, als dieser sich am gerade waffenlosen Odysseus rächen will. Odysseus erweist sich als souveräner Beherrscher der Situation: Er lädt sich statt des lebenden den toten Heros auf den Rücken. Dessen Mannschaften vor Troja wird er erzählen, daß heimtückische Troer ihn meuchlings umgebracht hätten – und damit die Krieger des Philoktet wirkungsvoller zum Kämpfen animieren, als es der lebendige Held je vermocht hätte.

Nun gibt es wahrscheinlich zu keinem Text der DDR-Literatur so viele – und so viele einander widersprechende – Deutungen der Literaturwissenschaft und des Autors selbst wie zum PHILOKTET. 1966 behauptete Müller zunächst, PHILOKTET behandle *Vorgänge, die nur in Klassengesellschaften mit antagonistischen Widersprüchen möglich sind, zu deren Bedürfnissen Raubkriege gehören [...]. Für uns ist das Vorgeschichte.*[20] Freilich empfahl Müller schon im gleichen Gespräch, das Stück als *Parabelstück* zu lesen und nicht als *historisches*, eben weil seine Fabel *mehr in den Mythos als in die Geschichte* gehöre.[21] Die westliche Kritik hat das Stück dementsprechend, und ganz zu Recht, als Parabel über den Untergang des Individuums, des Humanismus und der Subjektmoral in Taktik und Terror des Stalinismus gedeutet.[22] Und Heiner Müller selbst hat, nachdem sein Stück inzwischen auch in der DDR mehrfach aufgeführt worden war, diese Lesart eindeutig bestätigt und damit seinen früheren Kommentaren – so scheint es – den Stempel irreführender Camouflage aufgedrückt: *In meiner Fassung des Stücks ist der Kampf um Troja nur ein Zeichen oder Bild für die sozialistische Revolution in der Stagnation, im Patt [...] in den frühen sechziger*

Jahren konnte man kein Stück über den Stalinismus schreiben. Man brauchte diese Art von Modell, wenn man die wirklichen Fragen stellen wollte.[23]

So klar und abschließend diese Aussage von 1981 zu sein scheint: Müllers eigner ‚durchrationalisierender‘ Umgang mit der sophokleischen Vorlage und ihre Verwandlung zum *Modell*[24] läßt eine über die genannten Deutungen weit hinausgehende Interpretation zu, die der stalinismuskritischen Lesart am Ende nur als eingeengter Spezifikation Geltung gibt. Und zwar läßt sich Müllers PHILOKTET lesen als eine grundsätzliche Kritik am bisherigen abendländischen Zivilisationsprozeß als einem gewalttätigen Triumphzug der instrumentellen Vernunft auf Kosten der Natur, nicht zuletzt der des Menschen selbst. Dabei werden einem erstaunliche Parallelen zu Horkheimers und Adornos Interpretation der „Odyssee“-Partitur (deren Held im ungelösten Widerspruch zwischen Naturverhaftung und Naturbeherrschung angesiedelt ist) in ihrem Buch „Dialektik der Aufklärung“ auffallen.[25]

Odysseus wird von Müller mit einer Fülle instrumenteller Wendungen charakterisiert, mit Wörtern und Sätzen, denen durchweg eine Zweck-Mittel-Relation zugrunde liegt. Fluchtpunkt aller seiner Überlegungen und Taten ist deren Zweckdienlichkeit, „Brauchbarkeit“, „Nützlichkeit“ für „die Sache“: den Krieg um Troja siegreich für die Griechen zu beenden. Odysseus liebt den Terror des Krieges, „das Schlachten“ durchaus nicht. Doch hat er ihn als Notwendigkeit verinnerlicht, hat einst erfahrene Fremdzwänge erfolgreich in Selbstzwang verwandelt, hat sich/seine Natur beherrschen gelernt, so wie er jetzt Natur außer ihm unterwirft. Denn Odysseus‘ Gegenspieler ist nicht nur der Krieger Philoktet, dessen Bogen vor Troja gebraucht wird. Dieser wird gleichzeitig von Müller als *auf seine tierische Existenz reduziert*[26] vorgeführt, als Wesen außerhalb der Gesellschaft, kurz: als Allegorie der Natur, die es dienstbar zu machen gilt, und wenn es nicht im guten geht, dann mit Gewalt. Am Ende geht es, abweichend von der Vorlage des Sophokles, nur mit Gewalt. Philoktet ist nun tatsächlich nicht mehr als ein Stück toter Natur, ein Kadaver, anscheinend zu nichts mehr nütze. An dieser Stelle nun setzt Müller die entscheidende Pointe, die ahnen läßt, welcher Erfindungen der „Verstand ohne Leitung eines andern" (Kant) fähig ist: Selbst der Leichnam des Philoktet ist gegen seine Instrumentalisierung nicht gefeit. Odysseus wird ihn vor Troja propagandistisch verwerten; auf ihn, den vorgeblich meuchlings Gemordeten, zeigend, die Krieger zu ungeahnten Heldentaten stimulieren. Noch geht es um eine symbolische Ver-wertung des toten Menschen, doch der Endpunkt solcher Kalkulation, die Verwertung der in den Konzentrationslagern Ermordeten als Lieferanten von natürlichen Rohstoffen, kann mitgedacht werden.

1983 hat Müller einen Brief an den Regisseur der bulgarischen Erstaufführung von PHILOKTET geschrieben, der genau diese Lesart seines Stücks aufnimmt und sie in faszinierender Weise weitertreibt. Es ist jetzt eindeutig die Figur des Odysseus als des *Europäers, der in einer Person der Macher und der Liquidator der Tragödie ist*, die ihn am meisten interessiert.[27] Weiter heißt es: *Wie Jason, der erste Kolonisator, der auf der Schwelle vom Mythos zur Geschichte von seinem Fahrzeug erschlagen wird, ist Odysseus eine Figur der Grenzüberschreitung. Mit ihm geht die Geschichte der Völker in der Politik der Macher auf, verliert das Schicksal sein Gesicht und wird die Maske der Manipulation.*[28]

Bezeichnenderweise stellt Müller jetzt auch seine eigne Schlußpointe besonders heraus: *den Gedankensprung des Odysseus von der Unersetzlichkeit des lebenden zur Verwertung des toten Philoktet, mit dem eine neue Spezies die Bühne betritt, das politische Tier [...] die schauerliche Einsicht des Odysseus [...], daß der Gebrauchswert des toten Funktionärs dem des lebenden nicht nachsteht, ihn möglicherweise übersteigt [...]*[29]

Odysseus gebe *den Blick in eine Zukunft frei, die mit der Auswechselbarkeit des einzelnen technisch ernst macht.* Als *vorläufiges Finalprodukt des Humanismus, als der Emanzipation des Menschen vom Naturzusammenhang* benennt er die Neutronenbombe.[30]

Das Stichwort „Funktionär" läßt erkennen, daß Müller den PHILOKTET auch etwa 20 Jahre nach seiner Entstehung noch im Kontext einer Diskussion der kommunistischen Weltbewegung einschließlich ihrer Defizite und Kosten ansiedelt. Die übergeordnete Perspektive aber, die das Stück für westliche Leser so aktuell macht wie für östliche, bilden die Defizite und Kosten einer (u n s e r e r) Zivilisation, die sich dem Primat der instrumentellen Vernunft, dem „Nütz-lichkeitswahn"[31] unterworfen hat. Darin liegt das Gemein-same zwischen Odysseus und uns: die *Wiederkehr des Glei-chen unter ganz anderen Umständen.*

4

Auch Müllers zweites Stück nach einer mythischen Vorlage, HERAKLES 5, geschrieben 1964/65 nach der Beendigung des PHILOKTET, steht in diesem Kontext – nur daß hier die Härte des menschlichen Zivilisationsprozesses ins Ko-mische, Heitere hinein aufgelöst ist. Denn ein Satyrspiel zum PHILOKTET sollte HERAKLES 5 erklärtermaßen sein. Auch hier geht es um das widerspruchsvolle Naturver-hältnis des Menschen. Herakles, der den Augiasstall ausmi-sten soll, kann der übermächtigen Natur – hier als ‚Dreck', ‚Mist', ‚Gestank' allgegenwärtig – nicht Herr werden. Der Arbeitsheld ist im Grunde ein Arbeitstier, und damit neuer-lich auf die Stufe bloßer Natur herabgesunken. Sein Ver-stand, in Technik praktisch geworden, hilft ihm schließlich aus dem Dilemma heraus. Die Natur wird beherrschbar, die Utopie des selbstbestimmten Individuums in der Gestalt des Herakles Wirklichkeit. Doch wie sehr diese ‚Lösung' an die Theaterform Satyrspiel gebunden war, wie wenig ihr Müller grundsätzlich traute, zeigen alle späteren Texte des Autors, vor allem das Intermedium HERAKLES 2 ODER DIE HYDRA aus ZEMENT (1972), das eine direkte Kon-trafaktur zur Komödienversion darstellt.

Seine Kritik der instrumentellen, der rein technischen Ver-nunft, die er im PHILOKTET begonnen hatte, hat Müller dann in seiner Auseinandersetzung mit Sophokles'/Hölder-lins ÖDIPUS TYRANN 1965/66 weitergeführt. Zunächst handelte es sich um die Auftragsarbeit einer Neuübersetzung, entstanden aus Benno Bessons Plan einer Neuinsze-nierung des Stücks.[32] Doch es wurde mehr daraus, eben eine Analyse des geschichtsphilosophischen Problems mo-derner Rationalität und ihrer politisch-praktischen Folgen. Im ÖDIPUS-KOMMENTAR, einem Text von zwei Seiten in Versen, den Müller eigens zur Inszenierung seiner Über-tragung durch Besson am Deutschen Theater 1967 geschrie-ben hat, wird Ödipus zunächst nicht beim Namen genannt, sondern als *das Neue* bezeichnet: anders als die anderen durch das Stigma der durchbohrten Zehen, der vernähten, geschwollenen Füße (Ödipus = Schwellfuß) – *Keiner hat meinen Gang, sein Makel sein Name* –, löst gerade er das Rätsel der Sphinx: *Und der Mensch war die Lösung.* Doch am Ende *begräbt er*, der *unbekannt mit sich selber* blieb, *die Welt*, indem er sich selbst blendet, bei sich und für sich bleibt: *die Welt eine Warze.*[33]

In einem Beitrag zum Programmheft der Besson-Inszenierung hat Müller diese vielleicht noch dunklen poetischen Wendungen über das „Beispiel" Ödipus, *der aus blutigen Startlöchern aufbricht / In der Freiheit des Menschen zwischen den Zähnen des Menschen*[34], näher erläutert: *Gegen die gewohnte Interpretation lese ich „Ödipus Tyrann" nicht als Kriminalstück. Das wäre mit der Aussage des Teiresias am Ende. Für Sophokles ist Wahrheit nur als Wirklichkeit, Wissen nicht ohne Weisheit im Gebrauch; der Dualismus Praxis Theorie entsteht erst. Seine (blutige) Geburt beschreibt das Stück, seine radikalste Formulierung ist der Atompilz über Hiroshima [...] Die Haltung des Ödipus bei der Selbstblendung („... denn süß ist wohnen / Wo der Gedanke wohnt, entfernt von allem") ist ein tragischer Entwurf zu der zynischen Replik des Physikers Oppenheimer auf die Frage, ob er an einer Bombe mitarbeiten würde, wirksamer als die H-Bombe, wenn dazu die Möglichkeit gegeben sei: Es wäre technisch süß (technical sweet), sie zu machen. Die Verwerfung dieser Haltung bleibt folgenlos, wenn ihr nicht der Boden entzogen wird.*[35]

Damit war der Akzent erkennbar auf den Akt der Selbstblendung gelegt als ein bewußtes Ab-sehen (Abstraktion) von allem Wirklichen, was außerhalb der bei sich befindlichen Ratio angesiedelt ist. Ödipus ‚hilft' sich, indem er das Traumatische verdrängt und in die Welt des niemand und nichts mehr verantwortlichen absoluten Gedankens flieht: eine andere Variante als die des Odysseus, die aber auf den gleichen Endpunkt einer rücksichtslosen ‚reinen Vernunft' zuläuft. ‚Dialektik der Aufklärung' also auch hier. Die Korrespondenz mit Müllers Selbstdeutung des PHILOKTET in seinem Brief von 1982 ist auffällig: Als Konsequenz der fatalen ‚Abstraktion' einer *Emanzipation des Menschen vom Naturzusammenhang* substituiert er jetzt die *Neutronenbombe*, wo er 1967 die *H-Bombe* genannt hatte.[36]

Ein entscheidender Schritt über Müllers Text hinaus – aber

ein Schritt in die gleiche Richtung! – war die Inszenierung von Benno Besson. Er ließ sie mit Bühnenbild, Kostümen und vor allem mit Masken ausstatten, die die Fabel eindeutig in einer noch archaischen Übergangssituation von der Gentilgesellschaft zur Polis ansiedelten. Damit war schon visuell auf Bessons Regiekonzept, das dem Müllers analog war, hingewiesen. Besson verstand Ödipus als einen König, der durch ‚alte‘ Machtmittel – Vatermord und Inzest – zur Herrschaft gelangt war; aber doch nicht nur durch sie, sondern auch durch seine Klugheit und Fähigkeit zum abstrakten Denken (das Rätsel der Sphinx!) sowie durch die Kraft seines Selbstbewußtseins. Noch im Stückverlauf schwankt er zwischen diesen gegensätzlichen Methoden. Er schickt Kreon weg, um das Orakel zu befragen, und befragt selbst den Seher Teiresias – und begibt sich schließlich endgültig ins Reich der ‚reinen Vernunft‘, indem er sich blendet: „Ödipus kommt auf den Thron einerseits durch die alten Gesetze unbewußt und ungewußt, und von allen in der Stadt wird das sorgfältig im Unbewußten gelassen, solange es gut geht. Andererseits geht er auf den Thron auf neue Weise [...] Das Schicksal des Ödipus ist [...], daß er rückfällig wird, alten Gesetzen verfällt, die nicht mehr gültig waren, während er behauptet, nach neuen angetreten zu sein [...] Mit Ödipus erfolgt erst die Herauslösung und Herausbildung des individuellen Bewußtseins, und sie erfolgt aus dem Stammesbewußtsein heraus."[37]

Eine solche zivilisationsanalytische Lesart eines antiken Stückes, die sich übrigens explizit auf George Thomson berief,[38] stand damals recht vereinzelt in der Theaterlandschaft der DDR. In den 80er Jahren – nach Christa Wolfs „Kassandra", nach Alexander Langs und Christoph Schroths Antikeprojekten – hat sich diese Sichtweise auf die ‚Logik‘ der alten Mythen, die ihnen inhärente vernünftige Struktur, weitgehend durchgesetzt.

5

Odysseus und Ödipus können – Müller selbst gibt dieser Lesart die Stichworte – als Inkarnationen der ‚reinen Vernunft‘ in extremis, die den europäischen Zivilisationsprozeß bis an den Rand der Barbarei maßgeblich bestimmt hat, begriffen werden. Der mythische Reisende und Eroberer Jason, der Führer des Argonautenzuges, ist eine dritte Variante des ‚Zivilisationspioniers', die Heiner Müller immer wieder beschäftigt hat. Der erste Teil von VERKOMMENES UFER MEDEAMATERIAL LANDSCHAFT MIT ARGONAUTEN, der bereits konkrete Anspielungen auf Argo und Argonauten enthält, ist, so der Autor 1983, *bis auf ein paar Zeilen 30 Jahre alt*.[39] Der Mittelteil, heißt es weiter, *ist zur Hälfte vielleicht auch fünfzehn Jahre alt. Wirklich neu ist nur der letzte Teil LANDSCHAFT MIT ARGONAUTEN*.[40] Außerdem gibt es noch ein kurzes allegorisches „Medeaspiel" Müllers, das aus dem Jahr 1974 stammt. Damit ist sein dauerhaftes Interesse für die antiken Mythen bestätigt. Entscheidend ist jedoch, daß Müller sich, nach seiner wiederholten Beschäftigung mit Prometheus, Herakles, Sisyphus und eben Odysseus und Ödipus, wiederum eines Kernmythos unserer Zivilisationsgeschichte angenommen hat, in dem es um die Sieger und ihre Opfer, Gewinne und Verluste, zwieschlächtige Vernunft und Terror geht – wie noch heute vor allem in der Konfrontation von Erster und Dritter Welt. Der Argonauten-Mythos von Jason und Medea interessiert Müller, weil er *der früheste Mythos einer Kolonisierung* ist und sein Ende eine „Schwelle" bezeichnet, *den Übergang vom Mythos zur Geschichte: Jason wird von seinem eigenen Schiff erschlagen. […] Daß das Vehikel der Kolonisierung den Kolonisator erschlägt, deutet auf ihr Ende voraus. Das ist die Drohung des Endes, vor dem wir stehen. Das „Ende des Wachstums".[41]

Im Zentrum von Müllers Argonauten-Drama steht zweifellos die Frau und Barbarin Medea, die schon Hans Henny Jahnn als Negerin zeichnete, um ihren Status als Außenseiterin und Mittel zum Zweck (dem Jasons, des weißen Mannes) zu markieren. Aber anders als in den frühen Produktionsstücken Müllers repräsentiert die Frau nicht mehr schlicht Liebe, Hoffnung und Integrität (wie Niet, wie Schlee). Vielmehr wird sie als Opfer vom männlichen Realitätsprinzip eingeholt und gleichfalls als nahezu zerstörte Figur aufgefaßt, wobei freilich der Akt der Kindstötung auch als Befreiungsakt verstanden werden muß. Der grausige, zerstörerische Inhalt der Befreiungstat schlägt allein gegen denjenigen zurück, der sie unausweichlich gemacht hatte:

den pragmatischen ‚Macher' Jason als Verkörperung eines allumfassenden Kolonialismus und seiner spezifischen Ratio.

Der dritte Teil des Medea-Stücks ist ausschließlich dieser „Figur der Grenzüberschreitung" Jason, den Müller selbst mit Odysseus verglichen hat,[42] gewidmet – oder besser dem, was von ihr am Ausgang unserer Zivilisation übriggeblieben ist. Denn dieser Stückteil *setzt*, so lautet die Szenenanweisung am Ende, *die Katastrophen voraus, an denen die Menschheit arbeitet. Die Landschaft mag ein toter Stern sein, auf dem ein Suchtrupp aus einer anderen Zeit oder aus einem anderen Raum eine Stimme hört und einen Toten findet.*[43]

Ging es im PHILOKTET und im ÖDIPUS TYRANN um die Genese einer ‚Vernunft', die alles vernichtende Bomben hervorbringt, so geht es jetzt um den aktuellen Zustand von Mensch und Erde, in dem diese terroristische ‚Vernunft' ihr Programm jeden Augenblick realisieren kann: *WAS BLEIBT ABER STIFTEN DIE BOMBEN.*[44] Der Geist, der Medea zerstört hat, ist der gleiche, der die Bombe ‚gestiftet' hat und anwendet. Konsequenterweise spricht hier auch kein einzelner Mann, der Jason oder anders hieße. Das Ich ist *kollektiv*[45], es geht um das Prinzip Jason, den Typus des Argonauten, der sich in jedem beliebigen ‚abendländischen' Mann findet und damit den Autor Heiner Müller wie seinen Leser, einen Rüstungsproduzenten wie einen kleinen Buchhalter potentiell einbegreift. Seine Strategien der ‚rationalen' Kolonisierung – der Landschaften dieser Erde, der natürlichen Ressourcen, der Frauen, seines eigenen Körpers – stoßen allerorten an ihre Grenzen und brechen zusammen. Das gepanzerte, sich durchhaltende Ich zerstört sich selbst, wie es seine Umwelt zerstört hat:

Aus dem Leben eines Mannes
Erinnerung an eine Panzerschlacht
Mein Gang durch die Vorstadt Ich
Zwischen Trümmern und Bauschutt wächst
Das Neue Fickzellen mit Fernheizung
Der Bildschirm speit Welt in die Stube
Verschleiß ist eingeplant Als Friedhof
Dient der Container Gestalten im Abraum
Eingeborene des Betons Parade

Der Zombies perforiert von Werbespots
In den Uniformen der Mode von gestern vormittag
Die Jugend von heute Gespenster
Der Toten des Krieges der morgen stattfinden wird
Was bleibt aber stiften die Bomben...[46]

Am Ende dieses Stücks wird keine neue Ordnung prokla-
miert, eine positive Utopie nicht einmal andeutungsweise
formuliert. Müller beharrt, im antik-mythischen Stoff wie in
allen anderen Stoffen, auf der inhaltlichen Ebene auf
dem Prinzip der Negation. Er hält die Apokalypse fest, die
sich bereits um uns ausbreitet – und weckt gerade damit
ein ,schreiendes' Bedürfnis, die Verhältnisse nicht so zu be-
lassen, wie sie sind.

6

Die Art und Weise, in der Heiner Müller mit den antiken
Mythen seit mehr als 30 Jahren umgeht, zeigt an, daß es
ihm weder nur um das Arsenal großer Stoffe an sich noch
nur um deren Eignung für die Camouflage zeitweilig nicht
direkt kritisierbarer historisch-politischer Sachverhalte geht.
Es geht um mehr.

An den griechischen Mythen, die im Übergang von der archaischen Zeit zur Zeit der Polis ihre endgültige Ausprä-
gung erfahren haben (bei Homer, Hesiod und den Tragö-
diendichtern), fasziniert Müller zum einen der ihnen
immanente Terror. Es ist ein Terror, ein barbarischer
Schrecken, den Müller als noch immer anwesend, ja: dominant im gegenwärtigen Stadium der Zivilisation diagnostiziert, vor allem in der sogenannten Ersten Welt des Kapitalismus, aber nicht beschränkt auf sie. Indem Müller Modelle
barbarischen Verhaltens ungeschminkt auf die Bühne
bringt, erweist er sich nicht als Liebhaber blutrünstiger Ge-
schmacklosigkeiten (wie oft unterstellt), sondern schlicht
als Realist, insofern um uns herum permanent barbarische
Vorgänge ablaufen, die wir nur allzu gern verdrängen.

Doch die antiken Mythen sind beileibe nicht nur eine chaoti-
sche Ansammlung unerhörter schrecklicher Begebenheiten.
Sie haben, und das gilt gerade für die berühmt, weltläufig
gewordenen Mythen, eine durchaus vernünftige, logische

Struktur. Von ihr ist der Dramatiker Müller – das zeigen die drei skizzierten Beispiele – mindestens ebenso fasziniert wie vom Gewaltpotential der mythologischen Erzählungen. Seine Mythenadaptionen verfolgen die Absicht, diese bereits gegebene vernünftige Struktur eines Mythos noch weiter „durchzurationalisieren", wie Bertolt Brecht seine eigene Arbeitsweise beim Umgang mit dem Antigone-Stoff beschrieb.[47] Hölderlins Satz „Wir müssen die Mythe überall beweisbarer machen"[48]: er könnte auch von Heiner Müller stammen. Eine besondere Pointe liegt nun gerade darin, daß Müller mit Vorliebe mythologische Modelle präpariert hat, die nicht nur eine vernünftige Struktur aufweisen, sondern obendrein noch die Genese des modernen Vernunftprinzips bis hin zur pur instrumentellen Vernunft zum Gegenstand haben. Die zentrale Bedeutung der Figuren Odysseus, Ödipus und Jason beweist es.

Doch Müllers Prägung durch die griechischen Mythen in Gestalt der attischen Tragödie ist nicht nur in seiner konsequent ‚logischen', strukturalen Lesart ihrer Figuren und Konstellationen erkennbar. Auch seine Theaterästhetik, die von ihm gewünschte bzw. den Texten selbst immanente Spielweise ist von der griechischen Tragödie geprägt. Seit Wolfgang Schadewaldt wissen wir, daß die von der Tragödie (nach Aristoteles) ausgelösten Affekte φοβος und ελεος von den Aufklärern, allen voran Lessing, mit „Furcht" und „Mitleid" falsch, weil christlich-philanthropisch, übersetzt worden sind. Genauer träfen unsere Begriffe „Schauder" und „Jammer", indem sie „leiblich-seelische Elementarvorgänge"[49] und nicht bürgerliche Tugenden bezeichnen. Insofern auch Heiner Müller ein theatralisches Spiel will, das die extreme Körpererfahrung, die Grausamkeit, den Schrecken mit einschließt, ist er der klassisch-griechischen Auffassung der Tragödienwirkung als einer umfassenden, auch körperlichen Reinigung (Katharsis) sehr nahe. Sein Theater der Vernunft und des Schreckens geht über eine bloße *Illustrationsfunktion* und die *Didaktik des platten Verstehens* auf der Bühne hinaus und gibt ihr ihre *vitale Funktion*[50] zurück.

Bremen, März 1988

1 Walter Benjamin, Ödipus oder der vernünftige Mythos, in: Ders., Angelus Novus. Ausgewählte Schriften 2, Frankfurt (Main) 1966, S. 462–466.

2 Ebd., S. 463.

3 Ebd., S. 464.

4 Marx/Engels, Werke, Bd. 13, Berlin (DDR) 1971, S. 641 f.

5 Ebd., S. 641.

6 Ebd.

7 Ebd., S. 642.

8 Peter Hacks, Iphigenie, oder: Über die Wiederverwendung von Mythen, in: Ders., Die Maßgaben der Kunst. Gesammelte Aufsätze, Düsseldorf 1977, S. 106. – Vgl. auch Heiner Müller, der den Tantalidenmythos ebenfalls als ein einziges Schlachten paraphrasiert, in seinem Elektratext, in: Ders., Theater-Arbeit, Berlin (West) 1975, S. 119 f.

9 Christa Wolf, Kleists „Penthesilea", in: Dies./Gerhard Wolf, Ins Ungebundene gehet eine Sehnsucht. Gesprächsraum Romantik. Prosa und Essays, Berlin (DDR) 1985, S. 199.

10 Marx/Engels, Werke, Bd. 21, Berlin (DDR) 1962, S. 111.

11 Wolfgang Schivelbusch, Die schonungslose Redlichkeit des Dramatikers und Erzählers Heiner Müller, in: Frankfurter Allgemeine Zeitung vom 12. 11. 1974.

12 Genia Schulz, Heiner Müller, in: Metzler Autoren Lexikon, Stuttgart 1986, S. 469, und Hans-Thies Lehmann/Genia Schulz in: Genia Schulz, Heiner Müller, Stuttgart 1980, S. 77–84 und passim.

13 H. Müller, Gesammelte Irrtümer. Interviews und Gespräche, Frankfurt (Main) 1986, S. 98.

14 Ebd., S. 149 (Gespräch mit Olivier Ortolani).

15 Ebd., S. 167 f. (Gespräch mit Ulrich Dietzel).

16 Vgl. das gleichnamige Buch von Hans Blumenberg, Frankfurt (Main) 1979.

17 George Thomson, Aischylus und Athen. Eine Untersuchung der gesellschaftlichen Ursprünge des Dramas, Berlin (DDR) 1957.

18 Jean-Pierre Vernant, Les origines de la pensée grecque, Paris 1962.

19 Max Horkheimer/Theodor W. Adorno, Dialektik der Aufklärung. Philosophische Fragmente (1944), Frankfurt (Main) 1969; vgl. auch Rudolf Wolfgang Müller, Geld und Geist. Zur Entstehungsgeschichte von Identitätsbewußtsein und Rationalität seit der Antike, Frankfurt (Main) und New York 1981.

20 H. Müller in: Gespräch mit Heiner Müller, in: Ders., Geschichten aus der Produktion 1, Berlin (West) 1974, S. 144.

21 Ebd., S. 145.

22 Vgl. vor allem W. Schivelbusch, Sozialistisches Drama nach Brecht, Darmstadt/Neuwied 1974, S. 125–149; Hans-Thies Lehmann/Genia Schulz, a. a. O. (Anm. 12).

23 H. Müller, Walls/Mauern. Interview mit Sylvère Lothringer (vollständige Fassung), in: Ders., Rotwelsch, Berlin (West) 1982, S. 75 und 77.

24 H. Müller, Drei Punkte [zu „Philoktet"], in: Ders., Mauser, Berlin (West) 1978, S. 72 f.

25 Vgl. vor allem den Exkurs zu Odysseus, a. a. O. (Anm. 19), S. 50–87.

26 H. Müller, Brief an den Regisseur der bulgarischen Erstaufführung von Philoktet, in: Ders., Herzstück, Berlin (West) 1983, S. 108. – Zitate aus dem „Philoktet" nach H. Müller, Mauser, a. a. O. (Anm. 24), S. 7 ff.

27 H. Müller, Brief …, a. a. O. (Anm. 26), S. 104.

28 Ebd., S. 104.

29 Ebd., S. 107 und 109.

30 Ebd., S. 110.

31 Christa Wolf, Von Büchner sprechen. Darmstädter Rede, in: Dies., Die Dimension des Autors. Essays und Aufsätze, Reden und Gespräche 1959–1985, Darmstadt/Neuwied 1987, S. 611.

32 Vgl. dazu H. Müller, Gesammelte Irrtümer, a. a. O. (Anm. 13), S. 145 f. (Gespräch mit O. Ortolani).

33 H. Müller, Ödipuskommentar, in: Ders., Mauser, a. a. O. (Anm. 24), S. 43 f.

34 Ebd.

35 H. Müller, zitiert bei Ernst Wendt: Moderne Dramaturgie, Frankfurt (Main) 1974, S. 43 f.

36 Vgl. hier Anm. 30.

37 Benno Besson in: Gespräch über „Ödipus, Tyrann", in: H. Müller, Sophokles, „Ödipus, Tyrann". Nach Hölderlin, Berlin/Weimar 1969, S. 129, 120 und 125.

38 Vgl. Besson im o. g. Gespräch (Anm. 37), S. 140.

39 H. Müller, Gesammelte Irrtümer, a. a. O. (Anm. 13), S. 130 (Gespräch mit Urs Jenny und Hellmuth Karasek).

40 Ebd.

41 Ebd., S. 130 f.

42 H. Müller, Brief …, a. a. O. (Anm. 26), S. 104.

43 H. Müller, Verkommenes Ufer Medeamaterial Landschaft mit Argonauten, in: Ders., Herzstück, a. a. O. (Anm. 26), S. 101.

44 Ebd., S. 99.

45 Ebd., S. 101.

46 Ebd., S. 99.

47 Vgl. Bertolt Brecht, Vorwort zum „Antigonemodell 1948", in:

Ders., Die Antigone des Sophokles. Materialien zur „Antigone", Frankfurt (Main) 1965, S. 68.

48 Friedrich Hölderlin, Anmerkungen zur Antigone, in: Ders., Sämtliche Werke und Briefe, 2 Bde., hg. von G. Mieth, München 1978, Bd. 2, S. 454. (Hervorhebung von Hölderlin.)

49 Vgl. Wolfgang Schadewaldt, Furcht und Mitleid?, in: Ders., Hellas und Hesperien, Zürich 1960, S. 381.

50 H. Müller in: Der Dramatiker und die Geschichte seiner Zeit. Ein Gespräch zwischen Horst Laube und H. M., in: Theater heute, Jahressonderheft 1975, S. 119 f.

Vlado Obad

Zu Müllers Poetik des Fragmentarischen

Keine dramatische Literatur ist an Fragmenten so reich wie die deutsche. Das hat mit dem Fragmentcharakter unserer (Theater-) Geschichte zu tun, mit der immer wieder abgerissenen Verbindung Literatur – Theater – Publikum (Gesellschaft) … die Fragmentarisierung eines Vorgangs betont seinen Prozeßcharakter, hindert das Verschwinden der Produktion im Produkt, die Vermarktung, macht das Abbild zum Versuchsfeld, auf dem Publikum koproduzieren kann. Ich glaube nicht, daß eine Geschichte, die „Hand und Fuß" hat (die Fabel im klassischen Sinn), der Wirklichkeit noch beikommt, notiert Heiner Müller 1975 anläßlich der Inszenierung von SCHLACHT/TRAKTOR in dem Brief an Martin Linzer. Zwar wird das Kategorische dieser Bemerkung von ihm selbst später wieder stärker zugunsten größerer Differenzierungsmöglichkeiten der eigenen Dramaturgie gemildert, es bleibt aber außer allem Zweifel, daß für Müller die Darstellung der Welt, in der wir leben, historisch keine Voraussetzungen mehr bietet, denen noch mit einer einheitlichen, geschlossenen Form ästhetisch beizukommen wäre. Es ist Müllers eigene geschichtliche Erfahrung, die hierin zum Ausdruck kommt: *Mein Globus besteht aus kämpfenden Segmenten, die bestenfalls der Clinch vereint.* Mit Blick auf sein Gesamtwerk wird das wachsende Gewicht dieser Aussage, die zunehmende Segmentierung der Dramenform, deutlich erkennbar.

Seine frühen Stücke vom Typus LOHNDRÜCKER, KORREKTUR, TRAKTOR oder BAU, die die Umwandlung der DDR-Gesellschaft nach dem Krieg zum Thema haben, sind noch enger an die epische Darstellungsweise Brechts gebunden. DIE KORREKTUR z. B. enthält einen Prolog und Epilog in Versen, die Figuren werden von einem epischen Erzähler vorgestellt, oder sie stellen sich selbst vor, den Szenen ist in der Regel eine Einführung in Form eines Berichts vorangestellt. Im Dramenfragment TRAKTOR folgt auf jede Szene ein Kommentar: die Ausführungen Lenins, der chinesischen Weisen oder die Zitate aus dem Buch „Helden der Arbeit" bekräftigen oder widerlegen das eben Vorgespielte. Dabei sind viele der Szenen – oft mit einem dokumentarischen Beiklang – nicht unmittelbar der Handlung verpflichtet, aber sie haben ihre gemeinsame Bezugsebene im Versuch einer mosaikartigen Zusammenfassung des Bildes jener Zeit, streben auf ein breites Gesellschaftspanorama hin. Doch schon in dieser Phase weist Müllers Arbeit in Richtung auf das Fragment: die angestrebte Breite seiner Texte soll durch eine große Zahl von Ausschnitten aus verschiedenen sozialen Bereichen eingelöst werden. Das führt geradezu zur Zersplitterung von Szenen (im LOHNDRÜCKER sind es 22!), die alle einem Thema untergeordnet sind.

Hier ist ein dramaturgischer Ansatz angelegt, der dann später immer konsequenter verfolgt wird. So entstehen seit Anfang der 70er Jahre in rascher Folge Texte, die mit ihrer Zuwendung zu universalen Problemen menschlicher Emanzipationsmöglichkeiten in den Klassengesellschaften immanent auch die Frage nach ihrer Darstellbarkeit aufwerfen. Für Müller bedeutet das die grundlegende Überprüfung tradierter Widerspiegelungsvorstellungen einer Dramatik, deren Gegenstände sich für ihn zunehmend nur noch aus der Subjektivität des Autors herleiten lassen. In einem der jüngsten Stücke VERKOMMENES UFER MEDEAMATERIAL LANDSCHAFT MIT ARGONAUTEN kommt das sehr deutlich zum Audruck, wenn – durchaus im Bewußtsein der damit aufbrechenden neuen Widersprüche – zugleich auch nach den daraus erwachsenden neuen ästhetischen Schwierigkeiten gefragt wird: *Wie herausfinden aus dem Gestrüpp / Meiner Träume das um mich herum / Ohne Laut langsam zuwächst.*

Haben wir eingangs mit dem Blick auf das Strukturprinzip der frühen Werke Müllers von einem unvollständigen Mosaik gesprochen, so könnte man die neueren Werke Müllers mit dem Begriff der Collage umschreiben; es sind oft surrealistische, chaotisch scheinende Gebilde, bestehend ebenso aus clownesken wie auch aus klassisch anmutenden Passagen, aus Genrebildern, Selbstzitaten, Puppenspielen, Phantasmagorien, aus Elementen des ritualen Theaters Artauds sowie anderen Formen, die dem Autor für sein Theater verwendbar erscheinen. Insgesamt entsteht dabei eine gewaltige Invasion von Bildern und Metaphern, die alle rezeptiven Möglichkeiten und Energien des Publikums herausfordern. Hieraus konstituiert Müller seine Texte. Sie werden produziert, indem aus einer Totalität menschlicher Erfahrungen „synthetische Fragmente" herausgelöst und zu neuen Bedeutungsmöglichkeiten montiert werden. Ein Beispiel dafür ist der Text GERMANIA TOD IN BERLIN. Angeboten wird ein Querschnitt deutscher Geschichte, von der germanischen Zeit, über Preußen, den ersten Weltkrieg, Hitler, bis zur zeitgenössischen Geschichte der DDR. In diesen „Zeitomnibus" wird auch die szenische Doublette des Motivs der feindlichen Brüder aufgenommen. Am „Limes", der alten römisch-germanischen Grenze, stehen sich zwei Brüder gegenüber, Arminius – der germanische Häuptling – und Flavus, ein Söldner im römischen Dienst. In der darauffolgenden Szene, „Brüder 2" – ihre Handlungszeit fällt in die Zeit des Faschismus –, stellt sich wieder ein Bruder dem anderen entgegen, der eine ist Kommunist, der andere Faschist, ein fatales Warnbild anhaltender und zugleich endlich aufzubrechender fehlgeleiteter Geschichte.

Unter den neueren Verfahren Müllers, Zeitkontinuität zu zerlegen, ist die Konfrontation aktueller Inhalte mit allgemeinen geschichtlichen Mustern immer wieder in verschiedenen Konstellationen zu beobachten. So auch in dem 1979 vorgelegten Stück DER AUFTRAG, in dem ein Handlungsstrang Ende des 18. Jahrhunderts auf Jamaika spielt, zugleich aber seine Bezüge zu heutigen Erfahrungen der Gefährdung eigener und damit auch revolutionärer Identität direkt betont werden. Als ein weiteres Beispiel für diesen Vorgang kann ebenso DIE SCHLACHT zitiert werden. In fünf miteinander unverbundenen Szenen, die der Zeitspanne von der faschistischen Machtergreifung bis zum sowjetischen Einmarsch in Berlin entsprechen, zeigt er das Auseinanderfallen des ethischen Kodexes sowie das Bersten aller ideologischen Glasuren. Insgesamt ist zu betonen, daß sich Müllers ästhetische Vorstellungen nicht mit dem Verweis auf eine bewußte Destruktion geschichtlich-chronologischer Zeitzusammenhänge beschreiben lassen; hier sei u. a. nur auf seine Art des radikalen Umgangs mit dem sprachlichen Material, seiner Umfunktionierung im Textzusammenhang verwiesen. Schon im Dramenfragment TRAKTOR (1961) sah sich der Autor vor dieses Dilemma gestellt:

Eine Sprache ohne Wörter. Oder das Verschwinden der Welt in den Wörtern, lautete der Kommentar des Traktoristen. Später erfolgt seine Schlußfolgerung noch eindeutiger in Richtung auf eine als notwendig angesehene weitere Reduzierung sprachlicher Formen. *Ich bin ein Sieb, immer mehr Worte fallen hindurch*, formuliert die Figur des Lessing in LEBEN GUNDLINGS ...; es wird ein Literaturfriedhof assoziiert, in VERKOMMENES UFER ... wird das literarische Erbe der Vergangenheit als *Wortschlamm* bezeichnet. Es handelt sich also nicht nur um eine Verknappung sprachlicher Ausdrucksmöglichkeiten, sondern um ein prinzipielles Anzweifeln des Ausdrucksvermögens von Wörtern. MAUSER ist auf vierzehn Seiten gedruckt, HAMLETMASCHINE und DER HORATIER umfassen neun, VERKOMMENES UFER ... zehn Druckseiten. DIE SCHLACHT besteht aus 300 Versen, die sehr langsam in einer halben Stunde zu lesen sind – faktografische „Beweise" auch für eine Fragmentarisierung der Sprache bei Müller; seine Erklärung dazu verweist auf historische Bezüge. Es heißt dort:

In diesem Kontext möchte ich Sie an mein Stück DIE UMSIEDLERIN erinnern. Es ist ein Stück, das ich am liebsten habe und das vielleicht mein bestes ist. Es geht um die Agrarrevolution in der DDR, von der Bodenreform zur Kollektivierung. Das war der eigentliche historische Einschnitt und ein viel tieferer Einschnitt in alte Strukturen als alles, was in der Industrie passierte. Es gibt keine proletarische Literatur, aber es gibt eine Bauernkultur. Und das hat es nicht nur auf dem Territorium der DDR gegeben. Wenn ich mir vorstelle, ich sollte jetzt über dasselbe Material, also über solche Figuren auf dem Lande ein Stück schreiben – das geht einfach nicht mehr! Denn die haben keine Sprache mehr. Und die haben auch in der BRD keine Sprache mehr, aus anderen Gründen. Es wird immer mehr in die Rhetorik abgedrängt, in eigene, mehr subjektive Sprache. Die Figuren werden immer sprachloser, der Text verliert immer mehr die Figurensprache und wird immer mehr Autortext.

Hier wird der Bedeutungsverlust von Wörtern, allgemein von Sprache diagnostiziert, der für Müller nicht mehr „literarisch" ausgleichbar ist; seine Überzeugung vom *Primat der Metapher* gewinnt auch von daher ihre Autorität. Es sind Textmaschinen in ständiger Bewegung, *klüger als der Autor*, ihre Semantik ist verschlüsselt, oft kaum auflösbar. Für den

Leser/Zuschauer werden auf diese Weise Lösungen verweigert, weit eher entsteht in der Rezeption der Eindruck tiefer Beunruhigung und Warnung, nicht selten aber auch Unverständnis und Ablehnung. In diesem Zusammenhang ist häufig der Vorwurf zu hören, Heiner Müller würde ausschließlich für ein elitäres Theater schreiben. Seine Stellungnahme dazu ist eindeutig:

Das scheint mir eine falsche Fragestellung zu sein. Da müßte man sich vielleicht darüber unterhalten, was „verstehen" heißt im Theater. Wie versteht man einen Text? Ich glaube nicht, daß je ein Publikum ... einen Shakespeare-Text verstanden hat in dem Sinne, daß man ihn Satz für Satz begrifflich auf die Reihe kriegt; darum kann es ja überhaupt nicht gehen [...] Neulich besuchte mich eine Theatertruppe ... Da war auch eine Spanierin, die bereits Deutsch lernte. Wir gaben ihr den Monolog Medeas aus „Verkommenes Ufer", und sie las ihn, ohne den Text zu verstehen: hier und da verstand sie etwas, aber nur das Wesentliche. Sie sprach ein gebrochenes Deutsch, und der Text war ihr deswegen überhaupt nicht schwer; das war ihre Situation, und mit der Zeit begriff sie, daß das kein Spiel mehr war, es war die Realität, und da gab es überhaupt keine Probleme mit dem Verstehen. Oder ein anderes Beispiel: An einer Schauspielschule in der DDR hat man eine Szene aus dem BAU geübt, und die Studenten fanden den Text ungeheuer intellektuell und überhaupt nicht begreifbar. Dann sagte der Regisseur, sie müßten es einfach BLA BLA lesen. Und da hatten sie plötzlich keine Schwierigkeiten mehr. Ich glaube, man muß sich dem Text überlassen und sich den Text aneignen, als Schauspieler. Sie werden aber trainiert, daß sie dem Text auf die Beine helfen müssen, und sie eignen sich die Texte an und spucken sie dann mit dem eigenen Speichel als formlose Masse wieder aus. Ich glaube, daß sich Theater, im allgemeinen, viel zu viel mit den Texten beschäftigt und versucht, das, was der Text aussagt, nochmal zu sagen. Der Text kann für sich selbst einstehen ... Das ist, was wir lernen müssen ...

Das heißt, dramatische Werke sind gegenüber allen anderen literarischen Gattungen immer wieder in ihrer Besonderheit wahrzunehmen, nicht in erster Linie als Lesetexte, sondern für das Theater geschrieben worden zu sein. Für Müller bedeutet das jedoch gleichzeitig Nichtanpassung an dessen Darstellungsbedürfnisse bzw. Widerstand im Sinne der Herausforderung gegenüber seinen Strukturen. Auch in einer solchen Haltung ist das Moment der Zurücknahme, der Aspekt des Fragmentarischen aufgehoben. So gibt es kaum mehr Hinweise zur Spielanlage, zum Bühnenbild etc. Der Autor nennt als Vergleichsebene das Theater der elisabethanischen Zeit. Auch dort habe es derartiges nicht gegeben,

> ... denn das verstand sich alles von selbst, weil es eben diese eine Bühnenkonstruktion gab, mit den bestimmten Zwängen und Konventionen. Heute versteht sich nichts mehr von selbst, aber gerade deswegen sehe ich keine Möglichkeit, auf der Ebene von Darstellung das festzuschreiben, besonders bei dem Material, mit dem ich in den letzten Jahren zu tun gehabt hatte. Es wäre einfach lächerlich, dem Schauspieler vorzuschreiben, etwa in dem Sinne: er geht von links nach rechts ... Auch keine Raumgestaltung und -ausstattung kann ich vorschreiben, denn der Raum ist in Hamburg anders als in Göttingen oder in Leipzig. Es stimmt da eigentlich nichts mehr. Das ging bei Ibsen noch. Damals existierte noch eine bestimmte Bühne, oder es wurde jedenfalls beim Schreiben an sie gedacht, an eine festgebaute bürgerliche Stube. Heute ist das einfach passé ... Wenn ich ein Stück schreibe und ich bin im Zweifel, welche Regieanweisung ich dazuschreiben soll ..., dann weiß ich, wenn das eine Entscheidungsfrage wird, daß an dem Text etwas nicht stimmt. Solange der Text stimmt, ist es für mich nicht interessant; es ist die Sache des Theaters oder des Regisseurs, ob die Figur auf dem Kopf steht oder auf den Händen. Immer wenn das für mich ein Problem wird, habe ich etwas nicht richtig geschrieben.

Mit diesem Bewußtsein geht auch die Auflösung des dialogischen Sprechens in Müllers Arbeiten einher. Stücke wie DER HORATIER oder HAMLETMASCHINE entwickeln überhaupt keine Wechselreden mehr. In VERKOMMENES UFER MEDEAMATERIAL LANDSCHAFT MIT ARGONAUTEN lassen sich nur noch im mittleren Teil des Textes Andeutungen eines Dialogs festmachen, an anderen Stellen geht der Autor noch einen Schritt weiter, wenn er die sprechenden Personen nicht einmal mehr angibt. Hier drängt sich die Frage auf: sind Müllers Stücke dieses Typus überhaupt noch als Dramentexte zu bezeichnen? Es scheint, daß etwa die Verse in VERKOMMENES UFER ...

in ihrer extrem metaphorischen Verdichtung eher an Gedichte, an lyrisches Sprechen erinnern. So verwundert es nicht, wenn immer wieder Fragen nach der Spielbarkeit dieser Textmaschinen gestellt werden. Die einen halten jeden Theatralisierungsversuch für eine Gewaltanwendung gegenüber dem Text, seine Verdrängung auf den zweiten Plan; von der Überfülle der Bilder, die er enthält, würde nur eine der möglichen Deutungen jeweils wiedergegeben werden können, die des Regisseurs. Andere sind der Auffassung, daß Müllers chiffrierte literarische Vorlagen erst durch die Körperlichkeit und Sinnlichkeit einer Theateraufführung aufgebrochen und damit kommunikativ erweitert würden. Es ist nur scheinbar ein Widerspruch, wenn der Autor in beiden Haltungen relevante Argumente entdeckt:

Sie kennen wahrscheinlich Goethes Aufsatz über „Shakespeareomanie“, in dem Goethe die seltsame These aufstellt, daß Shakespeare Lesedramen geschrieben hat. Das war seinerseits eigentlich richtig, denn die elisabethanische Bühne existierte nicht mehr, und auf der Bühne, die Goethe z. B. in Weimar zur Verfügung hatte, war es einfach nicht möglich, Shakespeare wirklich unterzubringen. Die ganz rationale Seite dieser These wäre, daß jede Shakespeare-Inszenierung eine Reduzierung der Komplexität des Textes ist. Man kann immer nur einen Aspekt inszenieren, sich für einen Aspekt entscheiden, und die anderen muß man leider zurückdrängen oder ausklammern. Das gilt, glaube ich, für jeden guten Text.

Dennoch – oder gerade deshalb – schreibt Müller weiter für das Theater, mit einer Haltung, die auf Veränderung drängt. *Ich glaube grundsätzlich, daß Literatur dazu da ist, dem Theater Widerstand zu leisten.* Darin löst er gleichzeitig ein wichtiges Selbstverständnis ein, das von Beginn an alle seine Arbeiten prägte: über das Theater hinaus mit seinen Texten eingreifen zu wollen in gesellschaftliche Prozesse. Von dieser Position aus ist seine Polemik gegen jede Vorstellung traditioneller und institutionalisierter Theaterformen zu verstehen, die nicht auf Veränderung aus sind und in denen er deshalb *ein Mausoleum für Literatur statt Laboratorium sozialer Phantasie, Konservierungsmittel für abgelebte Zustände statt Instument von Fortschritt* sieht und kritisiert. Hier ist er seinem Lehrer Brecht nach wie vor nahe; in der Nachfolge Brechts in der DDR ist er der radikalste Kritiker dieser noch immer herrschenden Tendenz, aber nicht ihr einziger. Ähnliche Auffassungen wie Müller vertritt seit längerem z. B. auch Volker Braun. Auch bei ihm sind Montage, Verzicht auf eine geschlossene, einheitliche Fabel, Fragmentarisierung szenischer Vorgänge bewußt eingesetzte Mittel, sich der Wirklichkeit in ihrer ganzen Widersprüchlichkeit zu stellen.

Es ist ein Prozeß, dessen ästhetische Rechtfertigung, aber auch Hoffnung, Heiner Müller knapp in einem Gespräch mit zwei Sätzen, benennt: *Lebenslänglich schreibt man sich sein Gefängnis aus Worten und den Rest seines Lebens ist man damit beschäftigt, dieses Gefängnis zu befestigen. In meiner Sehnsucht nach dem Fragmentarischen erkenne ich eine Möglichkeit, das Gefängnis aufzubrechen.*

Die längeren H.-Müller-Passagen sind Auszüge aus einem Gespräch, das ich am 17. Mai 1985 mit ihm führen konnte und das als Mitschnitt vorliegt.
(Für die deutsche Fassung durchgesehen von F. Hörnigk.)

Osijek, Dezember 1987

Der zersetzte Blick.

Sehzwang und Blendung bei Heiner Müller

> *Vielleicht bin ich nur ein Auge, das an einem mir unbekannten Flug-*
> *körper befestigt ist, in der Luft gehalten von einer mir unbekannten*
> *Kraft. Ein Auge mit verbranntem Lid: mein Schlaf ist in den Feu-*
> *ern. Eine ausgespannte Netzhaut.*

Die Einsamkeit des Films[1]

1

Spätestens seit BILDBESCHREIBUNG (1984)[2] ist die Bedeutung der Blickthematik in Müllers Werk nicht mehr zu
übersehen. Die Passagen im literarischen wie essayistischen
Werk und in den Gesprächen, die mit diesem Motiv in Verbindung stehen, würden Seiten füllen. Die unterschiedlichen Kontexte verhindern jedoch eine Sammlung, die auf
Einordnung und Übersicht hinausläuft, auf bündige Feststellung, was es mit dem Auge bei Müller auf sich habe –
zumal z. B. die Paare Auge/Hand, Sehen/Wissen, Sehen/
Nichtsehen ihre eigene Deutung verlangen. Es handelt sich
meist nicht um Allegorien, die als einsinnige Bedeutungs-
träger vom Autor gesetzt werden, sondern um Metaphern,
die – so Müller – *klüger als der Autor* sind.[3] Die Metapher
überführt das Sehen in Nichtsehen und Blindheit, läßt das
Auge vornehmlich als bedecktes, geschlossenes, zerstörtes,
getäuschtes in Erscheinung treten. Metaphorische Sprache
funktioniert als (Selbst-) Schutz gegenüber einer anderen
„Wirklichkeit", ist „Sichtblende gegen das Bombardement
der Bilder". Zwei Beispiele:
Im „synthetischen Fragment" TRAKTOR, das den aufkläre-
risch-politischen Diskurs Müllers mit dem selbstreflexiven
durchsetzt, wird angesichts der „alten Texte" im gleichmäßig konstatierenden Stil ein Wunsch und/oder ein Tatbe-
stand formuliert: *Eine Sprache ohne Wörter. Oder das Verschwin-*
den der Welt in den Wörtern. Stattdessen der lebenslange Sehzwang,
das Bombardement der Bilder (Baum Haus Frau), die Augenlider
weggesprengt. Das Gegenüber aus Zähneknirschen Bränden und Ge-
sang. Die Schutthalde der Literatur im Rücken. Das Verlöschen der
Welt in den Bildern.[4]

Demgegenüber spiegelt die Bühnenfigur, die in „Nachtstück" (GERMANIA TOD IN BERLIN) als Exemplar ihrer
Gattung „entsteht", den Dramatiker, der sie hervorbringt:
*Zwei Beckett-Stachel in Augenhöhe werden von rechts und links her-
eingefahren. Sie halten am Gesicht des Menschen, der vielleicht eine
Puppe ist, er braucht nur den Kopf zu wenden, einmal nach rechts,
einmal nach links, den Rest besorgt der Stachel. Die Stachel werden
hinausgefahren, jeder ein Auge auf der Spitze. Aus den leeren Augenhöhlen des Menschen, der vielleicht eine Puppe ist, kriechen
Läuse und verbreiten sich schwarz über sein Gesicht. Er schreit. Der
Mund entsteht mit dem Schrei.*[5]
Im Spannungsfeld zwischen „Sehzwang" und Blendung/
Blindheit artikuliert sich eine implizite und explizite Selbst-
reflexion des Autors auf die Entwicklung seiner eigenen
Praxis, die er zunehmend als *blind* und *tastend* versteht. Zwischen „Sehzwang" und „Blindheit" besteht dabei kein radikaler Gegensatz. Das „Bombardement" der Bilder schließt
eine Zerstörung (des Blicks) mit ein; umgekehrt erweist gerade die Blindheit dessen, der *mit den Füßen* sieht (BILDBE-
SCHREIBUNG), ihn als Seher, der nicht nichts sieht, sondern anders und anderes. Das Votum für die Blindheit ist
nicht Prinzip, sondern aus der Suche nach einem Schreiben
entstanden, das nicht Theorien in Kunst übersetzen will.
Das Wissen soll vielmehr in die Schreibpraxis selbst „blind"
eingesenkt sein. Zu Büchners „Woyzeck" merkt Müller an,
der Text sei *einem Dreiundzwanzigjährigen passiert […], dem die
Parzen bei der Geburt die Augenlider weggeschnitten haben.*[6] Der
Akzent verschiebt sich hier vom aktiven „Konzept" einer
Textproduktion zum passiven „passieren".
Ein Leitgedanke Müllers lautet: *Die Blindheit der Erfahrung
ist der Ausweis ihrer Authentizität.* Er wird in Hinblick auf
Kafka formuliert – *Kafkas Blick als Blick in die Sonne*[7] –, aber
auch als Voraussetzung einer Utopie:
*Nur der zunehmende Druck authentischer Erfahrung entwickelt die
Fähigkeit, der Geschichte ins Weiße im Auge zu sehn, die das Ende
der Politik und der Beginn einer Geschichte des Menschen sein
kann.*[8] Das Weiße im Auge ist wohl zu verstehen als das,
was dem sinnsuchenden Blick nicht antwortet wie die blen-
dende Sonne, etwas, das keine Bilder zur Verfügung stellt,
keine Deutung ermöglicht. In solchen Formulierungen sind
die Umrisse von Müllers poetischem und politischem

Selbstverständnis auszumachen. Gestattet man sich eine Übersetzung der zunehmenden Wertschätzung der Blindheit gegenüber dem Sehzwang, so artikuliert sich darin das Scheitern eines fest umgrenzten politischen Kunstbegriffs. Der Autor weist den Anspruch auf Verantwortung und Wahrheit gegenüber gesellschaftspolitischen Sachverhalten von sich, aber er weiß sich zugleich als jemand, der das Sehen gelernt hat, den Sehzwang durch politische Theorie und Ideologie kennt. Kunst ist nunmehr, wie er in einem Gespräch sagt, *je blinder, desto richtiger, desto präziser.*[9] Sie hält die Welt von Erklärungen frei, und derart blind sieht sie, macht sehend.

Ich glaube nicht an Politik. Die Welt ist überall anders. sagt der Matrose im AUFTRAG.[10] Die Gewißheiten, die die (marxistische) Theorie über das Wirklichkeitsmaterial erzeugte, haben sich häufig als Irrtümer erwiesen, haben den Erfahrungen nicht standgehalten oder Erfahrungen verhindert – aber auch die Theorie wurde unter ihnen verschüttet.

Auf einem Gelände, in dem die LEHRE so tief vergraben und das außerdem vermint ist, muß man gelegentlich den Kopf in den Sand (Schlamm Stein) stecken, um weiterzusehen, schreibt Müller 1977,[11] zehn Jahre früher heißt es im ÖDIPUS-KOMMENTAR: *der Boden ist sein Gedanke / Schlamm oder Stein, den sein Fuß denkt.*[12] Der Kopf in der Materie, der Fuß im Material verweisen ebenso wie der Blick ins Weiße, Leere auf ein Sehen im Nichtsehen, Chiffre für die theoretisch begründete Abkehr von sinnstiftender, totalisierender Theorie (Anschauung). Nicht nur im Theater gibt es den *Vorteil des ungenauen Blicks*[13], der seinen Blickpunkt als begrenzt weiß, als fehlbar, aber auch als eigenen, nicht vorgeschriebenen, selbstbewußten. Die Vorstellung, ALLES zu sehen, ist „katholisch" wie Brechts tausend Augen der Partei in der „Maßnahme".

2

Nicht zuletzt das Thema Sehen / Nichtsehen dürfte Motivation für Müllers Interesse an der Ödipus-Figur sein. Daß Ödipus' Selbstblendung der Beginn eines neuen, anderen Sehens sein kann (nach den Bildern: Mythos, Empirie – die Anschauung: Theorie, das Wissen um Zusammenhänge, die

die Einzelbilder verbinden), hat Müller so kommentiert: *Für Sophokles ist Wahrheit nur als Wirklichkeit, Wissen nicht ohne Weisheit im Gebrauch; Der Dualismus Praxis Theorie entsteht erst. Seine (blutige) Geburt beschreibt das Stück, seine radikalste Formulierung ist der Atompilz über Hiroshima. Die Haltung des Ödipus (... denn süß ist wohnen / Wo der Gedanke wohnt, entfernt von allem) ist ein tragischer Entwurf zu der zynischen Replik des Physikers Oppenheimer auf die Frage, ob er an einer Bombe mitarbeiten würde, wirksamer als die H-Bombe, wenn dazu die Möglichkeit gegeben sei: Es wäre technisch süß (technical sweet), sie zu machen. Die Verwerfung dieser Haltung bleibt folgenlos, wenn ihr nicht der Boden entzogen wird.*[14]

Müller, der sich eng an Hölderlins Übersetzung hält, hat die zitierte Stelle nicht einfach übernommen. Bei Hölderlin heißt es:

„Daß blind ich wär und taub. Denn süß ist es,
Wo der Gedanke wohnt entfernt von Übeln"[15] –

Bei Müller:

*Denn süß ist wohnen
Wo der Gedanke wohnt, entfernt von allem*[16]

Die Betonung des „Wohnens" durch die Verdoppelung verweist auf eine Metapher, die im Werk Müllers immer wieder den Zustand gegen den Prozeß setzt. „Wohnen" beschreibt ein Beisichsein, den Ort des Individuellen, auch des Rückzugs auf das „Eigene". Wohnen (etymologisch: zufrieden sein) meint soviel wie Ruhepol, aber auch Ort einer Imagination, die sich aus dem persönlichen Erfahrungs- und Bilderschatz nährt, – bezeichnet einen Innenraum, der sich dem Außenkontakt des Sehzwangs emphatisch widersetzt. Doch dieser Rückzug unterliegt auch der Kritik an einem Wissen ohne Weisheit, das sich faszinieren läßt von der Eigendynamik und der handwerklichen Vollendung des Werks, ohne dessen (Miß)Brauchbarkeit zu beachten. „Technisch süß" ist die Verführung zur grenzenlosen Erweiterung des Wissens um seiner selbst willen. Sie ist dem Prozeß des Forschens, Denkens, Wissens eingeschrieben, gleichwohl muß ihr der Boden entzogen werden. In dieser Paradoxie einer verantwortlichen Verantwortungslosigkeit hat sich die Schreibpraxis Müllers eingerichtet.

Motive *Im Spiegel wohnen* (BILDBESCHREIBUNG) oder *In der leeren Mitte wohnen* (MEDEAMATERIAL), läßt sich auch als Aufenthalt in den Sprachzeichen lesen, spielt mit der Bedeutung des Wohnens als einem Zustand individueller Zurückgezogenheit, Abschließung, Absonderung VON ALLEM – und nicht nur vom „Übel". In diesem Zusammenhang ist eine weitere Abweichung Müllers von Hölderlins Worten aufschlußreich. Nach der Blendung fragt der Chor: „Wie r u h e t er im Übel jetzt, der A r m e?"[17] – Bei Müller: *Wie w o h n t er jetzt, in seiner Nacht, der Blinde?*[18] Die Besitzanzeige *seine Nacht* (in der auch die Um-Nachtung anklingt) nimmt den Gedanken des Wohnens auf. Blindheit ist auch hier Beisichsein, die Blendung der Übergang von Ödipus dem Machtträger zu Ödipus dem ohnmächtigen, einzelnen Individuum. Das süße Nicht(mehr)sehen folgt auf die Preisgabe der eigenen Person als öffentlicher, „angesehener". Müller radikalisiert also Hölderlins Gedanken vom beglückenden Zustand des Geblendetseins, wie er ihn in Hölderlins „Übersetzungsfehler" angelegt sieht:

Die Brechung dieses antiken Stoffs durch Hölderlin. Die Fehler kann man dann wieder verwenden, um den Stoff anders anzusehen. Ein Beispiel: [...] wo er formuliert, daß Ödipus sich frohlockend die Augen aussticht. [...] das steht nicht drin bei Sophokles [...] es ist auf jeden Fall das Gegenteil. Da hat er eine Vokabel falsch übersetzt, aber damit kann man natürlich ungeheuer viel anfangen [...] das ist ein philosophisches Konzept, und diese Fehler waren mir das Interessanteste bei Hölderlin.[19]

Im Ödipus-Kommentar schreibt Müller:

In den Augenhöhlen begräbt er die Welt [...]
Seht sein Beispiel, der aus blutigen Startlöchern aufbricht ...

Die blutigen Startlöcher sind nicht nur das Bild für den eigenen Ursprung, die zerstörten Füße des Kindes „Schwellfuß", die – wie nachher seine zerstörten Augen – die Kastration vertreten, sind nicht nur die Verstrickung in die Verbrechen an Vater und Mutter (und deren Verbrechen: *dieses mein Fleisch wird mich nicht überwachsen*). Sie sind auch die blutenden Augenhöhlen, die die zweite Geburt des Ödipus bezeichnen, die ihm ein anderes Sehen ermöglicht und ihn – so die herkömmliche Deutung – in das Reich der Abstraktion verweist. Aber auch dieses Sehen ist an den (verletzten, kastrierten, behinderten) Körper gebunden.

Ödipus hat sein Verbrechen seinem Körper eingeschrieben, das süße Wohnen findet in Ruinen statt. Die Erfahrungen, die sich der Blindheit verdanken, sind nicht jenseits der Sinne, sondern durch den direkten, bilderlosen, tastenden Kontakt zwischen dem ruinierten Körper und der Welt gewonnen. *aus den Händen ihm manchmal / Wächst eine Wand, DIE WELT EINE WARZE, oder es pflanzt sein / Finger ihn fort im Verkehr mit der Luft, bis er auslöscht das Abbild / Mit der Hand.*

Sind die Augen als Erkenntnisorgan sowohl verletzend, das Material durchdringend, als auch verletzbar, dem Material ausgeliefert, so umschreibt das „Wohnen" einen Schutzraum: den Schoß vor der Geburt, das Grab nach dem Leben, ein Sein, das nicht mehr in die Welt verstrickt ist.

An der Ödipus-Figur wird der Zusammenhang zwischen Sehen, Erkenntnis, Ohnmacht/Blendung und neuem Sehen, Im-Reich-der-Gedanken-wohnen und tastendem Wahrnehmen/Schreiben entfaltet. Die Macht kann die freiwillige Blendung nicht an sich vollziehen, ohne sich zu negieren. Sie steht unter Sehzwang, muß die Augen offenhalten, wachsam sein, selbst wenn sie gerade dadurch nichts mehr sieht.

Zunehmend rückt Müller von diesem Sehzwang, der sich in der Nähe der Macht, der Instanz des theoretisch begründeten Durchblicks befindet, ab. Das ist zunächst der veränderten Formsprache seiner Texte abzulesen, die nicht mehr das Material der Deutung des Autors unterwerfen, sondern den Autor zeigen als einen, der dem Material unterworfen ist und blind, tastend, in ihm umgeht (HERAKLES 2 ODER DIE HYDRA, BILDBESCHREIBUNG und der Prosatext im AUFTRAG haben diesen Vorgang selbst wieder in Sprache gesetzt).

Ein anderer Aspekt verdient wenigstens gestreift zu werden. Die Stelle in „ÖDIPUS TYRANN", an der es statt „frohlockend" sinngemäß „fluchend" heißen müßte, fügt die Blendung des Mannes zusammen mit dem Anblick der toten Frau:

Die goldnen Nadeln riß er vom Gewand ihr
So daß sie überall nicht mehr bedeckt lag
Und stach ins Helle seiner Augen sich und sprach

So ungefähr, das sei, damit er sie nicht säh
Und was er schlimms getan, und was er leide
Damit in Finsternis er säh in Zukunft
Die er zu nah gesehen, seine Nächsten
Nicht kennend die Bekannten, nicht gekannt.
Und so frohlockend stieß er vielmal, einmal nicht
Die Wimpern haltend, in die blutigen
Augäpfel. Die färbten ihm den Bart, und Tropfen, nicht
Von Mord vergossen, rieselten, sondern schwarz
Verschüttet ward das Blut, ein Hagelregen.[20]

Jokaste hat angesichts der Enthüllungen Selbstmord begangen; Ödipus nimmt die Schmucknadeln ihres Kleides, öffnet es dadurch und gibt den Blick auf den toten Körper der Frau frei: so wie Hölderlin und Müller die Stelle übersetzen, ist es dieser Körper, der die Blendung fordert. Die Worte, die den Vorgang beschreiben, assoziieren sexuelle Gewalt, die Symbolik des Auges konnotiert die Kastration.[21]

Eine strukturelle Analogie verbindet Ödipus mit dem männlichen Ich aus dem Prosatext TODESANZEIGE[22]: Auch hier der Blick des Mannes auf den toten Körper der Frau, auf den dann zwar nicht die Blendung folgt, wohl aber eine sehr betonte Abwendung, der Blick ins Innen, auf die Traumata der eigenen Biographie. Am Ende dieses Erinnerungs-Films steht ein Traum. Das Ich kehrt in einer Penetrations- und Regressionsphantasie in seine (vorgeburtliche) Wohnung ein, in den Dunkelraum des weiblichen Schoßes, Kontrast zum kalten Körper der Frau in der Wirklichkeit: *Der Tod ist eine Frau.*[23]

3

Die Auseinandersetzung mit dem Thema Macht und Sehen/Nichtsehen hat ihre exemplarische Darstellung in Müllers Friedrich-Stück LEBEN GUNDLINGS … gefunden: hier wird die Konstitution des Blicks der Macht selbst zum Thema. Keine Blendung erlöst diese deutsche Herrscherfigur in ihrem Greuelmärchen, nachdem der Blick in einem schmerzhaften Prozeß der Selbstverleugnung erst einmal trainiert ist.

Die Erzählung DER VATER beginnt mit einem lebensgeschichtlich einschneidenden Blick, dem Blick des Kindes auf eine Gewaltszene. Dem Vater, aus dem Bett heraus von der SA verhaftet, wird ins Gesicht geschlagen. Das Kind verfolgt den Vorgang – selbst ungesehen – durch den Türspalt, kehrt dann ins Bett zurück und stellt sich schlafend, als der Vater sich von ihm verabschieden will, die Tür öffnet und seinen Namen ruft. *Mein Vater hatte das Licht im Rücken, ich konnte sein Gesicht nicht sehen.*[24] Die Wendung ist doppeldeutig, „konnte" bezeichnet das physische Unvermögen, aber auch den psychischen Widerstand, den Unwillen, das Gesicht – den Ausdruck des Geschlagenen – zu sehen. Das Kind hat mehr gesehen, als es ertragen kann: die Ohnmacht des Vaters und die Macht der anderen – die dem Jungen etwas „erledigt", „abgenommen" haben: den Kampf gegen den Vater.[25]

In LEBEN GUNDLINGS FRIEDRICH VON PREUSSEN LESSINGS SCHLAF TRAUM SCHREI stellt Müller erneut die Blickthematik mit der Vater–Sohn-Konstellation zusammen. Dieser Text reflektiert die Konstitution der Macht. Er präsentiert das Auge als das Organ, über welches der „effeminierte" Junge zum Herrscher und Krieger erzogen wird. In der ersten Szene, LEBEN GUNDLINGS, der Auftakt zum Leben Friedrichs, muß das Kind die sadistischen Quälereien des Soldatenkönigs am Hofgelehrten Gundling mitansehen; sie sollen ihm als „Exempel" dienen, wie die Staatsmacht mit dem Geist umspringen kann. Als die Offiziere des Soldatenkönigs auf den gedemütigten Gundling urinieren, kann Friedrich seine Männlichkeit nicht beweisen, wird degradiert und weint. *Er pißt aus den Augen.*[26]

Die folgenden PREUSSISCHEN SPIELE – ein Titel, der über allen Szenen des Stücks stehen könnte – haben das Spiel mit den Augen unverhüllt zum Thema: der suchendbegehrende Blick (Spiel 1), der gewaltsam dem Anblick des Todes ausgesetzte Blick, „Sehzwang" im wörtlichen Sinn (Spiel 2), der dem Schrecken des Krieges abgewandte, dem Publikum zugewandte Blick (Spiel 3). Auch die anderen Teile des Textes können als Variationen auf das Blickthema gelesen werden: Im PATRIOTISCHEN PUPPENSPIEL wird die verspätete Großmacht Preußen/Deutschland von den Imperialmächten Frankreich und England verächtlich betrachtet: *Satt sehen beide [...] dem kleinen Friedrich zu, der mit seinen Soldatenpuppen Krieg spielt.* In HERZKÖNIG SCHWARZE WITWE geht es um den Voyeurblick des melancholischen Herrschers. In ET IN ARCADIA EGO findet man die „Inspektion", den überwachenden und strafenden Blick des aufgeklärten Herrschers, der das „eigene" Volk vor den Augen des aufgeklärten Geistes (Voltaire) präsentiert; in LIEBER GOTT MACH MICH FROMM gibt es die „wissenschaftliche" Besichtigung der preußischen Irren.

Im ersten der PREUSSISCHEN SPIELE nun spielen Friedrich, seine Schwester Wilhelmine und sein Freund Katte als Kinder „Blindekuh". Die Augenbinde dient hier der versteckten körperlichen Annäherung wie das Theaterspielen (PHÄDRA) dem versteckten Liebesgeständnis, das Friedrich als Frau/Phädra dem Freund macht. In Wilhelmines eifersüchtiger Überwachung ist der Blick des Vaters über diesen verbotenen Spielen anwesend; die aus dem Liebesspiel ausgegrenzte Schwester setzt sich die Maske des Soldatenkönigs auf und teilt – wie dieser sonst – Schläge aus. Als Trägerin dieser Vater-Maske und als Störenfried bei der homoerotischen Annäherung wird sie mit den zerfetzten „männlichen" Kleidern Friedrichs, die sie vom vorangegangenen Verkleidungsspiel noch trägt, an einen Stuhl (Thron) gefesselt. Dann erfolgt die „Hinrichtung": Friedrich setzt Ihr Kattes Degen zwischen die entblößten Brüste. *Stirb, mon cher Papa (Gelächter von Friedrich und Katte).*

Der faktisch unangetastete Vater zeigt jedoch im folgenden Bild seine ungebrochene Macht:

Friedrich MIT AUGENBINDE wird von Soldaten hereingeführt, von der anderen Seite, DIE AUGEN UNVERBUNDEN, aber in Ketten, Leutnant Katte. Hinter Friedrich nimmt das Erschießungskommando für Katte Aufstellung. Zwischen Friedrich und Katte läßt sich der König (Friedrich Wilhelm) auf einen Stuhl nieder, der ihm von zwei Lakaien nachgetragen wird.

In diesem Lehrstück der Grausamkeit ist der Vater wieder Regisseur. Friedrich soll sterben lernen, sich selbst aufgeben, nichts bzw. ein anderer werden, um sich ohne Eros und Kunst-Spiel den Nihilismus der Macht anzueignen. Während der Schimpfkanonaden des Vaters entfaltet sich ein letzter, liebender Blickwechsel zwischen dem sehenden

Katte und Friedrich, dessen verbundene Augen betonen, daß er „mit dem Herzen" sieht. Auf den erzwungenen Anblick Kattes jedoch folgt auch hier die doppelsinnige Wendung:

Ich kann dich nicht sehn:
Katte: Mein Prinz.
Friedrich: Ich sehe dich.
(Auf ein Zeichen von Friedrich Wilhelm nehmen Soldaten Friedrich die Augenbinde ab. Gleichzeitig werden Katte die Augen verbunden.)
Katte: Ich sterbe für den edelsten Prinzen.
Friedrich (bedeckt die Augen mit den Händen):
Ich kann dich nicht sehn.
Friedrich Wilhelm: Zeigt ihm die Bescherung.
Soldaten: Ich bin der Weihnachtsmann (Reißen Friedrich die Hände von den Augen, halten ihm die Augen auf. Erschießung Kattes.)
Friedrich Wilhelm steht auf: *Das war Katte.*
Friedrich: Sire, das war ich.

Der Vater tötet, auch er „in effigie" wie zuvor Friedrich den Vater, aber nicht als Spiel, im „Stellvertreter" Katte den Sohn, indem er diesem den Anblick der Hinrichtung des Freundes aufzwingt. Die Internalisierung des väterlichen Blicks geschieht doppelt, durch faktische und symbolische Gewalt: Hinrichtung und Sehzwang. Friedrichs Schlußsatz beglaubigt die väterliche Erziehung. Mit Katte ist derjenige Friedrich getötet, der zum Herrscher unbrauchbar ist, die Identifikation mit der Macht kann beginnen. Das Nichtsehenkönnen wird über das Sehenmüssen zum „freiwilligen" Sehzwang, zum inspizierenden Blick, der die Realitäten bestimmt – wider allen Augenschein. Das Weibliche und Kindliche an Friedrich ist getötet, ein Kriegsherr geboren. Die ästhetische Opposition, die noch in der französisch-höfischen Anrede „Sire" schwach weiterlebt,[27] erliegt der Übermacht des Vaters. Der Sohn wird sein Werk vollenden, die Armee in Bewegung setzen, Preußen zur Großmacht ausbauen.
Das dritte der preußischen Spiele zeigt Friedrich auf dem Höhepunkt seiner Macht (der Vorleser Henri de Catt ver-

weist auf die Zeit nach 1756). Aber: so wie der Vater weiterlebt in den Untaten des Sohns, so lebt der Spielgefährte Katte in der Aufgabe Catts weiter: Kunst und Stil als Flucht aus der Wirklichkeit, die roh und häßlich ist.

Friedrich prügelt in diesem Bild seine Soldaten mit dem Ruf „Hunde wollt ihr ewig leben" in die Schlacht; („Hundesohn" nannte ihn sein Vater, „Hundevater" war die Antwort. Die Preußen von der Spitze bis zur Basis ein tierisches Volk, der König erster Diener dieser Spezies.) *„Es wird gestorben"*, lautet die Szenenanweisung, *„Vivat"* brüllt das in den Tod ziehende Heer seinem Herrscher zu, der selbst auf das Leben pfeift: *Ich wollte, ich wäre mein Vater.*

Der Vitalismus der Männergesellschaft, die Liebe zu den Langen Kerls, die Selbstzufriedenheit der absoluten Herrschaft ist dem Intellektuellen an der Macht versagt. Er muß den Blick abwenden von der Schlacht, die er aus Prinzip, nicht aus Lust führt, muß sich als Bühnenfigur in Pose setzen, Aug in Auge mit dem Publikum, wie eine Regieanweisung verlangt. Eine andere Instanz des Urteils gibt es nicht (mehr). Das Publikum übernimmt den kontrollierenden Blick des Vaters, aber es ist auch Gegenstand des königlichen Blicks, wie später in der Inspektionsszene deutlich wird: *Friedrich [...] zeigt in den Zuschauerraum: Sehn Sie das Rindvieh, friedlich grasend, Preußen eine Heimat für Volk und Vieh ...*

Vor diesem Publikum präsentiert sich Friedrich als Hörender, nicht als Sehender, mit dem Rücken zur Schlacht. Er verlangt nach Literatur, aber nicht nach „dem" Plutarch, dem Leben großer Männer, sondern nach Racine, dem Dramaturgen des Blicks und der Liebe. Man hört jedoch nicht – wie man nach dem ersten Bild erwarten könnte – PHÄDRA. Statt dessen bestimmt Müllers Szenenanweisung BRITANNICUS IV, was einer eher gedanklich-assoziativen Regieanweisung gleichkommt, will man nicht den gesamten vierten Akt lesen. Müller hat auf eine detaillierte Angabe des Zitats im Gegensatz zur genau angegebenen „PHÄDRA"-Stelle in allen GUNDLING-Drucken verzichtet. Jedoch enthält die Textfassung zur Uraufführung in Frankfurt[28] an dieser Stelle ein anderes Zitat aus BRITANNICUS: die Szene II,6 – wahrhaft eine Schlüsselstelle für die Blickthematik bei Racine[29]. Britannicus begegnet hier seiner am Hof Neros gefangenen Geliebten Junie und trifft zu seinem Entsetzen eine völlig verwandelte, distanzierte Frau an. Junie weiß nämlich – im Unterschied zu ihrem Geliebten –, daß die Begegnung vom eifersüchtigen Nero heimlich beobachtet wird und Britannicus nur zu retten ist, wenn sie ihre Liebe zu ihm in Worten und Blicken so vollkommen verleugnet, daß Britannicus am Ende ihrer verzweifelten Verstellung glauben muß: *Ihr Blick auch lernte zu schweigen? Was seh ich? Sie fürchten meinen Augen zu begegnen? [...] Wohn ich nicht mehr in ihrem Denken?*[30]

Die Szene II,6 führt das Thema Sehen, Gesehenwerden, Liebe und Macht mit der Verstellung als einziger List, der Vernichtung zu entgehen, zusammen. Unter dem heimlich überwachenden Blick des Herrschers regiert die Selbstverleugnung, die Verleugnung der Liebe. Alles: – das Versteckspiel der Kinder, das Theater, das Spiel mit der Geschlechteridentität, die verbotene Liebe, die Todes-„Spiele" der Exekution, die Körper der Verrückten, die Künste im preußischen Arkadien – ist dem Blick der Macht ausgeliefert. Der König überall. Die Pointe des Zitats liegt in der imaginären Anwesenheit des Herrscherauges, die Szene gestaltet sich als der Effekt dieser Anwesenheit, die dem Auge des Publikums verborgen, aber von ihm gewußt ist.

Auch in Robert Wilsons Kölner Teil von „the CIVIL warS" (1984), für dessen Textfassung Müller mitverantwortlich zeichnet, agiert die zierliche (weibliche) Friedrichgestalt im Blickfeld eines überdimensionierten Porträts des Vaters, das, auf eine Leinwand projiziert, die Szene überwacht: Inszenierung einer Blickthematik, die den Herrscher selbst als kontrollierten Akteur und Bestandteil der väterlichen Szene erweist. Im Textbuch wird aus einem Brief des Soldatenkönigs an seinen Sohn zitiert:

„Sein eigensinniger böser Kopf, der nicht seinen Vater liebet; denn wenn man nun alles tut, absonderlich seinen Vater liebet, so tut man, was er haben will, nicht wenn er dabei steht, sondern wenn er nicht Alles sieht ..."[31]

Der Wunsch Friedrichs in Müllers Text: *Ich wollte, ich wäre mein Vater,* erfüllt sich über das umfassende Sehvermögen, das auch Blut sehen kann. Den letzten Schliff holt sich das

„monstre naissant" (Racine über den Nero des BRITANNI-CUS) in der Parodie auf die Exekution Kattes.
HERZKÖNIG SCHWARZE WITWE ist ein weiteres preußisches Spiel auf dem Feld des Sadomasochismus. Friedrich ist Feldherr des Siebenjährigen Krieges, ein sächsischer Deserteur soll erschossen werden, die Frau des Todeskandidaten bittet vergeblich um Gnade. Der gespaltene König, der wie zuvor sein Vater die Exekution verantwortet, aber – wie zuvor als Sohn – sich nur schwer an den blutigen Anblick gewöhnen kann, nimmt Zuflucht zu den Tränen wie das degradierte Kind in der GUNDLING-Szene:

Friedrich (weint): *Daß ich es sehn muß. Hier. Mit diesen Augen.*
(Groß) *Darf ich die Augen schließen, wenn mein Wort*
Gewalt wird? Wär ich blind. Ah
(Nimmt den Schleier auf und verbindet sich damit die Augen.)
Sächsin: *Armer König*
Friedrich: Sagten Sie Gnade? Wolln Sie daß der König
Mir nicht mehr in die Augen sehen kann […]
Und der Geschichte, die ihn keinen Blick lang
Aus den Augen läßt. Will sie das?

Wieder ist mit dem Blick des Königs der allmächtige Blick des Vaters im Spiel, aber auch Friedrichs eigener „königlicher" Blick auf sich. Eben noch „Preußenpuppe mit Friedrich-Wilhelm-Maske" als „Mein Volk" angesprochen, verliert „der Vater" sein Profil, wird zum Spiegel des Sohnes, zum Erinnerungsstück aus Kindertagen, zur Requisite. Den Erwachsenen kontrolliert jetzt das übermächtige, göttliche Auge der Geschichte, die einzige Instanz, vor der sich der aufgeklärte Herrscher zu verantworten bereit ist, und die ihn *keinen Blick lang aus den Augen läßt.*
Die Sächsin nimmt Friedrich den Schleier von den Augen, trocknet ihm damit das Gesicht, stellt den Stuhl ans „Fenster/Richtung Publikum" und starrt selbst mit *„weit aufgerissenen Augen"* auf die Hinrichtung ihres Mannes, während Friedrich – ein letzter Versuch – sich die Augen zuhält: *Ich kann nicht hinsehen.* Doch erst hinter und dann auf dem Rükken der Frau wird er zum Voyeur der Szene: *Haben Sie gesehn. Das spritzt.* Im Schutz des „unterworfenen" weiblichen

(Volks-) Körpers genießt der Herrscher, wie sein Wort Gewalt wird. Dann setzt er die Adlermaske auf und ist ein Mann/sein Vater geworden.

Ein Vergleich des Friedrich-Stücks mit Müllers Shakespeare-Adaption über die Rohform der königlichen Macht, MACBETH, zeigt, daß dort die direkte Gewalttätigkeit der Akteure in die Sprachgewalt des Textes transformiert ist. Das Auge/der Blick ist in MACBETH weitgehend Medium der Täuschung, erst das Wort und die Hand (mit der Waffe) schaffen blutige Klarheit.[32]

Es gibt jedoch eine Szene, die wiederum das „Nichtsehenkönnen" mit einer latenten Unfähigkeit zur Macht verbindet. Lady Macbeth will sich für den kommenden Mord an Duncan rüsten – und schafft es nicht:

„(ein Brüllen von außen.)

Lady Macbeth: *Was für ein Lärm.*

Macbeth: *Ein Bauer, der den Pachtzins nicht gezahlt hat.*

Lady Macbeth: *Ich will ihn bluten sehn, mein Aug zu üben für das Gemälde das die Nacht uns aufgibt.*

Macbeth: *Ich werd ihn holen lassen, da dus willst.* (Ab.)

Lady Macbeth: *Macbeth. König von Schottland.*

(Zwei Knechte mit dem geschundenen Bauern. Macbeth.)

Macbeth: *Dein Bauer, Lady.*

(Lady Macbeth bedeckt die Augen mit den Händen. Macbeth lacht.)" Die Augen der Lady spielen bei der geplanten Bluttat nicht mit. Als sie wenig später vor dem schlafenden Duncan steht, kann sie ihn nicht töten, weil er ihrem Vater „gleichsieht". Am Ende, im Wahn, geht sie „mit offenen Augen" – „doch sie sieht nicht".

In LEBEN GUNDLINGS ... setzt das Auge die Fakten. An Friedrichs Weg zur Macht werden die Widerstände, die Kultur und Individualität, das Weibliche und Kindliche der Machtausübung entgegensetzen, gezeigt, aber auch die kulturellen Techniken, diese Hemmungen zu beseitigen. Die indirekte Erfahrung und Ausübung der Gewalt durch das überwachende Auge kennzeichnet das Zeitalter aufgeklärter Herrschaft, in der die körperliche Tortur dem Terror der Seele weicht.

Der inhaltliche Vorrang des Bildes vor dem Wort in Friedrichs Erziehung zum Machthaber hat seine Entsprechung in der Form des Stückes, das auch beim Publikum primär das Auge in Anspruch nimmt. Ganze Szenen sind stumme Bühnenzeichen, Theater für Taube: Bewegungsabläufe, szenische Anweisungen, Pantomime, „Film", gedankliche Assoziationen, die auf theatrale Visualisierung warten. Projektionen von Bildern und Texten beherrschen die Bühne. (Man könnte meinen, dieses Theater der Bilder hätte seine künftige Begegnung mit dem Theater Wilsons vorweggenommen.) Die Sprache des Autors, die unterschiedliche Ebenen und Stile mischt und von Zitaten durchsetzt ist, teilt sich den Raum mit der Sprache Lessings, Schillers, Lautréamonts, des Volkslieds und – vor allem – Racines. Überformt werden alle Worte von der Flut der Bilder, die der Autor als Regisseur vor-geschrieben hat. LEBEN GUNDLINGS ... ist – theaterpraktisch gesehen – Müllers „autoritärstes" Stück – Mimesis an den Gegenstand, das Thema. Fast jede Geste, jeder Blick ist vom Autor diktiert, während die Sprache, gleichsam preußisch traktiert, aus der Reserve lebt – ein kastriertes Kleist-Stück.

Artikuliert wird dieses „Mißverhältnis" in der autornahen Lessing-Figur. Wie die Pantomime *Heinrich von Kleist spielt Michael Kohlhaas*, das selbstquälerische Vor-Spiel mit den Puppen der Imaginationen und Traumata, ist LESSINGS SCHLAF TRAUM SCHREI Zeichen für den Rückzug aus der Sprache, aus der Illusion über die Macht der Sprache in das Selbstporträt des Schreibenden als einer verlorenen Figur im Spiel der eigenen Bühnenentwürfe. SCHLAF TRAUM SCHREI ist ein Nachtstück: a-soziale, einsame Traumbilder, Angstvisionen der Verrücktheit, Schlafsucht, Stille: *Das Verlöschen der Welt in den Bildern.*

Gießen, Februar 1988

1 H. M., Die Einsamkeit des Films (1980), in: H. M. Rotwelsch, Berlin (West) 1982, S. 104.

2 Vgl. Hans-Thies Lehmann, „Theater der Blicke. Zu Heiner Müllers ‚Bildbeschreibung'", in: Dramatik der DDR, hg. von U. Profitlich, Frankfurt (Main) 1987, S. 186–202.

3 H. M., Fatzer ± Keuner (1979), in: Rotwelsch, a. a. O., S. 141.

4 H. M., Geschichten aus der Produktion 2, Berlin (West) 1974, S. 14.

5 H. M., Germania Tod in Berlin, Berlin (West) 1977, S. 75; vgl. auch den Schrei des Traktoristen und der Lessingfigur in „Leben Gundlings" ...

6 H. M., Die Wunde Woyzeck, in: Theater heute, Heft 11/1985, S. 1.

7 H. M., Fatzer ± Keuner, in: Rotwelsch, a. a. O., S. 141.

8 H. M., Und vieles wie auf den Schultern eine Last von Scheitern ist zu behalten ... (Hölderlin), (1979) in: Rotwelsch, a. a. O., S. 92; vgl. auch die „Mülheimer Rede" vom 6. 9. 1979 in: Theater heute, Heft 10/1979.

9 Heiner Müller in einem Gespräch mit Hanns Zischler 1987 (Videoaufzeichnung).

10 H. M., Herzstück, Berlin (West) 1983, S. 46.

11 „Absage" in: Theater heute, Heft 4/1978, und „Verabschiedung des Lehrstücks" in: H. M., Mauser, Berlin (West) 1978, S. 85.

12 In: H. M., Sophokles, Ödipus Tyrann. Nach Hölderlin, Berlin und Weimar 1969, S. 91.

13 H. M., Brief an Robert Wilson vom 23. 2. 1987, Beilage zum Programm „Death Destruction & Detroit II", Schaubühne am Lehniner Platz, Berlin (West) 1987.

14 H. M., „Nicht Kriminalstück", Programmheft zur Uraufführung von Ödipus Tyrann, zitiert nach Ernst Wendt, Moderne Dramaturgie, Frankfurt (Main) 1974, S. 43 f. Die Hervorhebungen sind von mir.

15 Friedrich Hölderlin, Sämtliche Werke und Briefe, Bd. 3, S. 381, Berlin und Weimar 1970.

16 H. M., Ödipus Tyrann, a. a. O., S. 82.

17 Hölderlin, a. a. O., S. 378. Die Hervorhebung hier wie in dem folgenden Zitat von mir.

18 H. M., Ödipus Tyrann, a. a. O., S. 77. Die weiteren Zitate aus diesem Text werden im folgenden nicht eigens ausgewiesen.

19 H. M., Die Form entsteht aus dem Maskieren. Ein Gespräch mit Olivier Ortolani (1985), in: H. M., Gesammelte Irrtümer. Interviews und Gespräche, Frankfurt (Main) 1986, S. 146.

20 Freud kommt auf diese Verbindung wiederholt zurück, unter anderem in seinem Aufsatz „Das Unheimliche" von 1919: „Das Studium der Träume, der Phantasien und Mythen hat uns dann gelehrt, daß die Angst um die Augen, die Angst zu erblinden, häufig genug ein Ersatz für die Kastrationsangst ist. Auch die Selbstblendung des mythischen Verbrechers Ödipus ist nur eine Ermäßigung für die Strafe der Kastration, die ihm nach der Regel der Talion allein angemessen wäre."
S. Freud, Studienausgabe, Bd. IV, Psychologische Schriften, Frankfurt (Main) 1970, S. 254.

21 H. M., Ödipus Tyrann, a. a. O., S. 76f.

22 H. M., Todesanzeige, in: Germania Tod in Berlin, a. a. O., S. 32–34.

23 H. M., „Leben Gundlings Friedrich von Preußen Lessings Schlaf Traum Schrei", in: Herzstück, a. a. O., S. 35.
Zum Zusammenhang zwischen männlichem Blick und weiblichem Körper, (Über-) Leben des Mannes und Tod der Frau vgl. Verf. „Bin gar kein oder nur ein Mund." Zu einem Aspekt des ‚Weiblichen' in Texten Heiner Müllers, in: Weiblichkeit und Avantgarde, hg. von Inge Stephan und Sigrid Weigel, Berlin (West) 1987, S. 147–164.

24 H. M., Der Vater, in: Germania Tod in Berlin, a. a. O., S. 20–26. (Hervorhebung von mir.)

25 Auch diese Szene enthält latent die Ödipus/Hamlet-Problematik, die Müller wiederholt in sein Werk einschreibt. Zuletzt in „Wolokolamsker Chaussee V" (Der Findling).
Zur Ödipus/Hamlet-Analogie vgl. S. Freud, Die Traumdeutung, Studienausgabe Bd. II, Frankfurt (Main) 1972, S. 265–270.

26 H. M., „Leben Gundlings ...", a. a. O., S. 13. Die weiteren Zitate

aus diesem Stück werden im folgenden nicht eigens ausgewiesen. (Hervorhebungen von mir.)

27 Auch die Assoziation an den Satz des Marquis Posa in Schillers „Don Carlos" – „Sire, geben Sie Gedankenfreiheit" – drängt sich auf. Das eine wie das andere dezente Widerstandshaltungen.

28 Diese Textfassung – mit einem Vorspiel, das zwei Zitate aus Lautréamonts „Gesängen des Maldoror" parallel zu Müllers „Lessing"-Text „Mein Name ist …" stellt – ist auch in Theater heute, Heft 3/1979, abgedruckt und insofern nicht nur als eine zufällige Spielfassung anzusehen.

29 Vgl. Jean Starobinski, Racine und die Poetik des Blickes (1954), in: Ders., Das Leben der Augen, dt. von Henriette Beese, Frankfurt (Main), Berlin, Wien 1984, S. 52–66.

30 Programmheft Schauspiel Frankfurt 68, S. 41 f.

31 Programmheft Schauspiel Köln zu Robert Wilson „the CIVIL warS" (1984), S. 117.

32 (H. M., Shakespeare Factory[1], Berlin (West) 1985, S. 192, 199, 230.) (Hervorhebung von mir.)

Notwendigkeit, Opfer und Tod. Über PHILOKTET

1

Ein Lessing bewunderte noch Philoktets ethische Haltung sowie Sophokles' Kunst, uns für das physische Leiden dieser Figur einnehmen zu können. Das sei möglich, weil Sophokles in keiner Weise übertreibe. „Wir verachten denjenigen", schreibt Lessing im „Laokoon", sich auf Adam Smith's „The Theory of Moral Sentiments" berufend, „den wir unter körperlichen Schmerzen heftig schreien hören. Aber nicht immer: nicht zum erstenmale; nicht, wenn wir sehen, daß der Leidende alles mögliche anwendet, seinen Schmerz zu verbeißen; nicht, wenn wir ihn sonst als einen Mann von Standhaftigkeit kennen; noch weniger, wenn wir ihn selbst unter dem Leiden Proben von seiner Standhaftigkeit ablegen sehen, wenn wir sehen, daß ihn der Schmerz zwar zum Schreien, aber auch zu weiter nichts zwingen kann, daß er sich lieber der längern Fortdauer dieses Schmerzes unterwirft, als das geringste in seiner Denkungsart, in seinen Entschlüssen ändert, ob er schon in dieser Veränderung die gänzliche Endschaft seines Schmerzes hoffen darf. Das alles findet sich bei dem Philoktet. Die moralische Größe bestand bei den alten Griechen in einer ebenso unveränderlichen Liebe gegen seine Freunde, als unwandelbarem Hasse gegen seine Feinde. Diese Größe behält Philoktet bei allen seinen Martern. Sein Schmerz hat seine Augen nicht so vertrocknet, daß sie ihm keine Tränen über das Schicksal seiner alten Freunde gewähren könnten. Sein Schmerz hat ihn so mürbe nicht gemacht, daß er, um ihn los zu werden, seinen Feinden vergeben, und sich gern zu allen ihren eigennützigen Absichten brauchen lassen möchte."[1] Auch Neoptolemos schätzt Lessing positiv ein. „Philoktet, der ganz Natur ist", habe Neoptolemos „zu seiner Natur wieder" zurückgebracht. „Diese Umkehr" sei „vortrefflich, und um so rührender, da sie von der bloßen Menschlichkeit", d. h. ohne äußere Einflüsse, bewirkt worden sei.[2] Für Odysseus interessiert sich Lessing dagegen nicht, da er beim Zuschauer weder Furcht noch Mitleid erregt. Die meisten Sophokles-Interpreten beurteilen ihn bis heute negativ. Nur einige englische Forscher finden, daß er konsequent die Staatsraison vertrete und sie geschickt verteidige. Der polnische Wissenschaftler Stanisław Witkowski unterstrich 1930, daß Odysseus von Sophokles nicht nur als ein Mann ohne Skrupel, ein Meister der Intrige, der listig und hinterhältig sei, gesehen werden solle, sondern auch als eine Verkörperung der Staatsraison. Er sei nicht erst bei Euripides, sondern schon bei Sophokles der Typ eines Politikers: Die Athener, die eine solche Hingabe an die öffentlichen Angelegenheiten gut verständen, hätten sicher weniger streng über ihn geurteilt als wir, vielleicht hätten sie sein Vorgehen angesichts der Bedeutung des Ziels gerechtfertigt. Der Chor fände am Ende gute Gründe für ihn, was wichtig sei, wenn wir Sophokles' Urteil über ihn erhellen wollen.

Sophokles scheint der erste gewesen zu sein, der die Figur des Neoptolemos eingeführt hat. Bei Aischylos trat er wahrscheinlich noch nicht auf, jedenfalls war seine Hauptfigur Odysseus, der dem Philoktet die Waffe abluchst. Bei Euripides haben Odysseus und Dromedes versucht, Philoktet zu überzeugen, daß nur er den Sieg bewirken könne, während ihn trojanische Abgesandte überreden wollen, nicht am Krieg teilzunehmen; sie würden sich dafür auch mit einer beträchtlichen Belohnung erkenntlich zeigen. Nach heftigen inneren Kämpfen überwindet Philoktet seine Leidenschaften, sein Patriotismus erweist sich als die stärkere Kraft. Sophokles' Philoktet war dagegen nicht bereit, den Griechen beizustehen. Neoptolemos wechselt auf seine Seite über. Er will sogar mit ihm in die Heimat zurückkehren. Es muß erst Herakles erscheinen, damit die beiden doch noch in den Krieg gegen Troja ziehen.

Eine solche Lösung kam für Heiner Müller, der als Sechzehnjähriger noch kurz den zweiten Weltkrieg und zwei Tage Gefangenschaft miterlebte, nicht in Frage. Er konnte auch wenig mit dem mitleiderregenden Philoktet und der reinen moralischen Haltung eines Neoptolemos anfangen, von der Lessing und spätere Interpreten so eingenommen waren. Der Held seines Stückes ist Odysseus, und er kann nicht umhin, Neoptolemos anders als Sophokles zu gestalten, so daß wir zu dem umgekehrten Schluß gelangen müssen: Es gibt keine Tugenden in reiner Form, die Geschichte erlaubt es nicht. Und wir wissen nicht einmal, ob wir uns einen mitleidsvollen Neoptolemos wünschen sollen, da dies ja fatale Folgen für andere haben könnte. Odysseus scheint mit Recht zu sagen:

Spuck aus dein Mitgefühl, es schmeckt nach Blut
Kein Platz für Tugend hier und keine Zeit jetzt
Frag nach den Göttern nicht, mit Menschen lebst du
Bei Göttern, wenn die Zeit ist, lern es anders.[3]

Heiner Müller stellt Odysseus mit großer Überzeugungskraft dar. Er erscheint vor unseren Augen nicht nur als der Listige, der große Lügner, sondern er ist auch voller Hingabe an die Sache, die Pflicht. Er zögert nicht, sein Leben zu opfern, wenn Philoktet dafür den Entschluß treffe, nach Troja mit Pfeil und Bogen zu ziehen und die kriegsmüden Griechen erneut in die Schlacht zu treiben. Jedoch Philoktet will nicht in die Geschichte zurückkehren.

An Heiner Müllers Bearbeitung erkennt man gleichzeitig, wohin es führt, wenn sich jemand mit einer „Sache" zu sehr identifiziert. Die Folge ist ein Sich-Gewöhnen an die Lüge. Nach jeder Tat oder Untat ist man sofort bereit, eine Begründung für sie zu erfinden. Man beginnt natürlich mit dem Argument, die Feinde oder verschiedenste Haßgefühle seien Auslöser der unverständlichen bzw. anders nicht erklärbaren Ereignisse gewesen. Kaum hat Neoptolemos Philoktet unerwartet getötet, schon weiß Odysseus, wie man diesen Mord aus dem Hinterhalt erklären müsse. Die Trojaner waren es, die – wie es der Zufall wollte – von Odysseus und Neoptolemos beim Töten überrascht wurden und schnellstens die Flucht ergriffen, wobei sie sowohl den Leichnam wie auch die Waffen zurückließen. Und auch für den Fall, daß Neoptolemos Odysseus getötet hätte, wäre dem „Erzlügner" sofort eine Geschichte eingefallen, von der wir im Stück allerdings nichts mehr erfahren:

Vor Troja werd ich dir die Lüge sagen
Mit der du deine Hände waschen konntest
Hättst du mein Blut vergossen jetzt und hier.[4]

Wohin die Einsicht in die Notwendigkeit führt, erkennen wir am deutlichsten an Neoptolemos, der sich nicht mehr, wie bei Sophokles, unter dem Einfluß von Philoktet wandelt, sondern ein gelehriger Schüler des Realpolitikers Odysseus wird, obwohl er ihn haßt. Wenn man an ein „ho-

hes Ziel", die Notwendigkeit des Sieges über den vermeint-
lichen Feind, glaubt, ist man imstande, suggeriert uns das
Stück, persönliche Todfeindschaft zu überwinden und denjenigen zu töten, der zwar den gleichen Mann haßt, aber
der allgemeinen Sache nicht dienen will. Zynisch kommentiert Neoptolemos seine Tat, er habe *unseren und seinen Schaden*, d. h. den Philoktets, *ausgetan*. Nun brauche dieser nicht
mehr an seiner Wunde zu leiden. Daß ihm zuvor die Heilung der Wunde bei Troja versprochen ward, scheint Neoptolemos vergessen zu haben. An die Stelle von Wahrheits-
drang ohne Rücksicht auf die Folgen ist der Rechtferti-
gungsdrang um jeden Preis getreten.

Das Töten gehört bei Männern, die ganz einer Sache ver-
schrieben sind, zum Handwerk. Und was mit dem Leichnam geschieht, hängt von den Zielen und Zwecken ab.
Da er vielleicht noch einmal nützlich sein wird, läßt Odysseus ihn sich auf den Rücken laden. Er erweist sich sogar
als Schutz gegen Neoptolemos' plötzliche Lust, auch Odysseus hinterrücks zu töten, was er aber aus Selbsterhaltungs-
gründen sein läßt. Von nun an ist jeder Widerstandswille in
ihm gebrochen, er ergibt sich völlig dem Meister, überläßt
ihm die Waffen des Philoktet und trägt den Toten willig
zum Boot. Man hat das Gefühl, daß er in Zukunft immer
wissen wird, was zu tun ist, wenn es zu Konflikten
kommt.

2

Heiner Müllers PHILOKTET ist bereits über zwanzig Jahre
alt. 1965 erschien er in Heft 5 der Zeitschrift „Sinn und
Form" und erforderte im folgenden Heft einen Kommentar.
Mittenzwei interpretierte ihn sowohl als eine „Distanzie-
rung barbarischer Zustände … im Licht des realen Huma-
nismus der Gegenwart" wie auch als ein „antiimperialisti-
sches Stück". Besonders hilfreich konnte ihm dabei der Satz
aus dem Prolog sein, den der *Darsteller des Philoktet, in
Clownmaske* spricht:
Damen und Herren, aus der heutigen Zeit
Führt unser Spiel in die Vergangenheit
Als noch der Mensch des Menschen Todfeind war
Das Schlachten gewöhnlich, das Leben eine Gefahr.[5]

Alle weiteren Sätze sagen nichts über die Gegenwart aus. Heiner Müller hat sich jedoch in einer Diskussion mit Girnus, Mittenzwei und Münz, die dann 1966 in Heft 1 von „Sinn und Form" abgedruckt wurde, mit der Auslegung, es handle sich um ein Antikriegsstück, einverstanden erklärt.[6] Er sprach auch von der *Vorgeschichte der Menschheit*. In den 70er Jahren hat er dagegen darauf verwiesen, daß er sich in der Zeit, als er am PHILOKTET schrieb, mit Problemen und mit Fehleinschätzungen auseinandergesetzt habe, die z. B. mit der Person Stalin zusammenhängen.

Bemerkenswert ist auch, daß in der Rotbuchausgabe von 1978 als Material zum PHILOKTET ein Parteiverfahren aus ZEMENT zitiert wird. Natürlich bleibt es dem Leser oder Regisseur überlassen, ob und wie er diese Stellen auf das Stück beziehen soll. Ihre Identifikation mit einer der drei Figuren würde nur zu einer Verengung der Problematik beitragen. Wer könnte z. B. mit der folgenden Stelle gemeint sein?

„Was sind die Fragen und Gedanken, die sein Hirn quälen? Nichts als das Aufstoßen einer verfluchten Vergangenheit. Alles das ist – vom Vater, aus der Jugend, aus der Intellektuellenromantik. Alles das muß ausgemerzt werden, ausgemerzt bis zu den tiefsten Wurzeln. All diese kranken Zellen im Hirn müssen getötet werden. Es gibt nur eines – die Partei, und alles bis zum letzten Blutstropfen muß der Partei gegeben werden. Ob die Partei ihn wieder aufnimmt oder nicht – ändert nichts an der Sache: Er, Sergej Iwagin, als Einzelwesen – existiert nicht. Nur die Partei existiert – und er – ist nur ein winziges Teilchen in ihrem gewaltigen Organismus."[7]

Diesen Gedanken machen sich weder Neoptolemos noch Odysseus, schon gar nicht Philoktet zu eigen, aber alle drei stehen vor dem Problem des Verhältnisses von persönlichem und allgemeinem Interesse. Ihnen ist jedoch die Überlegung fremd, daß sie die Erinnerung an ihre Vergangenheit ausmerzen müssen, obwohl sie alle einmal in ländlich-bäuerlicher Freiheit gelebt haben. Die zitierte Stelle würde auf einen Philoktet passen, der sich nach seiner Aussetzung auf die Insel wieder in die Reihen der Kämpfenden eingliedern wollte. Heiner Müllers Philoktet beharrt aber letzten Endes auf seinem Ausschluß aus dem grie-

chischen Heer und damit aus der griechischen Gesellschaft.
Eigenartig ist die folgende im Material zum PHILOKTET
angeführte Stelle aus ZEMENT: „Sergej stand und konnte
seine Blicke von dem Säugling nicht losreißen. Vorüberge-
hende blieben neugierig neben ihm stehen, sahen die Säug-
lingsleiche an und gingen rasch weiter. Sie brummten, frag-
ten Sergej etwas, aber er hörte nichts und wußte nicht, wer
zu ihm sprach. Er stand und sah ohne Gedanken, schmerz-
erfüllt, taub, mit einem großen Erstaunen und Leid in den
Augen die kleine Leiche an und fühlte, wie ein unverständ-
licher, niederdrückender Schmerz abgrundtief in seinem
Herzen tobte. Und er hörte seine eigenen Worte nicht,
hörte nicht, wie er laut, ohne Teilnahme seines Bewußtseins, zu sich selber sprach: ‚Nun ... ja ... Es muß so
sein ... das ist es eben ...‘ “[8]
Es ist ein eindrucksvolles Bild. Dieser starre Blick auf den
Säugling, die Gleichgültigkeit der Vorübergehenden, die
den kleinen Leichnam wohl nicht bemerkt hätten, wenn
nicht Sergej Iwagin auf ihn schauen würde, und schließlich
dieses unwillkürliche Einverständnis mit dem Tod. Wieder
fragt man sich, ob damit auch das Stück erhellt werden soll,
werden kann. Nicht zufällig demaskiert sich im „Prolog"
der Clown: *sein Kopf ist ein Totenkopf*, und man ist geneigt,
benjaminisch denkend, das Stück als eine Allegorie auf den
Tod zu interpretieren. Doch bei Benjamin gab es eine Hoffnung auf Erlösung durch den Blick des Melancholikers. Er
wäre nie zu dem Schluß gekommen, daß es so sein müsse.
Im Gegenteil, er schaut mit seinem trauererfüllten Blick auf
diese Welt, auf deren „tote(n) Dinge" – in „ausdauernder
Versunkenheit" –, um „sie zu retten"[9], um die „traurigen
Bilder" in „seliges Dasein zu verkehren"[10]. Zwar ist für ihn
das Wesen der Welt immer deren Verfallenheit, die Erstarrung der Geschichte im Schauplatz, die scheinbar endgültige Katastrophe. Doch diese tritt nicht ein, sie ist nur ein
Grenzzustand. In den „Visionen des Vernichtungsrausches,
in welchem alles Irdische zum Trümmerfeld zusammen-
stürzt", schreibt Benjamin am Ende des „Ursprungs des
deutschen Trauerspiels", enthüllt sich „weniger das Ideal
der allegorischen Versenkung denn ihre Grenze"[11]. An dieser Grenze erfolgt ein völlig überraschender Umschlag. Die

allegorisch dargestellte Vergänglichkeit bedeutet nicht nur das, was sie zu bedeuten scheint, sondern auch das Umgekehrte, die Auferstehung, das Heil. Die „allegorische Betrachtung" springt um, die „sieben Jahre ihrer Versenkung sind nur ein Tag. Denn auch diese Zeit der Hölle wird im Raume säkularisiert und jene Welt, die sich dem tiefen Geist des Satans preisgab und verriet, ist Gottes. In Gottes Welt erwacht der Allegoriker. ,Ja / Wenn der Höchste wird vom Kirch-Hof erndten ein / So werd ich Todten-Kopff ein Englisch Antlitz seyn.' Das löst die Chiffre des Zerstückeltsten, Erstorbensten, Zerstreutesten. Damit freilich geht der Allegorie alles verloren, was ihr als Eigenstes zugehörte: das geheime, privilegierte Wissen, die Willkürherrschaft im Bereich der toten Dinge, die vermeintliche Unendlichkeit der Hoffnungsleere. All das zerstiebt mit jenem einen Umschwung, in dem die allegorische Versenkung die letzte Phantasmagorie des Objektiven räumen muß und, gänzlich auf sich gestellt, nicht mehr spielerisch in erdhafter Dingwelt sondern ernsthaft unterm Himmel sich wiederfindet. Das eben ist das Wesen melancholischer Versenkung, daß ihre letzten Gegenstände, in denen des Verworfenen sie am völligsten sich zu versichern glaubt, in Allegorien umschlagen, daß sie das Nichts, in dem sie sich darstellen, erfüllen und verleugnen, so wie die Intention zuletzt im Anblick der Gebeine nicht treu verharrt, sondern zur Auferstehung treulos überspringt."[12] Der melancholische Blick ist somit zu einem messianischen geworden.

Es wäre sicher nicht abwegig, einmal Benjamins und Heiner Müllers Faszination für den Leichnam, den Totenkopf, das Skelett und den Tod überhaupt zu vergleichen. Auf den ersten Blick scheinen die Unterschiede trotz großer Ähnlichkeiten beträchtlich. Bei Benjamin entspringt das Utopische aus dem Blick auf die Vergangenheit, das Trümmerfeld der Geschichte – die Toten, die Erschlagenen wollen erlöst werden[13] –; bei Heiner Müller ist das kaum denkbar, im Idealfall ist Destruktion Voraussetzung für die Möglichkeit von Utopie. Benjamin reflektiert über die Notwendigkeit von Opfern, Heiner Müller ist dieser Gedanke fremd, er hat zu viele unnötige Opfer erlebt.

Heiner Müller hat immer wieder betont, daß DER HORA-TIER, MAUSER und PHILOKTET wegen ihres Lehrstück-charakters zusammengehören. Sie vereint aber auch die Op-ferproblematik. Im PHILOKTET wird der Titelheld der „höheren Sache" wegen geopfert, zugleich opfern sich ihr Odysseus und Neoptolemos im übertragenen Sinne. Im HORATIER ist die Schwester das Opfer, ein überflüssiges, daher ein Mord; im MAUSER will sich die Figur A für die Revolution nicht töten lassen, ihr dieses Opfer nicht brin-gen. A ist zum Tode verurteilt, weil er als Henker einmal ein Opfer der Revolution hat laufenlassen, anstatt diesen „konterrevolutionären Klassenbruder" hinzurichten.

Sind all diese Opfer vermeidbar? Der PHILOKTET sugge-riert – die beiden anderen Stücke müssen wir hier ausspa-ren –, daß es zu keinem Mord gekommen wäre, wenn Neo-ptolemos sein Lügen durchgehalten hätte. Philoktet wäre überwältigt nach Troja gebracht worden und hätte sich viel-leicht in die Notwendigkeit geschickt: andere, Trojaner, tö-tend. So aber erscheint er als der große Verweigerer. Damit man nicht allzu große Sympathie für ihn empfindet, soll sein maßloser Haß gegen die Griechen im allgemeinen und Odysseus im besonderen beim Spiel betont werden, denn dann bekäme er einen unmenschlichen Zug. In diesem Sinne nennt ihn Georg Wieghaus einen rasenden Irren, ein „Ausbund an Haß und grenzloser Wut, der mit seiner Rede alles zu zerstören trachtet ..."[14]. Wenn man allerdings vom späteren Werk Heiner Müllers – etwa der HAMLET-MASCHINE –, das voller Verweigerer und Verweigerun-gen ist, auf den PHILOKTET zurückschaut, fragt man sich, ob Philoktets Absicht, aus der Geschichte, dieser großen Mordmaschine, auszusteigen, nicht die sinnvollere Tat ist. Schließlich mußte er sich nicht auf die griechische Kriegs-logik einlassen, auch wenn er ein Grieche war. Schon Sopho-kles hatte kein rechtes Argument mehr für Philoktets Teil-nahme am Krieg. Er mußte Herakles zu Hilfe rufen, um sich mit dem Stück vor seinen Zuschauern sehen lassen zu können. Der Trojanische Krieg durfte schließlich nicht vor den Griechen bzw. den Athenern völlig entheiligt wer-den.

Heiner Müller dachte an ein deutsches Publikum und rang vor allem mit seinen eigenen Problemen, als er das Stück verfaßte. Selbst hatte er die Sinnlosigkeit der Opfer erfahren – dessen wurde er sich nach 1945 und dann noch einmal nach dem XX. Parteitag der KPdSU bewußt. Gleichzeitig war er aber ein Brechtschüler, für den die Lehrstücke von besonderer Bedeutung gewesen sein mußten. Von ihnen konnte er sich nur schreibend befreien, indem er gegen die „Horatier und Kuratier" jenen Konflikt setzte, den Brecht wohlweislich weggelassen hatte (denn man kann kaum annehmen, daß ihm Corneilles „Horace" unbekannt war), den Konflikt zwischen Staatsinteresse und persönlichen Gefühlen, die mit diesem Interesse nicht im Einklang stehen, ihm sogar widersprechen, und indem er an die Stelle des selbstkritischen Genossen aus der „Maßnahme" die einsichtslose Figur A aus dem MAUSER stellte. Den PHILOKTET muß er dagegen viel unbewußter in Auseinandersetzung mit Brecht verfaßt haben. Neoptolemos erlernt noch die Unterordnung unter die Notwendigkeit. Er weiß am Ende, was Pflicht ist. Der Zuschauer kann ohne weiteres den Eindruck mit nach Hause nehmen, daß ihm ein Lehrstück im wörtlichen Sinn vorgespielt worden ist.

4

Heiner Müller hat in den 80er Jahren in einem Interview einerseits erklärt, im PHILOKTET gehe es *darum, daß drei falsche Haltungen vorgeführt werden*, es seien *drei falsche Verhaltensweisen in einer Zwangslage* und *der Zuschauer sollte sich mit keiner der drei Haltungen identifizieren*[15]. Andererseits sagte er in einem anderen Gespräch, es handle sich um *drei Haltungen zur Geschichte, zur Politik. Odysseus ist der Pragmatiker, Neoptolemos der Unschuldige. Er tötet, weil er unschuldig ist. Philoktet ist jenseits von Geschichte, weil er das Opfer von Politik ist.*[16] Wenn wir von den Wertungen, die sich je nach Situation des Gesprächs und natürlich der Einstellung des Autors zur Gegenwart ändern, absehen, erkennen wir bei Heiner Müller die Tendenz, das Stück seiner inneren Struktur nach auszulegen, die sich auf den Hauptnenner der unterschiedlichen Möglichkeiten, auf Macht zu reagieren, bringen läßt. Jede hat ihre Grenzen, jede ist fraglich. Mit besonderer Genugtuung mag der Zuschauer beobachten, wie der Pragmatiker Odysseus mit Unbehagen zur Kenntnis nimmt, daß es Menschen gibt, die das ihnen angetane Unheil nicht verzeihen und nach einigen Schwankungen gesellschaftliche Bindungen nicht über ihre verletzte Würde setzen. Als die schwächste Haltung erweist sich der Wille zur Unschuld. Sie läßt sich nicht mit Engagement für die Pflicht, die gemeinsame Sache paaren. Sie könnte man höchstens in Einsamkeit wahren.

In Heiner Müllers PHILOKTET erscheint letzten Endes jede Haltung als eine widersinnige. Hinter jeder lauert die Maske des Todes, wie man die entsprechende Geste im „Prolog" deuten kann. Heute, da wir wissen, daß sich Heiner Müllers Werk als eine große deutsche Allegorie auf den Tod auslegen läßt, dünkt einem diese Sicht des PHILOKTET mehr als gerechtfertigt.

Warschau, Dezember 1987

1 G. E. Lessing, Werke in drei Bänden, hg. von H. G. Göpfert, München 1982, Bd. II, S. 37 f.
2 Ebd., S. 40.
3 H. Müller, Mauser, Berlin (West) 1978, S. 35.
4 Ebd., S. 42.
5 Ebd., S. 7.
6 Das Gespräch ist auch abgedruckt im Band Heiner Müller: Geschichten aus der Produktion 1, Berlin (West) 1974.
7 H. Müller, Mauser, a. a. O., S. 71 f.
8 Ebd., S. 72.
9 Walter Benjamin, Gesammelte Schriften, hg. von R. Tiedemann und H. Schweppenhäuser, Bd. 1, Frankfurt (Main) 1980, S. 334.
10 Ebd., S. 335.
11 Ebd., S. 405.
12 Ebd., S. 406.
13 Vgl. hierzu meinen Aufsatz „Gott, die Sprache, die Dinge und die Geschichte (Walter Benjamin)", in: Karol Sauerland (Hg.), Melancholie und Enthusiasmus. Studien zur Literatur- und Geistesgeschichte der Jahrhundertwende. Eine internationale Tagung in Bachotek (Polen), Oktober 1985, Frankfurt (Main), Bern, New York 1988.

14 Georg Wieghaus, Heiner Müller, München 1981, S. 59. Siehe auch Genia Schulz, Heiner Müller, Stuttgart 1980, S. 76.
15 H. Müller, Gesammelte Irrtümer, Interviews und Gespräche, Frankfurt (Main) 1986, S. 163.
16 Ebd., S. 96.

JOACHIM FIEBACH

Marginalie zu Robert Wilson und Heiner Müller

Als Robert Wilson und Heiner Müller 1984 gemeinsam, aber mit unterschiedlichen Anteilen und in verschiedenen Rollen CIVIL warS machten, bekräftigten sie die Korrespondenzen ihrer Kunstproduktion seit den frühen 70er Jahren. Gewiß unabhängig voneinander, vielleicht lange nichts voneinander sehend, hatten sie an Ähnlichem gearbeitet. Zweierlei war augenfällig: das traumhafte Strukturieren von Vorgängen, von Bildern und die erklärte aktive Freiheit derjenigen, die mit ihren Inszenierungen und/oder Texten umgehen würden oder sollten; ein produktives Teilhaben, wozu die Darstellungen selbst aufzufordern scheinen, Strukturen, die selbst emanzipiert sind von möglicher autoritärer Herrschaft einer alltäglichen Logik und Wahrnehmung, nach denen Kunstgeschehnisse möglichst in linearer Narration und eingängiger Bedeutsamkeit verknüpft sein müssen. Vielleicht war es nicht zufällig, daß beide zwischen 1971 und 1973 mit ihren surrealen Produktionen in unterschiedlichen Kontexten erstmalig an eine breitere Öffentlichkeit traten: Müller mit dem Hydra-Einschub von ZEMENT in Berlin, Wilson mit dem Gastspiel DEAFMAN GLANCE in Paris.

Hier ist hinlänglich bekannt, wie Müller, beginnend mit diesem Einschub über LEBEN GUNDLINGS FRIEDRICH VON PREUSSEN LESSINGS SCHLAF TRAUM SCHREI bis zu BILDBESCHREIBUNG das von ihm 1975 *ungeheuer* genannte surrealistische Material[1] verarbeitete. Was Wilson betrifft, mag, das Stichwort Surrealismus aufnehmend,[2] die Beschreibung der Schlußszene von DEAFMAN GLANCE von Stefan Brecht eine notdürftige Anschauung geben: „Der Mond wird wieder hell. Da ist eine goldene Harfe offen ausgestellt auf dieser Seite des Waldes. Unter dem Zelt der Lichtkrone ist der Wald jedoch dunkel. Riesige schwarze Gestalten tauchen in dieser Dunkelheit von unten aus auf. Sie kämpfen sich durch die Lichtschafte, füllen wogend den Raum (milling), arbeiten sich voran (lumbering) an den nächsten Rand des Waldes. Es sind große schwarze Affen. Zu einer klagenden Musik hocken sie sich in loser

Anordnung nieder, eine ironische Doppelung der musikali-
schen Garten-Party des Prologs: einer setzt sich an die
Harfe, schlägt sie, ohne einen Ton zu erzeugen. Sie strek-
ken ihre Arme aus, annähernd nachahmend die Geste der
weißen Damen der Prolog-Szene: in ihren Händen sind
riesige rote Äpfel, die sich vom Schwarz ihres Fells abhe-
ben. Ein junger Affe sitzt ganz außen. Sie sitzen ohne Bewegung.
110. Ein Paar schlendert herein, zwischen ihnen, am Büh-
nenrand dicht bei uns. Sie sind in Weiß, im aristokratischen
Kostüm des Zeitalters der Aufklärung. Ihr Sonnenschirm
brennt. Glühende Asche bröckelt von dem Schirm herab.
Sie stehen, ihre Gesichter glitzerndes Silber, die Versamm-
lung der Tiere konfrontierend. Er scheint sie ihr zu zeigen,
als
111. all die roten Äpfel sich in den Himmel heben.
112. Sterne fallen,
113. und als zu den Klängen von *When you're in love, it's the
loveliest time of the year,* von einem Akkordeon, einem Wal-
zer, der Vorhang langsam niedergeht."[3]
Seit dem Gespräch von 1966 über DER BAU und PHILOK-
TET[4] betont Müller immer wieder, daß die eigenen produk-
tiven Assoziationen der Rezipienten konstitutiv für Texte,
zumindest die seinen, sind. 1970 hatte sich Wilson weniger
klar, aber in ähnlicher Weise geäußert. Als Stefan Brecht in
einem Interview bemerkte, daß er doch die Zuschauer in
seine Inszenierungen einlasse, „jedenfalls könnte man das
so sagen", antwortete Wilson: „Also, was geschieht ist das,
yeah, es ist fast, daß das Publikum dann auch gebraucht
wird – als Hilfe, und es ist fast so … fast so wie, es muß
hereinkommen in die Sache, um zu helfen, daß das andere
geschieht – es scheint mir – wie ich fühle – wie ich kürz-
lich fühlte, als ich DOLLY sah – oder wenn ich die über-
große Mehrheit von Theater sehe – daß das Publikum fast
gar nicht gebraucht wird, um dort zu sein – daß man so in
dem Material drin ist, daß es da keinen Raum für das Publikum gibt … es ist wie – wie wenn – sie einen Kreis geschlossen haben – es ist interessant, aber was dann geschieht, ist, daß deine Erfahrung so begrenzt ist … was ich
immer dachte, würde interessanter sein, wenn, sagen wir,
sie mich teilnehmen ließen, mit meinem eigenen Geist und

ich gehen könnte – wenn sie sich zurückhielten, so daß ich reingehen könnte, etwa wie, wir machen es – wie diese Art von Austausch von Zusammenarbeit ...“[5] Wilson begann, den von einem bestimmten Haltungs- und Denkdiktat unabhängigen Zuschauer für die Struktur seiner Inszenierungen demonstrativ zu berücksichtigen. 1973 stand dem Publikum seiner Aufführung von THE LIFE AND TIMES OF JOSEPH STALIN in der Brooklyn Academy of Music's Opera House ein Raum zur Verfügung, in den die Zuschauer während der zwölfstündigen Vorstellung zu jeder Zeit, nicht nur während der je fünfzehnminütigen Pausen, gehen konnten, um dort zu essen und zu trinken, Geselligkeit zu pflegen, und danach wieder in die Aufführung zurückzugehen.[6] Als Robert Wilson 1979 in der Schaubühne am Halleschen Ufer in Westberlin DEATH DESTRUCTION & DETROIT (I) inszenierte, ließ er im Zuschauerraum Plakate aushängen, die darauf aufmerksam machten, man könne sich frei verhalten, die Schau verlassen und in sie hineingehen, wann man wolle. Als 1985 THE CIVIL warS in den USA gezeigt wurde, antwortete er auf die Frage, ob er sich ein Publikum wünsche, das während der Vorstellung Tagträume haben dürfe: „Ich denke doch. Das Publikum ist frei, seine eigenen Schlußfolgerungen zu ziehen. Wir machen das nicht für die Betrachter ... Dieses Stück erzählt keine Geschichte (story); es erzählt viele Geschichten, und Sie fügen sie zusammen, wahrscheinlich nachdem Sie nach Hause gegangen sind ... Heute ist Theater meistens nach den Maßen des Wortes konzipiert (in terms of the word), des Textes ... In meinem Theater ist das, was wir sehen, so wichtig wie das, was wir hören. Was wir sehen, muß sich nicht auf das beziehen, was wir hören. Beides kann unabhängig sein.“[7]

Sicher können noch andere Merkmale ausgemacht werden, die für Wilson wie Müller charakteristisch sind, wenn auch nicht so konstitutive wie die oben angedeuteten. Mich interessiert speziell das, was mit ironisch-relativierendem oder auch kritisch-nüchternem Perspektivenwechsel zu umschreiben wäre, am auffälligsten vielleicht daran, wie sich beide gleichsam selbstverständlich mit dem „Kulturell-Trivialen“ einlassen, und das Intertextuelle ihrer Produktionen, eine Intertextualität, die auch in auffälliger Weise selbstbezüglich ist. Ersteres dürfte vor allem an Müllers Sprache zu beobachten sein. Seine kunsthaften, hochdramatisch verdichteten Sätze sind oft abrupt versetzt mit abgegriffenen Slogans oder derb populären, gar nicht artistisch-„feinen" Ausdrücken. Dafür Belege zu diskutieren, würde hier zu weit führen. Es ist einfacher darauf zu verweisen, wie er in LEBEN GUNDLINGS das z. B. gleichsam hohe, tragische Drama des klassisch-aufklärerischen Lessing, den alltäglich-häßlichen Schrotthaufen der Moderne und die Rockmusik Pink Floyds zusammenbringt, wie er welthistorische Ereignisse – Haltungen der deutschen Faschisten, die Auseinandersetzung zwischen Danton und Robespierre – als burleskes Spiel von Puppen, als Grand Guignol präsentiert. Was Wilson betrifft, sei noch einmal Stefan Brecht zitiert. Im Zusammenhang mit DEAFMAN GLANCE hob er seine „systematische Ambiguität" hervor. Er behandele Besonderes, Einzelheiten (particulars) als unbedeutend, daher, wie ich es nennen würde, als Alltäglich-Banales. Für Wilson seien sie jeweils auswechselbar. Das bedeute nicht, alles sei möglich (anything goes), sondern daß die „feierliche Ernsthaftigkeit (gravity) lächerlich (ludicrous)" ist. DEAF-MAN GLANCE sei in der Form Komödie; es gehe um ein „komisches Abwerten (humorous depreciation) unserer Endlichkeit".[8] Eine komische Form, in der, immerhin, als das Ambivalente ein Kindesmord geschieht. Das ironisierende Abwerten, das Trivialisieren, Alltäglich-Machen erreichte für mich einen Höhepunkt in jener Sequenz von DEATH DESTRUCTION & DETROIT (I), in der das Köln-Konzert von Keith Jarrett – ein fast unendlich währendes, faszinierend schönes, elegantes Tanz-Schweben, ein betörendes Fest – durch alltägliche, nüchtern-banale Haltungen und Sätze kontrapunktiert wurde, unter anderem durch die Erzählung, wie man einen Kuchen bäckt.[9]

Inszenierungen Wilsons beziehen sich oft auf wichtige Texte des Jahrhunderts, auf die von Freud, Stalin, Einstein. DEATH DESTRUCTION & DETROIT I und II (1987) gingen sowohl von den Aufzeichnungen aus, die Hitlers Rüstungsorganisator und Baumeister Speer veröffentlichte, als auch von der Literatur Kafkas. CIVIL warS entfaltete sich nicht zuletzt an Müller-Texten zu Preußen und Friedrich II. Als eine Art Intertextualität wäre das vergleichbar mit Müllers Paraphrasen, Transformationen, Kommentaren zu sowjetischer Literatur, zu Anna Seghers, zu Shakespeare. Beide zitieren nicht selten eigene Texte. Die Selbst-Zitate Müllers, in großen Buchstaben jeweils auffällig gemacht, sind hier gut bekannt, auf Wilsons immer wieder neue Arbeit an seinen Themen sei verwiesen – auf seine sich variierenden Bilder von Tieren und Landschaften, von Objekten moderner Wissenschaft und Technologie, an seine vielfach mehrdeutigen Kostümierungen u. a.

Der kulturhistorische Rahmen, in dem sich beide bewegen, reicht von Dada und vom Surrealismus bis zu dem, was heute als Postmoderne beschrieben wird.[10] Das beleuchtet, in welchem Maße Müller den Horizont von Kunst verändert hat, die von Brecht ausging oder ausgeht und – die sich an der Revolution orientiert. Gibt es dabei noch Spezifisches bei Müller? Verschwinden Differenzen in der Bewegung der Postmoderne oder zu ihr hin? Auf den ersten Blick scheinen Unterschiede hinreichend markant. Allerdings dürften sie nicht in dem bestehen, was mitunter als das Besondere der Bilderwelt Wilsons behauptet wird – Solipsismus, absolute Hermetik, Bedeutungslosigkeit, Formalismus.[11] Seine visionären Collagen – und hier nähern sie sich Müllers Texten – bedeuten massive, gleichsam überschwemmende, tiefschneidende Erfahrungen, Ängste, Hoffnungen des 20. Jahrhunderts: Entfremdung in den zwischenmenschlichen Beziehungen und das Entleeren der Sprache, die mächtige und ambivalente Technik und Wissenschaft, zerstörerische Kriegsproduktion und, immer wieder, in überdimensionierten Tiermasken, mit wiederkehrenden Saurier-Gestalten, die kalte Mahnung untergangsbedrohter Natur, Kriege der Herrschenden und Kriege der Individuen im Privaten.

Dennoch akzentuieren beide in verschiedenartigen Textgestalten je anderes. Das rührt nicht nur daher, daß sich Müller vor allem in Wortsprache äußert, die ihre Semantik nur bedingt verbergen kann, Wilson dagegen in den heterogenen Materialien des Theaters: der Bewegung von Körpern, Dingen und Tönen zusammen mit und gegen das verbale Element. Für Wilson, daher stammt wohl auch das Etikett formalistisch, scheinen das Physische der Bewegung der

Zeichen, die Techniken des Machens, ihre Musikalisierung wichtiger als für Müller. Sie könnten tendenziell als das Primäre seines Interesses gelten. Anders: Müllers Sprache ist wohl immer, auch wenn er an Wilsons Herangehen sehr interessiert ist,[12] semantisch dicht, bedeutungsschwer. Die Art der Bewegung dieser Zeichen sei kaum zu trennen von ihren Bedeutungen, die das Auffällige sind. Wilson sprach die erhebliche Differenz an: „In THE CIVIL warS gibt es zwei Arten von Texten. Den einen habe ich geschrieben, den anderen Heiner Müller. Meiner sind Worte, die das Wetter sind. Sie erzeugen so eine Art Atmosphäre, etwas, worüber wir nicht nachdenken müssen, etwas, wo wir nur einfach hören können, was ja was anderes ist. Es ist wie Musik. Mit Heiners Text ist es anders. Er ist sehr visuell. Wir möchten ihm zuhören und über den Inhalt der Worte und die Bilder, die er hervorruft (evokes), nachdenken."[13]

Die Differenz, die das je Spezifische wohl begründet, dürfte in den verschiedenen Haltungen zu ähnlich zentral genommenen Phänomenen des Jahrhunderts liegen, in der Sicht geschichtlicher Bewegungen, in dem einerseits auffälligen (Müller), andererseits nicht feststellbaren (Wilson) Interesse an den Brüchen, der Revolution. Das ist nur eine These. Sie müßte belegt werden mit kurzen Analysen wichtiger Produktionen, die hier nicht zu liefern sind. Nur eine Anmerkung: Als Wilson 1986 in Hamburg DIE HAMLETMASCHINE inszenierte, war der Text zu „Pest in Buda" fast nicht verstehbar, blieb etwas ganz Beiläufiges, ohne szenische Bilder. Jene Passage also, die Momente geschichtlicher Bewegung von einem Gestern zu einem Heute und möglicher Zukunft, Aspekte sozialistischer Umbruchsansätze bedeutet, wurde als solche nicht wichtig.[14] In Müllers Bildern, in seiner Sprache mit ihrer dichten Semantik spielen aber genau diese Fragen, Wertungen, Zugriffe, Akzente eine wichtige Rolle. So beschreiben seine Texte eindringlich – wie in den Stücken zur WOLOKOLAMSKER CHAUSSEE und im AUFTRAG – die Sehnsucht nach Veränderung bestehender Gegebenheiten, nach Emanzipation von den katastrophalen Situationen der Vergangenheit und der Gegenwart.[15] Wilsons Inszenierungen präsentieren ihre Sachverhalte eher wie ein Kaleidoskop, in dem Fragen nach Umbrüchen, Ansätze und Momente der Revolution nicht

aufscheinen; sie dürften sehr selten für ihre Betrachter asso-
ziierbar sein. Daß beide so verschieden über Motivationen
und Bedeutungen ihres Projekts CIVIL warS sprachen,
könnte in die Richtung weisen, in der die Differenz liegt.
Müller in einem Telegramm an Wilson: *Robert Wilson kommt*
aus dem Raum, in dem Ambrose Bierce verschwand, nachdem er die
Schrecken des Bürgerkriegs gesehen hatte. Er kommt zurück, mit dem
Schrecken unter seiner Haut, und sein Theater ist eine Wiederaufer-
stehung: Die Toten werden freigesetzt in slow motion. Mit der Weis-
heit der Märchen, daß die Geschichte der Menschheit nicht länger ge-
trennt werden kann von der Geschichte der Tiere (und Pflanzen,
Steine, Maschinen), es sei denn, sie bezahlt mit ihrem Untergang.
Mit dieser Weisheit definiert THE CIVIL warS das Thema unserer
Ära: Krieg zwischen den Klassen und Rassen, zwischen Arten und
Geschlechtern, Bürgerkrieg in jedem nur denkbaren Sinn des Begrif-
fes.[16] Wilson auf die Bedeutungen, vornehmlich der Zwi-
schenspiele, der Kneeplays eingehend: „CIVIL warS handelt vom Streit im Zivilleben und dem Kampf in der
Geschichte des Menschen (history of man). Und THE
KNEEPLAYS – das beginnt mit diesem Baum, und dieser
Baum wird gefällt, und dann verwandelt sich dieser Baum
in ein Boot, und das Boot geht auf eine Reise, eine Kanone
trifft seinen Rumpf, der Kapitän geht in Japan an Land in
der Mitte des 19. Jahrhunderts, der Rumpf geht im Meer
unter. Dann wird das Boot aus dem Meer gezogen, und
während des amerikanischen Bürgerkrieges lesen Leute die
Grafitti, die seit langem auf ihm waren. Dann schälen sie
die Borke ab, und dann machen sie ein Buch. Das Buch
wird in einer Bibliothek in Schottland gefunden. Jemand
nimmt das Buch aus dem Regal und beginnt zu lesen, und
ein Baum wächst aus dem Buch.“[17]

Berlin, März 1988

1 Vgl. Gespräch mit Heiner Müller in: Basis. Jahrbuch für deutsche Gegenwartsliteratur. Hg. R. Grimm/J. Hermand, Frankfurt
(Main) 1976.
2 Vgl. Aragons Äußerungen zum Gastspiel. Wilsons Inszenierung sei nicht dem Surrealismus geschuldet, aber sie sei das,
„was wir anderen, von denen der Surrealismus geboren ist, ge-

träumt haben, daß es nach uns erscheine", in: Stefan Brecht, The Theatre of Visions: Robert Wilson, Frankfurt (Main) 1978, S. 434 (alle Texte in engl., dt. Übersetzung für diesen Text: J. Fiebach).

3 St. Brecht, The Theatre of Visions: Robert Wilson, a. a. O., S. 82 f.

4 Gespräch mit Heiner Müller in: Sinn und Form, Heft 1/1966.

5 In: St. Brecht, The Theatre of Visions: Robert Wilson, a. a. O., S. 414 f.

6 Vgl. Richard Schechners Äußerung zu der Aufführung: „Was während STALIN geschah, war für orthodoxes amerikanisches Theater ungewöhnlich, aber normal in vielen Teilen der Welt. Leute wählten für sich aus, welche Teile von Wilsons Oper sie beachten würden und bei welchen Teilen sie abwesend wären. Wenn die Zuschauer in den LePerq Raum gingen, um sich zu erholen, Geselligkeit zu suchen, eine Erfrischung einzunehmen, sich für die Rückkehr ins Opernhaus vorzubereiten, oder was auch immer, ignorierten sie nicht die Aufführung, sondern fügten ihr eine Dimension zu. Die gesellige (social) Seite der Schleife (end of the loop) war für STALIN so wichtig wie die ästhetische." Zitiert in: St. Brecht, The Theatre of Visions: Robert Wilson, S. 416.

7 Interview in: Robert Wilson, the Civil warS. Programmheft des American Repertory Theatre, Boston 1985, S. 16 (dt. von J. Fiebach).

8 St. Brecht, The Theatre of Visions: Robert Wilson, S. 106–108.

9 Vgl. das Programmbuch der Schaubühne zu DD&D, in dem der Sprachtext gedruckt ist. „Manchmal sehe ich mich in meinen Träumen wie ich koche. Keineswegs bloß einen Brei für Kinder, sondern komplizierte Gerichte. Einmal wachte ich mitten in der Nacht auf und schrieb das Rezept auf, das ich gerade anwandte. Es war eines für Königskuchen. Alle Zutaten stimmten: Butter, Eier, Zucker, Mehl, der Saft und die geriebene Schale von Zitronen, Mandeln, Rum, Rosinen, Mondamin, Backpulver, Mandelaroma und Salz. Nichts war im Verhältnis der Zutaten falsch, bloß das Salz. Statt einer Löffelspitze voll hatte ich ein Kilo Salz geschrieben. Ich wollte Königskuchen mit einem Kilo Salz machen." Schaubühne am Halleschen Ufer, Spielzeit 1978/79, S. 136.

10 Vgl. Christian Thomsen, der Wilson als Guru des postmodernen Theaters bezeichnet. Vgl. Studien zur Ästhetik des Gegenwartstheaters. Hg. Ch. W. Thomsen, Heidelberg 1985, S. 4.

11 Shanks gruppiert Wilson unter den „New Formalism". Th. Shanks, American Alternative Theatre. The Macmillan

Press LTD 1982. Eine gute Analyse der Bedeutungen, die seine Inszenierungen haben, der Thematisierungen von wesentlichen historischen Phänomenen dagegen gab Arno Paul in bezug auf DEATH DESTRUCTION & DETROIT. Er zeigte auf, wie sich Wilson 1979 u. a. auf die Biographie von Rudolf Hess bezogen hatte. A. Paul, Mit Rudolf Hess auf Alptraumfahrt, in: Spuren. Zeitschrift für Kunst und Gesellschaft, Köln 1979, Heft 2, S. 39–44.

12 Vgl. Müller in: ballett international zeitgeist handbook. 87, Dec./No. 12/1986, S. 23–27.

13 In: Robert Wilson, the Civil warS, a. a. O., S. 17.

14 Müller bemerkte beiläufig in einem Gespräch, daß Wilson solche Aspekte nicht sähe.

15 Vgl. Müllers Anmerkungen zu einer Diskussion über Postmodernismus in New York 1979. H. Müller, Rotwelsch, Berlin (West) 1982, S. 97 f.

16 In: Programmheft Robert Wilson, the Civil warS, S. 23. Ich habe Müller aus dem Englischen rückübersetzt, nicht das deutsche Original zitiert.

17 Wilson in einem Interview in: Ricochet, New York 1987/First Issue, S. 36 (dt. von J. Fiebach).

Jorge Riechmann

Ein „Tableau Vivant" jenseits des Todes.
Annäherung an BILDBESCHREIBUNG

> *Wenn keine andere Wahl ist, ziehe ich den Kan-*
> *nibalismus der Lebenden dem Vampirismus der*
> *Toten vor.*
>
> H. Müller

1

Heiner Müller hat bewußt einen Text geschrieben, der Interpretationen Widerstand leistet. Das hängt einerseits mit seinem demokratischen Theaterkonzept zusammen: Theater lebe nur, wenn zwischen Bühne und Zuschauerraum Mitproduktion stattfindet, andererseits offensichtlich mit der Schwierigkeit, von ihm vorgelegte Entwürfe geschichtlicher Erfahrungen und menschlicher Identität als Leser/Zuschauer zusammenzubringen und deuten zu lernen. Dabei gilt: Erfahrungen können auf verschiedene Art und Weise unmöglich gemacht werden. Müller hat oft die *Benutzung von Bildern* (z. B. die von Walt Disney und anderen Medienzauberern), *um Erfahrung zu verhindern*[1], denunziert. Aber auch ein allzu rascher Drang zur Konzeptbildung ist imstande, Erfahrung zu verdrängen. Nicht zuletzt deshalb die Dominanz von Texten, die einen direkten Verständigungszugang erschweren, Versuche, poetische Vorgänge zu verdichten: *Wenn man eine Idee in ein Bild übersetzt, wird entweder das Bild schief oder die Idee explodiert. Ich bin für die Explosion. Ich finde, das hat Genet sehr präzis und richtig formuliert: Das einzige, was ein Kunstwerk kann, ist Sehnsucht wecken nach einem anderen Zustand der Welt. Und diese Sehnsucht ist revolutionär.*[2] Vielleicht ist es nicht angebracht, von vornherein zu fragen, welche Idee in BILDBESCHREIBUNG explodiert – *Explosion einer Erinnerung in einer abgestorbenen dramatischen Struktur* –, da möglicherweise keine Verschlüsselung vorliegt. Hermetische Parabeln sind nicht des Humors des Dichters würdig. „Die Blindheit der Erfahrung ist der Ausweis ihrer Authentizität", lautet ein Satz Ernst Jüngers, den Heiner Müller gern zitiert.[3]

Der Überraschungseffekt, den die Form von BILDBE-
SCHREIBUNG verursacht, ist weniger groß, wenn man den
Text innerhalb der Theatergeschichte betrachtet. Er reiht
sich in eine alte Theatertradition ein: die des *tableau vivant*
(lebendes Bild) im Mittelalter und in der Renaissance. Über
diese Theaterform wurde hauptsächlich im 18. Jahrhundert
theoretisiert (z. B. von Diderot, der solche Inszenierungen
von unbeweglichen Darstellern in expressiven Haltungen
sehr schätzte).[4] So können wir die Anweisung des Autors:
*Explosion einer Erinnerung in einer abgestorbenen dramatischen
Struktur* nicht nur im übertragenen Sinn verstehen.

3

BILDBESCHREIBUNG versetzt den Leser in eine eigenar-
tige Kommunikationssituation. Wer spricht? Wem gehört
die Stimme, die uns das Bild beschreibt? Wer oder was fragt
nach dem Bild. Manche Indizien lassen vermuten, es han-
dele sich um die Stimme (das Bewußtsein?) eines Theater-
zuschauers, der eine Bühne beschreibt (mit einer nicht na-
turalistischen Ausstattung, einer Theatermaschinerie usw.),
auf der einige beunruhigende Figuren wie erstarrt stehen.
Die Künstlichkeit der geschilderten Natur wird z. B. so
zum Ausdruck gebracht: *zwei riesige Wolken schwimmen darin,
wie von Drahtskeletten zusammengehalten, jedenfalls von unbekannter Bauart … das Drahtskelett ihre Befestigung an einem flek-
kig blauen Brett mit der willkürlichen Bezeichnung HIMMEL.*
Müllers Text ist also nicht als ein Drama im traditionellen
Sinne zu lesen. (Abwesenheit eines dramatischen Konflikts,
von Dialogen usw.; auch die dramatische Objektivität – das
Verschwinden des Autors hinter den sprechenden Personen – findet in BILDBESCHREIBUNG nicht statt.) Es ist
nicht einmal ein dramatisierbares Regiebuch, sondern die
Beschreibung eines *tableau vivant* (eine äußerst antidramati-
sche Theaterform), das schon als gegeben vor uns erscheint;
und die Beschreibung wird von einem Betrachter vorge-
nommen, der ein beliebiger Betrachter ist und dessen Identität ausdrücklich in Frage gestellt wird: *wer ODER WAS
fragt nach dem Bild.*

Es handelt sich also um eine komplexe Kommunikationssituation: die Beschreibung eines vorgestellten Theaters, die das sehr freie Spiel Müllers mit Bildern und Assoziationen ermöglicht. Dazu der Eindruck, daß keine feste, zwingende Bildbeschreibung im Text entwickelt wird: Verschiedene Bedeutungsmöglichkeiten werden geprüft, es wird auf verschiedene Möglichkeiten des Handlungsablaufs hingewiesen, der Leser wird verunsichert und seine Identität problematisiert – der Betrachter selbst bietet keine verläßliche Identität. Eine Identität gewinnen im Dialog mit der Welt: so könnte man die verschiedenen Phasen einer menschlichen Bildung beschreiben. Die Bestrebungen und die Entdeckungen der Literatur gehören dazu.

4

Heiner Müller hat den für ihn bestehenden Zusammenhang zwischen Landschaft und Tod mehrmals erörtert. *Irgendwann stirbt man und wird Landschaft.*[5] Man könnte meinen, die mächtige Einbildungskraft des Dichters vermag kaum eine Landschaft zu betrachten, ohne dabei die Gebeine der Toten zu berücksichtigen, die ebenso Teil jener Landschaft sind wie Bäume oder Steine. Diese historische Sichtweise, die den menschlichen Anteil an der Natur immer im Auge behält, ist für Müller kennzeichnend: *Eine Landschaft zwischen Steppe und Savanne,* die *eine Landschaft jenseits des Todes* ist. Eine innere Szene, die am Ende einer Betrachtung, einem Prozeß der Identitätssuche gleicht und als solche erkannt wird: *ist der Mann mit dem Tanzschritt ICH, mein Grab sein Gesicht, ICH die Frau mit der Wunde am Hals* usw. Der Stoff, aus dem diese Landschaft gemacht ist, besteht wahrscheinlich aus Toten *die Wolken mit dem Drahtskelett, das in Wahrheit aus Nerven besteht* und diese Toten sind imstande, der Erde vampirisch entsteigend, ins Leben zurückzukehren. Nichts anderes als die *Wanderungen der Toten im Erdinnern* sind *der heimliche Pulsschlag des Planeten, den das Bild meint.*

Die Vorstellung des Aufstands/der Revolution als *Rache der Toten* (eine großartige Metapher für einen Aufstand der Lebenden, der die g a n z e Vergangenheit auf sich nimmt, insbesondere die schwere Last von Leiden, Arbeit und Tod der vorigen Geschlechter) scheint mir eine grundlegende Denkfigur in Müllers Spätwerk zu sein. Wurde die Metapher Anfang der siebziger Jahre noch als *Befreiung der Toten* formuliert (Tschumalow in ZEMENT: *Wir Kommunisten / Müssen auch unsere Toten noch befrein),* erscheint sie später immer mehr als Rache derselben. Im AUFTRAG (1979) ist sie ein zentrales Motiv, am prägnantesten vom rebellischen Neger Sasportas gegen Ende des Stücks ausgedrückt: *Der Aufstand der Toten wird der Krieg der Landschaften sein, unsre Waffen die Wälder, die Berge, die Meere, die Wüsten der Welt. Ich werde Wald sein, Berg, Meer, Wüste. Ich, das ist Afrika. Ich, das ist Asien. Die beiden Amerika bin ich.*

Nirgends ist über diese Denkfigur klarer nachgedacht worden als in der zwölften These der Schrift Walter Benjamins „Über den Begriff der Geschichte":

„Das Subjekt historischer Erkenntnis ist die kämpfende, unterdrückte Klasse selbst. Bei Marx tritt sie als die letzte geknechtete, als die rächende Klasse auf, die das Werk der Befreiung im Namen von Generationen Geschlagener zu Ende führt. Dieses Bewußtsein, das für kurze Zeit im ‚Spartacus' noch einmal zur Geltung gekommen ist, war der Sozialdemokratie von jeher anstößig. Im Lauf von drei Jahrzehnten gelang es ihr, den Namen eines Blanqui fast auszulöschen, dessen Erzklang das vorige Jahrhundert erschüttert hat. Sie gefiel sich darin, der Arbeiterklasse die Rolle einer Erlöserin k ü n f t i g e r Generationen zuzuspielen. Sie durchschnitt ihr damit die Sehne der besten Kraft. Die Klasse verlernte in dieser Schule gleich sehr den Haß wie den Opferwillen. Denn beide nähren sich an dem Bild der geknechteten Vorfahren, nicht am Ideal der befreiten Enkel."[6]

Alkestis – der Mythos der liebenden Frau, die es auf sich nimmt, anstelle ihres Mannes zu sterben: *BILDBESCHREI-BUNG kann als eine Übermalung der ALKESTIS gelesen werden.* Die Zweideutigkeit des Mythos: Alkestis das freiwillige Opfer aus Liebe, die Retterin ihres Mannes Admetus; er also ihr Mörder *der MORD ist ein Geschlechtertausch, FREMD IM EIGENEN KÖRPER.* Bedeutet die Wiederkehr der Toten, *die Frau mit dem heimlichen Blick und dem Mund wie ein Saugnapf eine MATA HARI der Unterwelt,* einen Ausbruch ins Unbekannte? Im Gegenteil: die uralten Zeremonien des Beischlafs, der Gewaltausübung werden fortgesetzt: *der Mann auf dem Stuhl, die Frau über ihm, sein Glied in ihrer Scheide, die Frau noch beschwert vom Gewicht der Graberde, aus der sie sich herausgearbeitet hat, um den Mann zu besuchen* (der Mann ist aber das Grab – *mein Grab sein Gesicht*). Alkestis kommt wieder, um erneut getötet zu werden.

Außer den Beziehungen zum Gewebe der literarischen Tradition *(BILDBESCHREIBUNG kann als Übermalung der ALKESTIS gelesen werden, die das No-Spiel KUMASAKA, den 11. Gesang der ODYSSEE, Hitchcocks VÖGEL und Shakespeares STURM zitiert)* bezieht Bildbeschreibung sich auf Müllers eigenes Werk: so zitiert Müller – *überflüssig das Gras auszureißen* – eine der leitmotivartigen Metaphern von Mauser, z. B. in folgenden Versen: *Wissend, das tägliche Brot der Revolution / In der Stadt Witebsk wie in anderen Städten / Ist der Tod ihrer Feinde, wissend, das Gras noch: Müssen wir ausreißen, damit es grün bleibt.* Thematisieren diese knappen Verse eine der notwendigen und gleichzeitig grauenerregenden Antinomien der Revolution, so erreicht Müller in BILDBESCHREIBUNG einen weiterreichenden Entwurf in seinem Bestreben, aus einer ideologischen Sprache hinauszutreten und das Primat der – gleichzeitig hoffnungs- und bedrohungsgeladenen – Metapher zu behaupten. *Überflüssig das Gras auszureißen, die SONNE, vielleicht eine Vielzahl von Sonnen, verbrennt es.* Die Sonne, die hier in der Ewigkeit erstarrte Sonne, stellt eine Intensität der Wirklichkeit dar, die nicht mehr auszuhalten ist: nur blinde Augen können in die Sonne schauen. *Die Blindheit der Erfahrung ist der Ausweis ihrer Authentizität.*

8

Obwohl „auf den ersten Blick das Verhältnis zwischen Mann und Frau im Vordergrund"[7] steht, ist die Sinnkonstellation der BILDBESCHREIBUNG wahrscheinlich mehr in einer menschheitsgeschichtlichen Reflexion zu suchen. Das meint Ernst Grohotolsky auch, der in seinem Interpretationsversuch eine Analogie zwischen Müllers Text und Walter Benjamins IX. These „Über den Begriff der Geschichte" (Angelus Novus) feststellt.[8]
Vielleicht steht DIE SONNE dort immer und IN EWIGKEIT. Die Zeit stockt oder vergeht zyklisch: *Wiederkehr des Gleichen.* Das Bild zeigt einen Fetzen Welt ohne Geschichte, *jenseits des Todes,* einen Fetzen Hölle. Hölle als Ort, an dem jede Hoffnung auf das Andere verbannt ist, an dem sich immer nur das Gleiche wiederholen kann. Heutzutage – hat Müller bemerkt – *findet Geschichte nur noch als Kapitalbewegung statt.*[9] Oder in einem anderen Gespräch: *Es ist die Frage, wie weit das, was bei Beckett interessant ist oder was da Qualitäten sind, gebunden ist an einen Gesellschaftszustand oder an eine Interpretation eines Zustands, die nicht mehr mit Geschichte rechnet und nicht mehr an Geschichte denkt, für die es nur Zustände gibt und keine Geschichte.*[10] Es liegt nahe, BILDBESCHREIBUNG als eine Metapher oder als ein Modell unserer Welt zu deuten: Prozesse der ungeheuren Grausamkeit und der Zerstörung, die sich unendlich wiederholen. Eine Skizze des „Theaters der Grausamkeit", ein *tableau vivant,* das tatsächlich ein Bild des Todes ist, dessen gewaltige Materialität den Leser zur Selbstbesinnung und zum Nachdenken herausfordert – Nachdenken über eine erfrorene, erstarrte, lahmgelegte Geschichte. *Die Blindheit der Erfahrung ist der Ausweis ihrer Authentizität. Nur der zunehmende Druck authentischer Erfahrung entwickelt die Fähigkeit, der Geschichte ins Weiße im Auge zu sehen, die das Ende der Politik und der Beginn einer Geschichte des Menschen sein kann.*[11]

Eine Welt, die in sich geschlossen ist. Ein Kreislauf des Schreckens, dessen Struktur zu erkennen ist – *die Blutpumpe des täglichen Mords, Mann gegen Vogel und Frau, Frau gegen Vogel und Mann, Vogel gegen Frau und Mann, versorgt den Planeten mit Treibstoff.* Sogar die Auferstehung der Toten – die als großartiges Sinnbild für die materialistische Hoffnung auf die Revolte der Erniedrigten gelesen werden kann – *oder kehrt die Bewegung sich um, wenn die Toten vollzählig sind, das Gewimmel der Gräber in den Sturm der Auferstehung* – gehört zum zyklischen Ablauf der Dinge; als ob nicht die winzigste Bewegung mehr aus dem Innern des Bildes zu kommen vermöchte. Hoffnung tritt nur noch als Explosion auf, die von außen des Modells kommt (Eingriffsmöglichkeiten des Betrachters des Bildes) *bis die eine unaufhörliche Bewegung einsetzt, die den Rahmen sprengt, der Flug, das Triebwerk der Wurzeln Erdbrocken und Grundwasser regnend, sichtbar zwischen Blick und Blick, wenn das Auge ALLES GESEHN sich blinzelnd über dem Bild schließt.* Die Suche nach Sprengpunkten des Kontinuums des Terrors wird hartnäckig fortgesetzt – die Möglichkeiten eines Sich-in-Gang-Setzens einer Geschichte der Menscheit sind davon abhängig. *Gesucht: die Lücke im Ablauf, das Andre in der Wiederkehr des Gleichen, das Stottern im sprachlosen Text, das Loch in der Ewigkeit, der vielleicht erlösende FEHLER.* Erlösung vielleicht noch möglich nur als Fehler, als Zufall: *Je komplizierter diese elektronischen Systeme werden, desto störanfälliger werden sie. Einerseits klingt das wie ein Horrorfilm, andererseits ist es ein Moment von Hoffnung, wenn Zwölfjährige in New York mit ihren Computern in das Kommunikationszentrum des Pentagon reinkommen. Der Zufall spielt eine immer größere Rolle. Das ist nicht nur eine Gefahr. Der Zufall ist auch eine Hoffnung.*[12]

10

Heiner Müller hat mehrmals sein Theaterkonzept in Anlehnung an Wolfgang Heise wie folgt beschrieben: *Theater als Laboratorium sozialer Phantasie.* Er fährt dann fort: *Wenn man davon ausgeht, daß die kapitalistischen Gesellschaften, aber im Grunde jede moderne Gesellschaft, auch die DDR, ein Industrie-*

staat ist und die Tendenz hat, Phantasie zu unterdrücken, zu in-
strumentalisieren, auf jeden Fall zu drosseln. Und ich glaube schon,
so bescheiden das klingt, die politische Hauptfunktion der Kunst ist
jetzt, Phantasie zu mobilisieren. Was der Brecht so formulierte, daß
man dem Zuschauer [...] ermöglichen sollte, immer fiktive Gegen-
bilder oder Gegenvorgänge zu entwerfen.[13] Dieser Gedankengang
könnte noch erweitert werden. Spiel und Antizipationsfä-
higkeit sind anthropologische Merkmale des Menschen.
Mittels unserer Einbildungskraft entwickeln wir weit mehr
Möglichkeiten als die, die tatsächlich verwirklicht werden
können, und die Produkte der experimentellen Phantasie
objektivieren sich oft als Kunst (die erdachte, geträumte
und gezeichnete Architektur übertrifft z. B. bei weitem die
tatsächlich gebaute Architektur). Solche Funktion der
Kunst – sozialanthropologisches Laboratorium, Ausfor-
schung der menschlichen Möglichkeiten durch Experi-
mente ästhetisch-spielerischen Charakters – wird um so
wichtiger, je mehr die wissenschaftlich-technische Beherr-
schung der Natur und des Menschen durch den Menschen
selbst, und parallel dazu die Gefahren der ökologischen
Verwüstung und der Selbstvernichtung der Gattung zuneh-
men. Gegen einen technologischen Fatalismus („alles
Denkbare muß verwirklicht werden") behauptet die Kunst:
Das Denkbare kann im großen Freiraum der menschlichen
Phantasie erforscht werden, so daß die Folgen unserer
Projekte (heute potentiell tödlich für die ganze Natur)
rechtzeitig erkannt werden. Theaterstücke, die sich solcher
Verantwortung stellen, setzen *die Katastrophe voraus, an*
denen die Menschheit arbeitet[14]. Dem heutigen anthropologi-
schen Risiko, ins Unvorstellbare gesteigert, antwortet die
Kunst, indem sie als Laboratorium sozialer Phantasie fun-
giert.
Die Funktion des Dramas sei nämlich *Gesellschaft an ihre*
Grenze zu bringen[15]. Bei Müller sind die Elemente einer Ethik
der Provokation nachzuvollziehen: es kann nicht anders
sein, wenn der Dramatiker – Brechts Vorstellungen ge-
treu – die reelle Gespaltenheit des Publikums aktivieren
will, statt sie zur illusionären Versöhnung zu bringen.

Nicht zu reagieren oder zu beschreiben, sondern andere Wirklichkei-
ten zu entwerfen, das ist die einzige Legitimation für das Privileg,

vom Schreiben so ungefähr zu leben. Diese Wirklichkeiten müssen auch gar nicht nachprüfbar sein.[16]
Theater ist eine Projektion in die Utopie oder es ist nicht besonders.[17]

11

Uneinholbarkeit des Vorgangs durch die Beschreibung; Unvereinbarkeit von Schreiben und Lesen; Austreibung des Lesers aus dem Text. Puppen, mit Wörtern gestopft statt mit Sägemehl. Herzfleisch. Das Bedürfnis nach einer Sprache, die niemand lesen kann, nimmt zu. Wer ist niemand. Eine Sprache ohne Wörter. Oder das Verschwinden der Welt in den Wörtern. Stattdessen der lebenslange Sehzwang, das Bombardement der Bilder (Baum Haus Frau), die Augenlider weggesprengt. Das Gegenüber aus Zähneknirschen, Bränden und Gesang. Die Schutthalde der Literatur im Rücken.

Das Verlöschen der Welt in den Bildern.[18]

12

Ich bin immer ein Objekt von Geschichte gewesen und versuche deshalb, ein Subjekt zu werden. Das ist mein Hauptinteresse als Schriftsteller.[19] Subjekt werden: aus der Passivität des Opfers aufzubrechen, um die eigenen Widerspruchsmöglichkeiten zu erforschen. Selbständig zu sein, um *nein* sagen zu können. Bildlicher ausgedrückt: *Wenn keine andere Wahl ist, ziehe ich den Kannibalismus der Lebenden dem Vampirismus der Toten vor.*[20] Die trostlose Hellsichtigkeit dieses revolutionären Stoizismus beschönigt die Menschheitsgeschichte nicht, aber sie betrügt auch den Leser/Zuschauer nicht. Sie versucht nicht, Bilder der Versöhnung zu entwerfen, sondern die geschichtliche Wunde offenzuhalten.

Madrid, September 1987

1 H. Müller, Gesammelte Irrtümer. Interviews und Gespräche, Frankfurt (Main) 1986, S. 66.
2 Ebd., S. 133.

3 H. Müller, Und Vieles / Wie auf den Schultern eine / Last von Scheitern ist / Zu behalten ..., und andere Texte in diesem Band.

4 Vgl. Patrice Pavis, Diccionario del teatro: dramaturgia estética, semiologia (aus dem Franz.: Dictionaire du théatre, Paris 1980). Spanisch von Fernando de Toro, Barcelona 1983.

5 H. Müller, Gesammelte Irrtümer, a. a. O., S. 59.

6 W. Benjamin, Über den Begriff der Geschichte, in: W. Benjamin, Gesammelte Schriften, Bd. I. 2, Frankfurt (Main) 1974, S. 700.

7 Ginka Tschokalowa in: Bildbeschreibung – Text und Materialien. Programmheft der UA am 6. Oktober 1985 in Graz, S. 30.

8 Ebd., S. 27–29.

9 H. Müller, Gesammelte Irrtümer, a. a. O., S. 154.

10 Ebd., S. 16.

11 Vgl. Anm. 3.

12 H. Müller, Gesammelte Irrtümer, a. a. O., S. 194.

13 H. Müller, Gespräch mit B. Umbrecht, in: Rotwelsch, a. a. O., S. 111.

14 H. Müller, Verkommenes Ufer Medeamaterial Landschaft mit Argonauten, in: H. Müller, Herzstück, Berlin (West) 1983, S. 101.

15 H. Müller, Gesammelte Irrtümer, a. a. O., S. 59.

16 Ebd., S. 58.

17 H. Müller, Rotwelsch, a. a. O., S. 92.

18 H. Müller, Kommentar zu Traktor, in: H. Müller, Geschichten aus der Produktion 2, Berlin (West) 1974, S. 14.

19 H. Müller, Gesammelte Irrtümer, a. a. O., S. 88.

20 H. Müller, Rotwelsch, a. a. O., S. 90.

Alexander Gugnin

Zur Rezeption von Sowjetliteratur

(ZEMENT und
WOLOKOLAMSKER CHAUSSEE I und II)

1

Die Rezeption russischer und sowjetischer Literatur nimmt im Schaffen Heiner Müllers seit langem einen wichtigen Platz ein. Neben einer Reihe von Werken, die von ihm ins Deutsche übertragen wurden – so verschiedene Texte von Suchowo-Kobylin, Tschechow, Pogodin, Schwarz, Rosow –, sind es vor allem die Bearbeitungen von Fjodor Gladkows „Zement" und „Wolokolamsker Chaussee" von Alexander Bek, die in den letzten Jahren eine weitreichende und eigenständige poetische Wirkung erzielten.

Der im folgenden unternommene Versuch einer Annäherung an das dramatische Konzept Heiner Müllers konzentriert sich auf Überlegungen zu den letztgenannten Texten. In ihnen erscheint die ethisch-moralische Problematik der sozialistischen Revolution, werden die qualitativ neuartigen Wechselbeziehungen von Persönlichkeit und Gesellschaft unter den sich verändernden Bedingungen der Sicherung und Entfaltung der Revolution in einer überragenden poetischen Dimension aufgehoben. Dabei unterwirft Müller die aus den „Vorlagen" von Gladkow und Bek übernommenen Motive und Sujets rigoros seinen eigenen dramaturgischen Prinzipien und Anforderungen: sie sind gleichermaßen „einfach" wie kategorisch. Erstens: Theater wird als „Prozeß", nicht als Zustand definiert; wie für Brecht ist auch für Müller nicht die Katharsis bzw. das gefühlsmäßige Erleben/Nacherleben der Handlung wichtig, sondern eine intellektuelle Spannung zwischen der Bühne und dem Zuschauerraum, die auch, nachdem sich der Vorhang gesenkt hat, nicht beendet ist. Zweitens: Müller erscheint unter den gegenwärtigen deutschsprachigen Dramatikern als der wohl konsequenteste Gegner jedes Naturalismus der Szene. *Naturalismus ist die Austreibung des Autors aus dem Text, der Wirklichkeit des Autors (Regisseurs, Schauspielers, Zuschauers) aus dem Theater* ...[1], lautet sein Urteil. Auch hierin stimmt er mit

Brecht überein, sosehr er andererseits dessen Parabelbegriff
für überholt hält. Für ein Publikum schreibend, bei dem er
heute ein entwickelteres Geschichtsbewußtsein vorausset-
zen kann, als es zu Brechts Zeiten möglich war, plädiert
Müller dagegen für eine Schreibweise, die stark assoziativ
sein müsse, nicht belehrend-didaktisch, sondern auf ein
Theater hinzielend, das er häufig mit dem Begriff *Laboratorium sozialer Phantasie*[2] umschreibt und das in seinen Strukturen offen sein muß wie die Geschichte selbst. Allein aus
solcher Offenheit gewinnt Heiner Müller die Möglichkeiten
und Formen einer ästhetisch notwendigen und radikalen
Zuspitzung der geschichtlichen Widersprüche. Es ist ein
demokratischer Schreibgestus, der hinter solcher Vorstellung aufscheint; seine Antriebe werden schon früh benannt: *Ich habe nicht das weit genug verbreitete Talent, ein abgearbeitetes Publikum mit Harmonien aufzumöbeln, von denen es nur
träumen kann*[3], heißt es in deutlich polemischer Akzentuie-
rung schon 1975. Und noch ein weiteres Moment ist in diesem Zusammenhang erkennbar: diese Poetik ist nicht abgeschlossen, kann keineswegs als „hermetisch" bezeichnet
werden; sie kann sich selbst „widerlegen", so etwa mit der
erneuten Zuwendung zu Lehrstückformen Mitte der 80er
Jahre, nachdem schon vor über einem Jahrzehnt der endgültige Abschied von dieser Form festgelegt schien. Plötzlich gelingt es wieder, transparente Texte zu schreiben, wie
z. B. in WOLOKOLAMSKER CHAUSSEE Teil I und II,
RUSSISCHE ERÖFFNUNG/WALD BEI MOSKAU, auf
die wir uns hier konzentrieren wollen. Heiner Müller selbst
sieht in solchem Vorgang eine spiralförmige Entwicklung
seiner Poetik ausgedrückt, wenn er – beschäftigt mit einem
Gedanken – verschiedenartige Varianten seines dialektischen Ausdrucks zeitgleich, gleichsam synchron auf dem
Theater vorzeigt. Er reagiert damit auch auf Veränderungen
politischer und ethisch-moralischer Natur, die sich gegen-
wärtig vollziehen. Seine Texte gewinnen hierdurch eine zu-
sätzliche Dimension – „moderne" Strukturen und tradierte
Muster durchdringen sich, werden als jeweils verschiedene
mögliche Codierungen eines Untertextes aufhebbar. Auch
die mit WOLOKOLAMSKER CHAUSSEE einsetzende
neue „Spiralwindung" in der Auseinandersetzung mit der
sowjetischen Literatur hat ein solches Erklärungsmuster.

Sie ist für Müller verbunden mit dem Nachdenken über jene *Renaissance einer Hoffnung*[4], von der er 1987 sprach, die in den letzten Jahren wieder von der Sowjetunion ausgeht und als wichtiger Faktor der geschichtlichen Entwicklung heute weltweit wirksam zu werden beginnt – auch durch den Beitrag der Literatur zur Verstärkung dieses Impulses. Mit der *Renaissance einer Hoffnung* darauf, daß es im Prozeß der Perestroika der sozialistischen Gesellschaft und den mit ihr untrennbar verbundenen Prozessen der Demokratisierung und der Glasnost möglich sein wird, eine Einheit von Freiheit und Gleichheit – etwas, das im Kapitalismus prinzipiell unmöglich ist – zu erreichen, ist bei Heiner Müller auch die unverhoffte Renaissance seines Interesses an der Lehrstücktradition wieder neu belebt worden; wieder gibt es etwas zu lernen, wie er es im Interview mit Gregor Edelmann in „Theater der Zeit" ausdrückte.[5]

2

Solche Lernbereitschaft existierte auch, als 1925 Fjodor Gladkows Roman „Zement" erschien und ebenso rasch wie anhaltend – auch international – Wirkungen erzielte. Schon 1927 war der Text ins Deutsche übersetzt worden; Rezensionen bzw. Aufsätze verfaßten u. a. Friedrich Rubiner, Egon Erwin Kisch, Erich Mühsam und Walter Benjamin.[6]

Unmittelbar literarisch beeinflußt von Gladkow war nicht allein Anna Seghers in ihrer Novelle „Der Aufstand der Fischer von St. Barbara"; das war nur der Anfang. Noch Jahrzehnte später schrieb Eduard Claudius einen der ersten und bedeutendsten Romane über die Anfangsetappe des sozialistischen Aufbaus in der DDR, „Menschen an unsrer Seite", deutlich geprägt von dem Modell, das mit „Zement" vorlag.

Als Heiner Müller 1970 seine Bearbeitung des Stoffes vorlegte, stand er somit in einer langen und bedeutenden Tradition der Rezeption und Erschließung eines herausragenden Erbes der Sowjetliteratur durch die revolutionär-proletarische deutsche Literatur des 20. Jahrhunderts. Es erscheint produktiv, im Interesse einer genaueren Kennzeichnung des besonderen künstlerischen Entwurfscharakters seines eigenen Textes auf einige wesentliche Momente sowohl der Kontinuität als auch der Veränderung gegenüber Fjodor Gladkows Roman aufmerksam zu machen; diese Momente sind grundsätzlicher Art und beziehen sich auf alle Ebenen des Textes. Sie sollten entsprechend genau analysiert werden. Das jedoch wird im folgenden nur an wenigen Beispielen möglich sein.[7]

1. Eine der einschneidendsten individuellen Erfahrungen, die die Hauptfiguren des Romans, Dascha und Gleb Tschumalow, machen müssen, wird durch den Tod ihrer Tochter Njurka bestimmt. Es ist aufschlußreich und zugleich von übergreifender Bedeutung, auf welche Weise Müller und Gladkow dieses Ereignis jeweils für sich verarbeitet haben. Bei Fjodor Gladkow dominiert von Beginn an die Tendenz, den tragischen Verlust des Kindes für die Eltern nicht bis zur letzten Konsequenz als individuell und gesellschaftlich verantwortet vorzuzeigen. Eher erscheint es so, als wären sich beide, Dascha wie Gleb, ihrer Mitschuld an der sie selbst betreffenden Tragödie kaum bewußt. Gladkow betont diese Figurenhaltung durch einen Gestus, der bis zu fataler Leidensbereitschaft reicht. Die Figuren nehmen den scheinbar unausweichlich nahenden Tod ihres Kindes demütig an und verinnerlichen ihn als ein notwendiges persönliches Opfer, das sie der Revolution darbringen müssen.

Ganz anders dagegen die Fragestellung bei Heiner Müller; seine Szene lautet MEDEAKOMMENTAR:

> ... Sag
> *Unsre Kinder, sie leben nur einmal. Und wir.*
> *Gleb, haben wir ein Recht. Auf ihren Knochen*
> *Die neue Welt. Ein Kommunist darf so*
> *Nicht reden, wie. Gleb, warum sagst du nichts.*   (S. 461)

Fjodor Gladkow, der in den verschiedenen Fassungen des Romans[8] über einen längeren Zeitraum den Text immer wieder überarbeitete und ihn dabei – was die Offenheit seiner Darstellung betrifft – gegenüber der Erstfassung deutlich abschwächte, hat in diesem Prozeß auch solche Schilderungen wie etwa die brutale Vergewaltigung Dascha Tschumalowas durch weißgardistische Offiziere oder die Darstellung ihrer körperlichen Beziehung zu Badjin zunehmend „gemildert". Andererseits sind aber auch schon in der ersten Textfassung des Romans (auf deren Übersetzung sich Müller bezieht) gerade solche Passagen weitaus zurückhaltender gestaltet, als das im Drama der Fall ist. Warum? Zum Teil beantwortet in Müllers Text die Figur der Dascha diese Frage selbst, geradeso, als würde sie aus dem Heute sprechen:

Sind wir Kommunisten oder nicht.
Können wir leben mit der Wahrheit. Oder
Baun wir die Welt neu mit verbundnen Augen. (S. 467)

Müller sprengt mit nur einigen kurzen Sätzen den Rahmen des Problems: Entweder suchen und sagen wir in allem, was den Menschen und alle Formen seiner sozialen Verhältnisse angeht, die volle Wahrheit – dann sind wir Kommunisten, oder wir verschließen die Augen vor Dingen, die uns nicht passen – weil nicht sein kann, was nicht sein darf – dann sind wir keine Kommunisten, die ihre Haltungen zur neuen Gesellschaft nur auf der Wahrheit aufbauen können. Das Ignorieren dieser Wahrheit zugunsten abstrakter Schemata oder dogmatischer Formeln hat in der Geschichte viel Schaden angerichtet – das ist die Erfahrung, an die Heiner Müller erinnern will.

Dazu gehört auch der Widerspruch, der in der Figurenbeziehung Tschumalow/Badjin aufbricht: auch für ihn gilt, daß der prinzipielle Antagonismus in den Positionen der beiden Figuren bei Müller radikaler als im Roman herausgearbeitet wird; und das nicht nur aus dramaturgischen, sondern aus weltanschaulichen Gründen. Das heißt, Müller reflektiert diesen Antagonismus in einem allgemeineren Kontext von Identifikation bzw. Nichtidentifizierbarkeit der revolutionären Geschehnisse mit ihren jeweils historisch konkreten Trägerfiguren. Nachgefragt wird, ob sie in der Tat diejenigen sind, bzw. in jedem Falle sein müssen, für die sie sich halten: nämlich Revolutionäre, die die Wesenszüge der zuvor so noch nie sich vollzogen habenden revolutionären Umwälzungen der Gesellschaft selbst unmittelbar verkörpern. Nach ihrem Ausschluß aus der Partei – infolge einer „Säuberung" – denken Sergej Iwagin und Polja Mechowa qualvoll sowohl über die Gerechtigkeit des über sie verhängten Urteils nach als auch darüber, wer sie eigentlich sind in diesem historischen Prozeß – Verwirklicher der Ideen der Revolution oder von ihr nicht mehr benötigte und zum Müll der alten Welt gehörende Menschen? Auf diese Frage Poljas: „Wer bin ich?", erfolgt der äußerst wichtige Monolog Iwagins, der diese Frage nur annehmen kann, ohne die Möglichkeit einer Antwort zu haben.

Und wer sind wir. Tschumalow oder Badjin.
Auf der Tribüne stehn sie nebeneinander
Hand am Revolver, Haß zwischen den Zähnen
Weil zwischen ihnen mehr als eine Frau steht
Wenn sie einander auf die Schulter klopfen
Im Angesicht der Massen. Wir und wir. (S. 493)

Die Frage nach der Identifizierbarkeit des Prozesses der Entfaltung der Revolution mit ihren konkreten Trägern verweist auf eine äußerst komplizierte Dialektik – und die Antworten darauf wurden von der Geschichte bei weitem nicht eindeutig gegeben. Natürlich sind die Erfahrungen, die Heiner Müller 1970 mit diesen Zusammenhängen, mit den realen Widersprüchen etwa in der Bestimmbarkeit von historischen Wendepunkten der konkreten Politik der Sowjetunion gemacht hatte, wesentlich andere, als sie es für Fjodor Gladkow zu Beginn der 20er Jahre sein konnten. Gerade deshalb verweist allein schon die Tatsache, daß Gladkow dennoch diese Widersprüche sehr früh schon poetisch wahrgenommen hat und dabei nicht nur ihre klassenmäßige, sondern gleichzeitig auch individuelle Basis empfand, auf die enorme Produktivität seines poetischen Entwurfs. Diese Produktivität wurde im übrigen auch schon in einzelnen Kritiken der 20er Jahre hervorgehoben; so bei P. S. Kogan, der schrieb: „Er" [F. Gladkow; A. G.] „ist, wenn nicht der einzige, so der am tiefsten gehende Schriftsteller, der versucht hat, ... sich dort, wo erregende soziale Konflikte, Kollisionen großer Kollektive im Vordergrund stehen, in individuelle Dramen zu vertiefen ... In diesem Strudel, in dem die meisten proletarischen Schriftsteller die Bewegung der Massen verfolgen, in dem gesichtslose Titanen, die die eine oder andere gesellschaftliche Kraft symbolisieren, das interessanteste Thema darstellen, sucht Gladkow in diesem Wirbel der Ereignisse sehr sorgfältig die menschliche Identität."[9] Gerade diese als entscheidend anzusehende Qualität in Gladkows Roman hat Müller nicht von ungefähr angezogen. Denn hier, in der noch nicht „geglätteten" und von den späteren negativen Veränderungen im gesellschaftlichen Leben, in der Ideologie und der Kulturpolitik noch nicht „redigierten" frühen Fassung des Romans war eine solche Dialektik der Wechselbeziehungen zwischen den Ansprüchen der Individuen im historischen Prozeß und ihrer gleichzeitigen Determiniertheit innerhalb dieses Prozesses aufgehoben, die zu erweiterten Fragestellungen trieb. Insofern beschränkt sich Müllers Selbstverständnis nicht lediglich auf die Verstärkung der im Romantext schon vorhandenen Konflikt-Momente, noch viel weniger darauf, das Modell des Romans einfach in die Form eines Dramas zu übertragen. Seine Arbeit reicht weiter. Um sie wenigstens im Ansatz richtig zu erfassen, ist es wichtig, ihre Ausgangsprinzipien zu klären. Auf zwei Momente soll in diesem Zusammenhang besonders hingewiesen werden: Erstens auf die Funktion, die die verschiedenen Intermedien, die antiken Einschübe für das Drama besitzen; gerade sie bilden eine im Vergleich zum Roman vollkommen neue Text-Schicht. Zweitens ist es notwendig, Müllers Drama nach der Art und Weise der Nutzung unterschiedlicher dramaturgischer Mittel zu befragen. Dabei erscheint die Einführung antiker Sujets in das Drama mit Blick auf den Gladkowschen Urtext zunächst nicht so überraschend. Müller hat vielem, was die Zeitgenossen von „Zement" nolens volens bereits aus dem Roman herausgelesen haben und was auch die Kritik der Zeit vermerkt hat, in seinem Text eine sichtbare und konkrete Dimension verliehen.[10] Verwiesen sei nur auf Walter Benjamins berühmt gewordenen Aphorismus, nach dem Gladkow „die Argo der Bolschewiki in den Hafen der Literatur gebracht hat"[11]; Ossip Brik ist entschieden gegen die „Verwandlung eines jeden Gleb in einen Herakles" aufgetreten.[12] Im Prinzip hat schon Gladkow selbst in seinem Roman nicht nur „die persönliche Seite des Lebens seiner Hauptgestalten auf das Niveau epischer Relevanz angehoben"[13], sondern in der Fraktur des Romans deutlich die Möglichkeit angelegt, den Rahmen einer bloß linearen, einschichtigen Interpretation des Textes zu sprengen. Das gelingt in der Gestaltung modellhafter Situationen menschlichen Verhaltens, nicht nur aus klassenmäßiger Sicht, sondern auch in der Wahrnehmung sozial-psychologischer bzw. individuell-ethischer Dimensionen individuellen Le-

bens, die auf verschiedenen Ebenen den Bezug zum Mythos nahelegen. Gladkow hat diese Besonderheit seiner
Schreibweise als Hang zur Legende bezeichnet. Müller griff
hier ein und entwickelte diese dem Roman zugrunde lie-
gende potentielle Möglichkeit der Interpretation in solch
radikaler Weise weiter, daß sie als künstlerische Methode
für das gesamte Drama konstitutiv wird. Die in die Handlung eingefügten antiken Motive erweitern damit den Rahmen des auch bei ihm im wesentlichen realistischen Sujets,
verleihen ihm damit eine universell-menschheitliche Dimension. Durch die Intermedien gelingt es, die Kontraste
zwischen den konkreten Erscheinungsformen der sozialen
Realität in den jeweiligen Personen und Ereignissen und jenen Endzielen und -aufgaben, die die Menschheit im Laufe
der geschichtlichen Entwicklung als ihre Ideale anerkannt
hat, zu verbinden. Bei all dem stellt Müller die hohen individuellen Charaktereigenschaften und sozialen Bestrebungen seiner Hauptgestalten im historischen Prozeß nicht in
Frage. Er verweist allerdings (neben der Dimension des mit
der Oktoberrevolution weltgeschichtlich Erreichten) auch
auf die nüchterne Wahrheit, wie sehr dieses real Erreichte
noch immer von der Utopie einer menschlichen Gesellschaft entfernt ist. Die abstrakten mythologischen Modelle
(wenn man sie aus historischer Sicht zu entschlüsseln versucht) scheinen dann der rauhen und bitteren Wahrheit
auch der neueren Geschichte, ihren *Steinschlägen*[14], oft näher
zu sein als die, wie es auf den ersten Blick sich andeutet,
optimistischen Einschätzungen des gegenwärtigen historischen Moments. Es sind die unerschöpflichen Möglichkeiten der Interpretation solcher Szenen wie HERAKLES 2
ODER DIE HYDRA, MEDEAKOMMENTAR oder die
BEFREIUNG DES PROMETHEUS, die Müllers Stück
seine historische und philosophische Tiefe verleihen.
Dabei kann die Szene der Befreiung Prometheus', entgegen
einem tradierten klassischen Muster der Bewertung dieser
Gestalt, als Parabel für die notwendige Selbstbefreiung der
Menschheit gelesen werden, die sich im Laufe ihrer Entwicklung in tausenderlei Ketten geschmiedet und sich an
diese Ketten gewöhnt hat. Sie können durch keinen Hera-
kles von außen gesprengt werden, sondern nur durch die
Selbsterfahrung der eigenen Kraft.

HERAKLES 2 ODER DIE HYDRA steht auch als Metapher des Kampfes der Menschen mit all jenen dunklen und noch nicht bis zu Ende erkundeten Kräften, sowohl in der Umwelt als auch im Menschen selbst, der Unendlichkeit dieses Kampfes, aber ebenso der Erfahrung von Erkenntnis auf dem Wege, der Möglichkeit menschlicher Emanzipation in diesem Prozeß.

Am kompliziertesten und vielschichtigsten erscheint der MEDEAKOMMENTAR, wie ihn Müller durch Sergej Iwagin Gleb, Polja und Dascha erzählen läßt. In der Geschichte der Medea, die ihre Kinder tötet und ihrem Mann zu Füßen wirft, *sah der Mann zum erstenmal, unter dem Glanz der Geliebten, unter den Narben der Mutter, mit Grauen das Gesicht der Frau* (S. 473), lautet der Text. In diesem großen und in vielem für das Drama zentralen Bild liefern die drei Medea-Gesichter Iwagins gewissermaßen den Schlüssel zum Verständnis des philosophischen Untertextes, den Müller seiner Arbeit zugrunde gelegt hat. Jede der Figuren des Dramas hat solche verschiedenen Gesichter, die keinesfalls „Masken" sind; zu lernen ist, dieser Wahrheit als einer allgemeinen Erfahrung ins Auge zu schauen – und als grundsätzliche Voraussetzung möglicher Selbstbehauptung und -verwirklichung des Menschen im geschichtlichen Prozeß zu begreifen. Müller selbst notierte in diesem Zusammenhang schon 1973, anläßlich der Premiere von ZEMENT auf der Bühne des Berliner Ensembles: *Das Stück handelt nicht von Milieu, sondern von Revolution, es geht nicht auf Ethnologie, sondern auf (sozialistische) Integration aus, die Russische Revolution hat nicht nur Noworossisk, sondern die Welt verändert, Dekor und Kostüm sollten nicht Milieu zeigen, sondern den Entwurf der Welt, in der wir leben* (S. 514).

2. 1986, in dem Interview mit Gregor Edelmann für die Zeitschrift „Theater der Zeit", nimmt Heiner Müller diesen Gedanken vor dem Hintergrund der gerade erfolgten Publikation zweier Stücke nach Motiven des Romans WOLOKOLAMSKER CHAUSSEE von Alexander Bek mittelbar wieder auf. Er betont, daß ihn Beks Roman schon vor über zwanzig Jahren interessiert habe, daß jedoch für die dramatische Umsetzung eine größere zeitliche Distanz notwendig gewesen wäre. Der aktuelle Anlaß dazu habe sich nun mit

der Vorbereitung auf den 40. Jahrestag der Befreiung Deutschlands vom Faschismus ergeben. Am Deutschen Theater war die Wiederaufführung von Johannes R. Bechers „Winterschlacht" geplant worden, der ein Prolog vorangestellt werden sollte.[15] (Becher hatte sein Stück ursprünglich „Schlacht bei Moskau" genannt; es war 1942 in der Zeitschrift „Internationale Literatur", Moskau, erschienen.)

Müllers Text WOLOKOLAMSKER CHAUSSEE I wurde am 9. Mai 1985 unter dem Titel RUSSISCHE ERÖFFNUNG im Zusammenhang mit der „Winterschlacht" uraufgeführt. Im Gegensatz zu Becher, der die historische Schlacht um Moskau von deutscher Seite, aus der Position eines jungen deutschen Soldaten, zeigte, der allmählich die Unmenschlichkeit des von den Faschisten entfesselten Krieges begreift, zeigt Müller, wie russische Soldaten, indem sie in dieser Schlacht anfangen, ihre eigene Furcht überwinden zu lernen, die Grundlage für ihren späteren Sieg über den Faschismus setzen. Der Text RUSSISCHE ERÖFFNUNG basiert auf einer Episode aus der „Ersten Erzählung" des Romans von Alexander Bek, die in den Kapiteln „Angst" und „Haltet über mich Gericht" dargelegt wird und in denen der Autor die Erschießung des Sergeanten Barambajew durch seinen Bataillonskommandeur schildert. Während eines Übungsalarms, wird berichtet, war dieser Sergeant in Panik verfallen und hatte sich die linke Hand durchschossen in der Hoffnung, dadurch dem Fronteinsatz zu entgehen.

Heiner Müller gibt in fünffüßigen Jamben erstaunlich genau Beks Prosa wieder, der Tradition Puschkins „Kleiner Tragödien" folgend, wie der Autor es selbst in seinen Erläuterungen zur Inszenierung des Textes angab. Er verleiht damit der Episode den Charakter eines in sich geschlossenen Ganzen.

RUSSISCHE ERÖFFNUNG und die darauf folgende Szene WALD BEI MOSKAU reihen sich ein in den anhaltenden Versuch Müllers, die Geschichte Deutschlands und Europas im 20. Jahrhundert in ihren Bedingungen, in ihren geschichtlichen Entwicklungen und deren Folgen immer aufs neue zu befragen. Diesem Thema stellte er sich bereits mit der szenischen Folge DIE SCHLACHT (1951/74) und

TRAKTOR (1955/74), mit Stücken wie GERMANIA TOD IN BERLIN (1956/71), DIE UMSIEDLERIN (1961), DER BAU (1965/75) und anderen Arbeiten.

WOLOKOLAMSKER CHAUSSEE I und II sind aufgebaut als polyphone Monologe des Bataillonskommandeurs Baurdshan Momysch-Uly, der im Oktober/November 1941 in der Division des Generals Panfilow gekämpft hat. Auch bei Bek basiert die Handlung seines Romans auf der Erzählung Momysch-Ulys über den Weg des Kampfes, den sein Bataillon zurückgelegt hat. Müller „zweiteilt" allerdings deutlicher als Bek das Bewußtsein seiner Hauptfigur, verwandelt das Widersprüchliche der Gedanken, die auch Beks Figur martern, in szenische Realität, wenn er den Zwang aufzeigt, nichts anderes mehr tun zu können, als Entscheidungen treffen zu müssen. Beide Texte, sowohl RUSSISCHE ERÖFFNUNG als auch WALD BEI MOSKAU, gewinnen in der psychologischen Motivierung der Handlungsweisen ihrer Hauptfiguren, den Argumenten und Gegenargumenten, die sie als Rechtfertigung ihrer Taten aufbringen, ihre besondere Bedeutung. In WOLOKOLAMSKER CHAUSSEE II weicht Müller im Interesse der Verstärkung des ethisch-moralischen Konflikts weiter von der Vorlage Beks ab. Es geht um die Frage, warum die Rote Armee in der Anfangsphase des Krieges überhaupt in eine solch komplizierte strategische Lage geraten mußte, die nicht nur auf den Überfall der Hitler-Wehrmacht zurückzuführen war. Es ist ein qualvolles Selbstverhör, ein geheimer Dialog mit sich selbst, den Müller die Figur des Kommandeurs durchmachen läßt:

He Kommandeur wohin hast du geführt
Und stumm gab ich die stumme Frage weiter
Warum gehn wir zurück In unserm Leben
Gab es das Wort nicht Rückzug Warum jetzt
Was oder wer hat uns die Kraft genommen
Und wann hat angefangen was jetzt ist
Und Wie und Wer ist schuld Der Feind im Land
Statt daß wir ihn in seinen Wäldern jagen
Wie hast du uns geführt Genosse Stalin[16]

In Beks Roman stehen diese Worte nicht, obgleich das Thema auch hier anklingt. Müllers Sprache ist notwendig radikaler; es kann nichts mehr unausgesprochen bleiben.

Und doch – oder gerade deshalb – sind bei ihm seine Figuren nicht gesichtslos, keine Menge, die lediglich blind Befehle ausführt. Indem sie über sich selbst reflektieren können, tragen sie die Hoffnung auf Veränderung, eine positive Utopie.

Auf die Frage nach der Rolle der Sowjetunion im Zusammenhang solcher Utopie heißt es 1986: *Das ist ja auch ganz einfach, historisch und politisch gesehen. Die Tatsache der Existenz der Sowjetunion schuf überhaupt erst die Möglichkeit für die Befreiungsbewegungen auf allen Kontinenten. Das war eine Voraussetzung, ohne die wäre gar nichts in Gang gekommen. Es war eine Initialzündung. Und deswegen ist das nach wie vor ein Ort der Utopie, auch eine Stellung, die auf jeden Fall gehalten werden muß. Die Existenz der Sowjetunion ist die Voraussetzung für Geschichte, für Zukunft. Deswegen auch diese Texte. Solange wir an unsere Zukunft glauben, brauchen wir uns vor unserer Vergangenheit nicht zu fürchten.*[17]

Dem ist nichts hinzuzufügen.

Moskau, September 1987

1 H. Müller, Ein Brief, in: Theater der Zeit, Heft 8/1975.

2 U. a. im Gespräch mit B. Umbrecht, in: H. Müller, Rotwelsch, Berlin (West) 1982, S. 111.

3 H. Müller, Ein Brief, a. a. O.

4 Rede, gehalten anläßlich des internationalen Schriftstellergesprächs „Berlin – ein Ort für den Frieden", das vom 5. bis 8. Mai 1987 in Berlin stattfand.

5 Solange wir an unsere Zukunft glauben, brauchen wir unsere Vergangenheit nicht zu fürchten. Ein Gespräch mit Gregor Edelmann, in: Theater der Zeit, Heft 2/1986.

6 In dieser Studie wurden die Texte und Materialien der folgenden Edition verwendet: Fjodor Gladkow, Heiner Müller, Zement, hg. von F. Mierau, Leipzig 1975 (Seitenangaben nach dieser Ausgabe).

7 Die gattungsspezifischen Differenzierungen, die durch die Versform des Dramas bedingt sind, müssen im Rahmen dieses Versuchs ganz vernachlässigt werden.

8 In der sowjetischen Literaturwissenschaft wird ebenfalls der selbständige künstlerische Wert der frühen Varianten des Romans unterstrichen. Vgl. S. Smirnowa, Wie Zement entstand,

in: Tekstologija proiswedenij sowjetskoj literatury. Woprossy tekstologii 4, Moskau 1967.

9 In: Na literaturnom postu (Auf literarischem Posten), Heft 1/1926, S. 41 (dt. von A. G.).

10 Vgl. z. B. das reichhaltige Material im Aufsatz von Fritz Mierau: „Zement" – fünfzig Jahre danach, in: F. Gladkow, H. Müller, Zement, a. a. O., S. 512 ff.

11 Walter Benjamin, Zement, in: Die literarische Welt, Heft 3/1927, S. 5.

12 O. M. Brik, Warum „Zement" gefiel, in: Na literatornom postu, Heft 1/1926, S. 41 ff. (dt. von A. G.).

13 N. Tschalmajew, Persönlichkeit und die sozialistische Sache. Nachwort in: F. Gladkow, Zement, Moskau 1965 (dt. von A. G.).

14 Jetzt auch Wolokolamsker Chaussee I und II, in: Heiner Müller, Philoktet. Bildbeschreibung. Anatomie Titus Fall of Rome, Wolokolamsker Chaussee I und II, Berlin 1988.

15 Vgl. Gespräch mit Gregor Edelmann, a. a. O.

16 Wolokolamsker Chaussee II, in: Theater der Zeit, Heft 2/1986.

17 Gespräch mit Gregor Edelmann, a. a. O.

Anna Chiarloni

Zu Heiner Müllers DUELL

WOLOKOLAMSKER CHAUSSEE III setzt die Erzählung DAS DUELL von Anna Seghers fort ..., schreibt Heiner Müller in den Anmerkungen zum Text.[1] Mehr als eine Fortsetzung wird dem Zuschauer allerdings die Möglichkeit der Aufhebung einer Textstruktur demonstriert: zwei Figuren aus Anna Seghers' Erzählung[2], ein antifaschistischer Lehrer und ein Arbeiterkind, werden aus einer Handlung, die ursprünglich den Zeitraum zwischen 1933 und 1959 umfaßte, bei Müller herausgehoben und an einem historischen Punkt sozusagen „in vitro" beobachtet, der zu einer politischen Zäsur der gesamten DDR-Geschichte wurde: der 17. Juni 1953.

Das Stück beginnt mit der an Brechts damalige Stellungnahme erinnernden[3] Beurteilung des Vorgangs:

Das war im Juni in dem schwarzen Monat
Im fünften Jahr der Republik Den wir
Gestrichen haben aus unserm Kalender
Für unsre Feinde wars ein Jubelmonat
Weil beinah wär es unser letztes Jahr
Gewesen und vielleicht das erste Jahr
Vom letzten Krieg Wenn uns die Panzer nicht
Zum zweitenmal wieder geboren hätten

Was folgt, ist die Beschreibung der Auseinandersetzung zwischen dem Direktor eines Volkseigenen Betriebes und seinem Stellvertreter; im Mittelpunkt steht die Frage nach der Macht.

Um die volle Dimension dieses Konfliktes besser erfassen zu können, soll im folgenden kurz auf einige wichtig erscheinende Bezüge zum Text von Anna Seghers verwiesen werden.

Dort beginnt die Handlung damit, daß kurz nach dem Krieg ehemalige Insassen eines Sammellagers – Umsiedler, Flüchtlinge, einzelne Soldaten – nach Thüringen gebracht und unter schwierigen Umständen zunächst in Baracken einquartiert werden. Unter ihnen befindet sich ein Heimkehrer namens Helwig, ein junger Mann, der sich als vernünftig erweist. Er beginnt in einer Fabrik zu arbeiten, tritt später auch in die Partei ein und wird schließlich von seinen Genossen zu einem Fernstudium delegiert. Die Ausbildung findet in einem enteigneten ehemaligen Schloß statt; die Studenten, die hier zusammengekommen sind, junge und schon ältere Leute, ehemalige Gymnasiasten und Studenten, die der Krieg aus der Bahn geworfen hat, dazu aber auch Arbeiter, Lernbegierige, bereiten sich auf ihre erste Prüfung vor. Helwig hat große Schwierigkeiten. Im Vergleich zu jenen, die bis zu ihrer Einberufung Studenten waren und jetzt die Aufgaben sehr schnell begreifen, ist ihm alles neu. Er brütet über den Büchern, vergißt aber das meiste. Das Studium wird ihm zur Qual. Hinzu kommt, daß auch der Leiter des Seminars, ein berühmter Dozent aus Dresden, davon überzeugt ist, daß Leute wie Helwig nie nachholen würden, was einer zum Lernen erzogenen Jugend in vielen Schuljahren von erfahrenen Lehrern beigebracht worden war. Es sei daher töricht, sinnlose Hoffnungen auf wissenschaftliche Laufbahnen oder andere wichtige Funktionen in der Gesellschaft zu wecken, die nie von Menschen ohne solche Voraussetzungen ausgefüllt werden könnten. Helwig ist eingeschüchtert. Er schämt sich, weil er das Gefühl hat, den Anforderungen nicht gewachsen zu sein, will Schluß machen und in die Fabrik zurückkehren.

An diesem Punkt wird die Figur Karl Böttchers in die Handlung eingeführt. Bis zu Hitlers Machtübernahme war auch er Lehrer in Dresden, wurde dann zunächst auf Betreiben einiger Nazilehrer strafversetzt; später war er bis 1945 im Zuchthaus. Nun, nach der Befreiung, wurde ihm der Auftrag übergeben, verschiedene Lehreinrichtungen zu prüfen und dabei zu beurteilen, ob sie geeignet seien, eine neue Intelligenz für die sozialistische Gesellschaft vorbereiten zu helfen. Zufällig erkennt er dabei Winkelfried, den Leiter des Seminars, als einen jener ehemaligen Kollegen wieder, die 1933 eine Eingabe unterzeichnet hatten, die auch zu seiner Kündigung führte: „Lehrern des nationalsozialistischen Staates kann es nicht zugemutet werden, staatsfeindliche Elemente Kollegen zu nennen." Daraufhin angesprochen, lautet Winkelfrieds Kommentar lediglich: „Hätte ich es nicht unterschrieben, hätte es ein anderer getan."

Böttcher muß nun Winkelfried beweisen, daß auch Arbeiterkinder wie Helwig imstande sind, ein Studium zu meistern. Es entsteht eine Duellsituation, in der Helwig zur „Waffe" Böttchers wird. Er spricht ihm Mut zu, lernt mit ihm bis in die Nacht hinein, nur damit er die Prüfung besteht.

Am Ende der Erzählung wird Helwig kurz als Werkleiter in B. gezeigt. Böttcher, der inzwischen gestorben ist, wird von ihm in Dankbarkeit beschrieben: „Er hat nicht nur mir Mut gemacht. Er hat vielen Tausenden Mut gemacht."

Dieser Text von Anna Seghers, den man ein Beispiel epischer Epochenanalyse nennen könnte, ist 1965 in der Sammlung „Die Kraft der Schwachen" erstmals veröffentlicht worden. Abgesehen von den formalen Unterschieden – realistische Erzählung bei Seghers, Lehrstück bei Müller –, finden sich darüber hinaus einige auffallende Veränderungen, aber auch verschiedene weniger auffällige Abweichungen in Heiner Müllers Entwurf, deren Funktion zu untersuchen ist. Müller verwendet lediglich zwei Figuren aus der Erzählung, den guten Lehrer und den Arbeitersohn, wobei ersterer durch die deutlich epische Struktur des Müllerschen Textes stark hervorgehoben wird. Während Anna Seghers in der „objektivierenden" Form der dritten Person schreibt, wird der Vorgang, den Müller aufzeigen will, durch die subjektive Perspektive Böttchers, d. h. durch den in der ersten Person sprechenden „Direktor", erzählt. Er ist der Chronist, man ist versucht zu sagen, der Leiter des Diskurses, der auch ein kollektives „Wir" enthält. Dazu kommen die biographischen Korrekturen, die uns das Profil dieser Gründerfigur chronologisch etwas näherrücken.

In Müllers Stück sind der Direktor und der Dresdener Professor 1934 offensichtlich noch keine Lehrer, da sie *über den Formeln hockten*. Diese „Verjüngung" ist mit einem anderen wesentlichen Aspekt verbunden. Bei Seghers verschwindet der alte Lehrer aus der Handlung, nachdem er seinen historischen Auftrag erfüllt hat. Helwig ist seinen Weg allein weitergegangen und erscheint am Ende als die zentrale Figur der Erzählung, als ein Leiter, der die neue Arbeiterklasse repräsentiert und des guten Lehrers, der dem proletarischen, unerfahrenen Menschen geholfen hat, in Dankbarkeit gedenkt.

Bei Müller dagegen ist der Lehrer zum Direktor geworden, der ehemalige Schüler zu seinem Stellvertreter, d. h. zu seinem Untergebenen. Welche Funktion hat diese Verschiebung? Oder: welchen Gründer-Typ analysiert Heiner Müller aus der Perspektive der 80er Jahre? Wenn der Direktor 1934 Student war, müßte er 1953 zur Generation der Vierzigjährigen gehören, einer Generation also, die noch heute an der Spitze steht.

In diesem Kontext gewinnt auch der Ort der Handlung eine besondere Bedeutung. Bei Seghers spielte sich das Duell zwischen fortschrittlichen und reaktionären Kräften im Seminar einer Arbeiter-und-Bauern-Fakultät ab – einer berühmten Institution der Gründerjahre der DDR also –, bei Müller wird das Duell zu einer Auseinandersetzung zwischen zwei Bürokraten in einem Büro.

Fassen wir einige psycho-politische Merkmale von Müllers „Direktor" zusammen: Vordergründig erscheint es, als sei der Mann nicht imstande, sich mit der Wirklichkeit zu konfrontieren. Als „der Volksmund" draußen lärmt und die bekannten feindlichen Losungen schreit, als er mit der „Kriegserklärung" seines Stellvertreters konfrontiert ist, weist sein Fluchtversuch zuerst nur in die Vergangenheit. Diese Unfähigkeit, in der Gegenwart mehr als die Vergangenheit zu sehen, bedeutet die Verabsolutierung von Erfahrungen, die ihn daran hindern, die aktuelle Wirklichkeit wahrzunehmen. Mehr noch: je gespannter die Lage wird, desto mehr zieht er sich zurück. Die Suche nach einer Zuflucht kulminiert in dem tragischen Satz, daß er sich in seine Zelle zurücksehnt, in der er als Antifaschist zehn Jahre lang inhaftiert gewesen war. Dieser ständige psychologische Rückzug bleibt im Stück durchgehend dominant, verdeutlicht sich in den unterschiedlichen, andeutungsvollen Erinnerungsebenen ebenso wie im „Dialog" mit seinem „Gegner" – bis zu dem Punkt, da er keine andere Wahl mehr hat, als nur noch zu handeln. Müller unterstreicht die Dynamik dieses Vorgangs durch ein raffiniertes Blickwechselspiel und durch eine Reihe interessanter sprachlicher Wendungen.

Jeder Sprung in die Erinnerung wird zum Beispiel durch das Wort „sehen" eingeführt. Als der Stellvertreter ihn auffordert, aus dem Fenster zu schauen, auf die Straße, wo das

„ND" verbrannt wird, um zu erfahren, wo er lebt, sieht der Direktor – statt tatsächlich hinauszuschauen – immer wieder nur das pädagogische Duell um diesen Stellvertreter vor sich, das er nach dem Krieg gegen den Nazi-Mitläufer gewonnen hatte. Sogar die sowjetischen Panzer, sein *letztes Argument,* werden von ihm nicht direkt, sonder nur vermittelt *an den Augen* des Stellvertreters wahrgenommen. Dieses ständige Wegsehen infiziert notwendig jede Art von Aussprache zwischen den Figuren, so daß selbst der Handschlag, der am Ende den vorläufigen Waffenstillstand zwischen ihnen signalisiert, immer auch als Metapher eines verfehlten Dialogs gelesen werden kann, den möglichen Lernvorgang allenfalls andeutend.

Versuchen wir eine erste Bilanz zu ziehen: In einer Zeit, in der ständig von der „Arbeit des genauen Erinnerns" (H. Kant) gesprochen wird, gibt uns Müller, provozierend offen, das Porträt eines antifaschistischen Kämpfers, der an der historischen Anforderung, die durch die neue Gesellschaft gestellt ist, zu zerbrechen droht. Und weiter: die damit aufgerufene kritische Befragung der antifaschistischen Erfahrungen für die neuen Kämpfe reicht tiefer als bis in die Gründerjahre der DDR, insbesondere an den Stellen, wo Müller die Rückblenden in die Nazizeit mit einer zweiten Funktion belädt.

Zunächst soll aber genauer betrachtet werden, wie er die Figur des Direktors auf das Ereignis des 17. Juni reagieren läßt. Welcher Art sind die Reflexionen des sich erinnernden Erzählers? Am Anfang steht das Bild des vor ihm balancierenden Stellvertreters, der – *vom Westen aufgehetzt* – seine *Kriegserklärung* vorlegt:

Ich dachte Wem gehört das Clownsgesicht
Aus dem die lang vergrabnen Worte platzen
STREIKKOMITEE und GENERALSTREIK wem
Die Hamsterbacken und die Magenfalten
Schleifspur der Kompromisse und der Prämien

Wie der Dichter KuBa 1953[4] über die wirklichen Verhältnisse, ist auch Müllers Direktor innerhalb der Wirklichkeitsverhältnisse des Textes enttäuscht und verbittert. Auch er denkt nicht in politischen Kategorien, sondern weit mehr in paternalistischen, aus denen dann eine Art von „Hinze- und Kunze"-Verhältnis entsteht:

Du wirst doch wissen wie du mir ein Bein stellst
Und auf dem Dienstweg ohne Handarbeit
Die Schreier draußen brauchst du nicht dazu

Unfähig und nicht bereit, über die wirklichen Widersprüche zu sprechen, oder genauer gesagt, aus dem Fenster hinaus in die Wirklichkeit zu schauen, ist der Direktor gerade noch imstande, in seinem Gegenüber jemanden zu erblikken, der für ihn immer der junge unerfahrene Schüler bleiben wird, der nur mit seiner Hilfe hat studieren können, für den er sich eingesetzt hat:

Du wirst studieren und wenn ich dich an
Den Haaren auf die Schulbank schleifen muß
[...]
Ich sah ihn auf der Schulbank Blut und Wasser
Schwitzen im Nahkampf mit der Mathematik
Das wollte nicht hinein in seinen Schädel

Aufgrund dieses Lehrer–Schüler-Verhältnisses zwischen dem Direktor und seinem Untergebenen kann ihr Kontakt nur in der Form des Befehls oder der Belehrung geschehen. Es ist gerade die autoritäre Rolle solchen pädagogischen Selbstverständnisses, die von Müller angezweifelt wird: der Schüler bleibt in ihr ein „Produkt", ein leeres Blatt, auf das ein Lebenslauf – vom Studium bis zur politischen Selbstkritik – gestempelt wird.

Im Gegensatz zu Anna Seghers' Arbeitersohn wird die Figur des Stellvertreters hier zu keinem Zeitpunkt ein geschichtlich handelndes Subjekt. Er wird als Objekt lediglich verhandelt und kann sich so auch nicht wirklich politisch als lernfähig bewähren. Seine Solidarisierung mit der „Straße" steht für diesen Widerspruch – und erneut reagiert sein Direktor nur mit einer Gebärde androhender Bestrafung:

Ziehts dich zurück in die Arbeiterklasse
Das kannst du haben aber hinter Gittern

Der Direktor rechnet nur mit der Ankunft der sowjetischen Panzer, unter deren Schutz er dann die Selbstkritik seines Stellvertreters verlangen kann.

Hier wird dann jene andere Funktion sprachlicher Rückblenden erschreckend deutlich, die weiter oben schon angedeutet worden ist; sie wird klarer, wenn Böttcher im Kommentar zur Selbstkritik seines Stellvertreters mit der gleichen Formel reagiert, die die Nazis 1933 verwendeten, als sie darangingen, die Unterschrift der Studenten abzufordern, um Juden und Kommunisten aus dem Hörsaal zu verbannen:

Wer schreibt der bleibt.

Müller führt anhand dieser schockierenden Symmetrie eine Reflektionsebene ein, die die widerspruchsvolle Geschichte des deutschen Sozialismus betrifft und damit auch auf die Bürde dieser Geschichte – auch der Nachkriegsgeschichte – verweist. In solchem Kontext gewinnt dann auch eine andere Stelle des Stückes eine doppelte Valenz:

… wie man aufwächst denkt man
Das braucht Generationen Die Natur
Macht keine Sprünge,

sagte 1946 der Dresdener Dozent, als er für eine konservative, elitäre Schule plädierte. Die sich daraus ergebende Folgerung, daß Arbeiterkinder lieber Arbeiter bleiben sollten, statt daß man auf sie mit dem Studium eine Art „Tierquälerei" ausübt, ist für den heutigen Leser – jedenfalls in der DDR – historisch ad absurdum geführt. Doch auch dieses Bild scheint Müller noch für weitere Interpretationen offenzuhalten. Der Satz, „Wie man aufwächst, denkt man", könnte dem heutigen Zuschauer zusätzlich als Angebot dienen, über die Nachkriegszeit, d. h. über die Widersprüche der eigenen DDR-Identität, nachzudenken; eine Aufgabe, die durch die Dramaturgie des Textes – das Ereignis des 17. Juni, das Eingreifen der sowjetischen Panzer „zur Sicherung der sozialistischen Staatsmacht" im Jahre 1953 – stark hervorgehoben und nahegelegt wird. In der Reflexion des „Direktors" erscheint solches Nachdenken problematisch, und doch ist die Figur dadurch nicht auf das Niveau eines dogmatischen, kleinlichen Funktionärs festgelegt. Heiner Müllers Spielmodell ist hier breiter. Seine Figur ist nicht schematisiert, sie hat im Gegenteil auch ein zutiefst tragisches Moment. Trotz ehrlicher Bemühungen ist der Ich-Erzähler nicht in der Lage, die inzwischen anachronistisch gewordene Optik eines Widerstandskämpfers zu verändern. Mit Hilfe dieser subjektiven Erinnerungs- und Assoziationsebene geht Müller den Spuren deutscher Geschichte nach. Nennen wir ein Beispiel, das uns emblematisch scheint.

Nachdem der Direktor den revoltierenden Stellvertreter als *Clownsgesicht* und *Schleifspur der Kompromisse und der Prämien* bezeichnet hat, taucht in seiner Erinnerung – für den Leser/Zuschauer völlig unerwartet – ein „vergessnes Bild" auf:

Vor meinen Augen ein vergessnes Bild
Ein Maurer zum Minister avanciert
Von Spanien durch die Lager ins Büro
Er stand auf seinem Schreibtisch sang und hörte
Nicht auf zu singen bis sie ihn wegschafften
Vom Ministerium in die Charité
Von seinem Schreibtisch in die Gummizelle
Sang zwischen Akten Zahlen und Bilanzen
Sein Spanienlied MADRID DU WUNDERBARE
Und als sie ihn festschnallten auf der Pritsche
Halb wars ein Schrein halb wars ein Flüstern Gebt
Mir ein Gewehr und zeigt mir einen Feind

Mit der unheimlichen Geschichte dieses „Opfers des Papierkriegs" (die übrigens eine wichtige Korrespondenz zu WOLOKOLAMSKER CHAUSSEE II besitzt)[5], berührt Müller ein Problem, das keineswegs allein die DDR betrifft, sondern europäische Dimensionen hat: die Gefahr der Bürokratisierung einer revolutionären Bewegung. In diesem Rahmen gewinnt auch der „Direktor" sein tragisches Profil. Es ist die Angst eines Individuums vor den Widersprüchen innerhalb des historischen Prozesses, an dessen Verlauf er beteiligt ist und dessen Determiniertheit ihn zugleich zu sprengen scheint. Die daraus erwachsenden Haltungen von Unentschiedenheit und Härte haben historische Ursachen, die insbesondere in der Geschichte der deutschen, aber auch der europäischen Linken zu suchen sind, sie werden benannt:

– es sind der Mord an Rosa Luxemburg, deren *Gespenst im Panzerturm, unter Ketten fault*[6];
– das Vakuum der Nazizeit, das politische Erfahrung für viele verhindert hat: *Ich selber hatte Spanien nicht gesehen / das rote nicht das Schwarze Grau / sind alle Farben hinter Zuchthausmauern,* läßt Müller seine Figur sagen;
– die historische Tatsache, daß die politische Struktur der DDR nicht von unten aufgefordert wurde, sondern dank der „Russenpanzer", die '45 *uns geboren haben,* entstand;

– die lange politische Isolierung der DDR dem internationalen revolutionären Prozeß gegenüber, die als ein ewiges
Vor-dem-Fenster-Stehen dargestellt wird: ... *und draußen
ging die Welt an uns vorbei / von Kuba bis Kambodscha undsoweiter* ...;
– die ökonomischen Schwierigkeiten der Nachkriegszeit,
schließlich die Rigidität einer Politik, die bis zur Erfahrung
der Reduzierbarkeit von Menschen zu „Masken" führte, unter denen *die Narben der Verhöre*[7] zu bemerken waren.

Stufenweise, in dieser historischen Progression, wird der
Leser/Zuschauer zur eigenen Stellungnahme gezwungen;
angestrebt wird dabei eine Haltung, die die Bewältigung der
Geschichte impliziert, indem man lernt, sich ihr ganz zu
stellen. Das gilt nicht nur für das eigene Land: DAS DU-
ELL ist in ein sowjetisches Motiv eingebettet und die Bürokratisierung der revolutionären Bewegung – *die neuen Wunden geschlagen mit Papier / Mit Schreibmaschinen und mit
Kaderakten*[8] – betreffen Entwicklungswidersprüche des ganzen Sozialismus. In diesem Sinne ist Müllers DUELL ein
Chortext[9], dessen Problemsicht auch die Situation der westlichen Linken einbezieht.
Der Zeitpunkt, zu dem sich das Duell abspielt, ist der Juni
'53, aber es könnte noch immer auch unmittelbare Gegenwart sein; in Italien, auch heute, läuft die Utopie Gefahr, im
Alltag paralysiert zu werden. Die Angst vor dem Verlöschen der Tat breitet sich aus, und die Entscheidungen sind
schwerer geworden. Zweifel befällt dabei auch den, der sicher war, am richtigen ideologischen Ort zu sein.
„Der Zweifel der Sieger" heißt eine Lyriksammlung, die
Pietro Ingrao – einer der wichtigen Theoretiker der KPI –
1986 veröffentlicht hat.[10]

> ... Die Plätze sind leer
> von uns jetzt
> kein Schrei, kein Kampf

schreibt Ferruccio Brugnaro, ein junger, engagierter Dichter, der 1986 „immer noch gegen die Ungerechtigkeit"[11]
dichtet. Was bleibt, im Westen wie im Osten, ist ein subjektiver Anspruch auf Hoffnung. Und das ist wichtig, weil es

zeigt, um eine Brecht-Braunsche Formel zu verwenden, daß es unmöglich ist, das Glücksverlangen der Menschen zu töten.

Turin, November 1987

1 Wolokolamsker Chaussee III: Das Duell, in: Theater der Zeit, Heft 6/1987.
2 Das Duell, in: Anna Seghers, Gesammelte Werke, Bd. XII, Erzählungen 1963–1977, Berlin und Weimar 1977.
3 Vgl. Neues Deutschland vom 23. Juni 1953, Klaus Völker, Brecht-Chronik, München 1971, S. 146, Heinrich Mohr, 17. Juni 1953. Arbeiteraufstand in der DDR, hg. von Ilse Spittmann und Karl Wilhelm Fricke, Edition Deutschland Archiv, Köln 1982, S. 87.
4 Kurt Barthel, genannt KuBa: „Wie ich mich schäme", zitiert aus: Konrad Francke, Die Literatur der DDR, Zürich/München 1974, S. 113.
5 Wolokolamsker Chaussee II, in: Theater der Zeit, Heft 2/1986.
6 „… ein Hauptdatum (der deutschen Geschichte) ist die Ermordung von Rosa Luxemburg und Karl Liebknecht. Damit fängt der zweite Weltkrieg für mich an." Heiner Müller im Gespräch mit Gregor Edelmann, in: Theater der Zeit, Heft 2/1986.
7 Wolokolamsker Chaussee II, a. a. O.
8 Ebd.
9 Heiner Müller, Gesammelte Irrtümer, Interviews und Gespräche, Frankfurt (Main) 1986, S. 88.
10 Pietro Ingrao, Il dubbio dei vincitori, Milano 1986.
11 In: „Zeta. Rivista internazionale di poesia", Speciale monografico sulla poesia contemporanea italiana. Udine 1986, S. 101.

JOST HERMAND

Regisseure unter sich.

Ein Gespräch über LOHNDRÜCKER

A: Intendant eines mittleren Staatstheaters, Ende Sechzig, bemüht, sich trotz preußischer Haltung bewußt „locker" zu geben, häufig ins Dozierende verfallend.
B: Gastspielleiter aus dem Sächsischen, Anfang Dreißig, Jeans-Jacke, anfangs gelangweilt, später freundlich-hartnäckig.
Ort: Am Rande eines Theatertreffens zu Ehren der Berliner Siebenhundertfünfzigjahrfeiern.
Zeit: April 1987.

A: Wie wichtig die Jahre 1956/57 für uns waren, können Sie sich heute gar nicht mehr vorstellen. Besonders für uns Berliner Theaterleute. Während es bis dato nur die Klassiker und einige Exildramatiker wie Brecht gegeben hatte, traten plötzlich ganz neue Talente auf den Plan, erst Hacks und dann Heiner Müller. Vor allem der Mai 1957 wird für mich immer eine „Sternstunde" unserer Theatergeschichte bleiben – um mal ein „großes Wort" zu gebrauchen. In ihm erschien nämlich in der „Neuen deutschen Literatur" Müllers LOHNDRÜCKER, das heißt das erste Stück der DDR-Dramatik, das wirklich zählt. Hier wurde plötzlich alles plastisch, sage ich Ihnen, was vorher bloße These, bloßes Transparent, bloße Sprechblase war. Hier sahen wir unsere Arbeiter zum erstenmal aus den dunklen Randzonen ihrer gesellschaftlichen Existenz heraustreten und literarische Gestalt annehmen. Hier gab es keine „Masse Mensch" mehr wie bei Toller oder irgendwelche „Blaufiguren" wie bei Kaiser, sondern echte Werktätige.
B: Welch eine Offenbarung!
A: Aber ehrlich. Ich weiß, inzwischen ist viel Wasser die Spree hinuntergeflossen. Aber damals hat uns das alle stark bewegt: endlich Arbeiter, endlich ein richtiges Fabrikmilieu, endlich ungeschminkte Basis-Konflikte. Und das alles vor dem „Bitterfelder Weg". Einfach so.

236

B: Ein solcher Voluntarismus hat mir als Haltung immer gefallen.

A: Aber lassen Sie mich doch erst einmal erzählen. Jedenfalls war ich so begeistert, daß ich das Ganze sofort in Szene setzen wollte. Und zwar richtig „naturalistisch": mit viel Krach und Maschinengeräusch, mit Bergen von Dreck, Schamott und Backsteinen auf der Bühne. Doch als ich näher hinsah, war davon im Text relativ wenig zu finden. Letztlich ist dieses Drama ein Gesprächs- oder Thesenstück, bei dem es genügte, einen einzelnen Backstein auf die leere Bühne zu legen und darüber zu diskutieren. Doch solche Spielweisen gab es damals natürlich noch nicht. Es gab zwar Brecht, ja. Aber die Mehrheit der anderen, darunter ich, machten noch immer in klassischer „Realität", das heißt spielten Staatstheater mit Windmaschinen, garantierter Milieuechtheit und Sauerkrautgeruch. Und in diesem Stil wollte ich auch an den „Lohndrücker" herangehen. Dies ist Gegenwartsklassik, dachte ich. So etwas gehört in das Theater am Heldenplatz, das damals neben dem Opernhaus lag.

B: Gut daß es das heute nicht mehr gibt.

A: Ja. Doch dann kamen die ersten Proben. Ich war damals innerlich und äußerlich noch gewaltig stramm – und konnte mir deshalb einiges leisten. Eins war mir gleich klar: ein solches Stück ließ sich nur als Konflikt zwischen Sein und Bewußtsein inszenieren, das heißt aus seiner innersten, autochthonen Dialektik heraus. Die Parteileute, also die Vertreter des höheren Bewußtseins, sollten als Einzelne auf der linken Seite der Bühne stehen – allen voran der Parteisekretär Schorn, der sich unter Hitler als Saboteur betätigt hatte, aber auch der Direktor und der Gewerkschaftler Schurek. Diesen Teil der Bühne wollte ich voll ausleuchten lassen, um schon durch die Klarheit der Konturen herauszustreichen, daß dies die Männer der Leitung, der Aufklärung sind, die begriffen haben, worum es geht, die „im Lichte stehen" usw. Und zwar nannte ich diese Männer Bewußtseins- oder B-Figuren. Ihren Bewegungen versuchte ich irgendwelche kybernetischen Gesetzmäßigkeiten zu unterlegen. Oder kamen solche Konzepte erst später? Doch sei's drum. Diese Figuren sollten den einen Pol der Dialektik bilden, also die Männer des Anfangs sein, welche die Wandlung vom Faschismus zum Sozialismus einzuleiten und als erste vorbildlich in die Tat umzusetzen suchen.

B: Also wie im Legenden- oder Mysterientheater?

A: Was sollen denn solche Zynismen? Hören Sie doch erst einmal zu. Alles hat seinen Ort und seine Zeit, auch im Theater. Auf der anderen Seite, auf dem rechten Spielfeld, sollten die Arbeiter stehen, und zwar ohne viel Beleuchtung, das heißt als dunkle, schattenhafte Wesen, um so ihre Rückständigkeit, ihr Verhaftetsein im Faschismus zu akzentuieren. Sie, von denen man heroische Aufbauleistungen verlangt, die sie als diktatorisch und damit unzumutbar ablehnen, nannte ich die Männer des gesellschaftlichen Seins oder S-Figuren. An ihnen wollte ich zeigen, wie schwer es für solche Menschen ist, neben den Basis-Prozessen auch die Überbau-Prozesse im Auge zu behalten. Und das war ja auch schwer für sie. Vor allem in einer großen Fabrik, wo weitgehend die gleiche Misere weiterbestand: der gleiche kaputte Maschinenpark, die gleiche miese Ernährung, die gleiche kümmerliche Entlohnung. Und dazu noch eine „Partei", die all diesen Ungebildeten als logische Fortsetzung jener Nationalsozialistischen Arbeiterpartei erscheinen mußte, mit der sie vor 1945 sympathisiert hatten und von der sie sich jetzt betrogen fühlten. Welch eine Situation! Kein Wunder also, daß diese S-Figuren auf jeden, der ihnen erneut mit Parolen wie „Gemeinnutz geht vor Eigennutz" oder anderen hochtrabenden Phrasen entgegentrat und zugleich Normerhöhungen von ihnen verlangte, äußerst allergisch reagierten. Ich wäre auch sauer gewesen, wenn ich in ihren Schuhen gesteckt hätte. Während viele unserer Kleinbauern und Umsiedler die Forderungen des Sozialismus relativ schnell begriffen, weil sie in kleinen, überschaubaren Verhältnissen lebten, wo Phänomene wie Teilhabe oder Mitbestimmung etwas ganz Konkretes hatten (weshalb die besten unserer Aufbaustücke aus diesen Jahren sogenannte Agro-Dramen wie Müllers DIE UMSIEDLERIN sind), konnten die Arbeitermassen in einer Riesenfabrik, die sich weiterhin als Objekte sie übergreifender anonymer Mechanismen fühlten, keineswegs von einem Tag auf den anderen verstehen, daß ihnen alle Fabrikhallen und Maschinen plötzlich selber gehörten. Diese Gerschke, Zehm und Küstriner, wie sie im LOHNDRÜCKER heißen, können daher nur aufmotzen und krakeelen, aber nicht kapieren, was wirklich vor sich geht. Den gleichen Widerspruch hat übrigens Braun später in seinen „Kippern" dargestellt.

B: Finde ich nicht. Ich glaube, da geht es um ganz andere Probleme.

A: Mag sein. Aber lassen Sie mich erst einmal mein Konzept zu Ende entwickeln. Zwischen diesen beiden Gruppen sollte Balke, der Aktivist, der Held des Ganzen agieren. Mit ihm wollte ich jene Dialektik in Gang setzen, von der ich bereits sprach. Er sollte der „Balken im Auge" sein, der den anderen den ideologischen Star sticht. Also ganz Brechtisch. Mit seiner über alle Normen hinausgehenden Arbeit an dem gerissenen Ringofen sollte er den anderen Arbeitern das Vorbild eines wahren Hennecke liefern, wie man solche Stachanow-Typen damals bei uns nannte, das heißt ihnen vor Augen führen, daß das Malochen für den Sozialismus etwas ganz anderes ist als das Malochen für eine der früheren Ausbeutersysteme. Ja, nicht nur das. Er sollte zugleich durch den Widerstand, auf den er bei den Arbeitern stößt, den Funktionären klarmachen, wie weit das gesellschaftliche Sein, nämlich die Arbeiterschaft, hinter dem gesellschaftlichen Bewußtsein, nämlich der Partei, zurückgeblieben ist. Diesen Balke rein als Lohndrücker darzustellen, fand ich daher etwas einseitig. Ich schlug Müller demzufolge Titel wie „Der Balken im Auge" oder „Sein – Norm – Bewußtsein" vor, die mir dialektischer erschienen. Doch die lehnte er ab. Selbst ein Titel wie „Die Ringofenparabel", der so schön an den „Nathan" erinnert hätte, gefiel ihm nicht. Und vielleicht hatte er recht. Denn Christentum, Mohammedanismus und Judentum, die sich weniger in der Idee als in der Praxis unterscheiden, sind letztlich etwas anderes als Kapitalismus, Faschismus und Sozialismus, die bereits in der Idee verschieden sind. Da wäre, wie er sagte, eine ungute Parallele beschworen worden.

B: Und wie ging es nun weiter?

A: Ich weiß, es langweilt Sie, wenn ich ein wenig ins Epische ausschweife. Meine Freunde nennen das immer meinen „Schwall". Doch wortkarge Menschen haben beim Theater eigentlich nichts zu suchen. Finden Sie nicht auch?

B: Durchaus.

A: Also weiter im Text. Als die ersten Proben gelaufen waren, kam es plötzlich zu Schwierigkeiten. Großer ideologischer Rahmen, Wandlungstheater, dialektische Durchleuchtung, Synthese: all das stieß zusehends auf Widerstand, und zwar weniger bei den Traditionalisten, den ewigen Weimaranern, als bei den radikalen Neophyten, die gerade ihren ersten ML-Kurs hinter sich hatten. Jedenfalls entdeckten einige in diesem Stück nicht nur einen Widerspruch, sondern viele Widersprüche, was die Generallinie meiner Interpretation eher verwirrte als bereicherte. Da waren erst einmal jene, welche das Urbild des Müllerschen Balke, den inzwischen fast legendär gewordenen Maurer Hans Garbe, aufstöberten und uns plötzlich mit der Story konfrontierten, daß dieser Mann bereits unterm Faschismus ein Aktivist gewesen sei, daß man also bei der Interpretation dieses Stücks auch das Psychologische, die seelische Disposition, den „subjektiven Faktor" mitberücksichtigen müsse, statt ewig nur auf dem Ideologischen herumzuhacken. Diese Leute fanden mein Seins- und Bewußtseinsschema mit seinen deutlich markierten Hell-Dunkel-Effekten plötzlich höchst problematisch, ja stellten sogar mein Konzept der Parteilichkeit in Frage. Doch mit denen konnte ich damals noch leicht fertig werden. Etwas schwieriger gestaltete sich hingegen der Umgang mit jenen Überschlauen, die zwar an mein System von Sein und Bewußtsein anknüpften, aber es reichlich billig fanden, in Balke nur den perfekten Katalysator einer möglichen Synthese von Theorie und Praxis zu sehen. Sie entwickkelten daher ein Modell, das auf dem Prinzip des „Aufdotzens" beruhte, wie sie es nannten. Und zwar verstanden sie darunter einen Bewegungsverlauf, der seine Kraft daraus gewinnt, daß er sich einem willenlosen Sog nach unten anvertraut, um aus dem Aufprall auf dem tiefsten Grund die Kraft zu einem neuen Aufstieg zu gewinnen. Unter Berufung auf den Goethe-Text „Der Mensch muß wieder ruiniert werden" wollten sie das vor allem an der Figur des Karras durchexerzieren.

B: Hochinteressant. Was waren denn das für Leute?

A: Das weiß ich nicht mehr genau. Schließlich ist das alles schon über dreißig Jahre her. Doch sei dem, wie es wolle. Auch gegen die konnte ich mich durchsetzen. Wesentlich schwerer hatte ich es dagegen mit Kritikern aus meinem eigenen Team, die den Zuschauern überhaupt keine Möglichkeit zur Identifikation einräumen wollten und von mir verlangten, daß ich beide Haltungen – nicht nur die widerspenstige der Arbeiter, sondern auch die autoritär-präskribierende der Partei – als rückständig anprangern sollte. Mit solchen Konzepten wären wir selbstverständlich in Teufels Küche gekommen. Doch bevor ich diese gegensätzlichen Anschauungen in einer neuen Synthese „aufheben" konnte, entzog uns die Partei mit ihrem Bitterfelder Programm ohnehin den ideologischen Boden – und wir brachen die Proben einfach ab. Vielleicht war das ganz gut so. Wer weiß, ob man mich damals überhaupt verstanden hätte. Heute bin ich ganz froh, nicht mit dieser Inszenierung in die Annalen der Theatergeschichte eingegangen zu sein, sondern an diesem Stück lediglich gelernt zu haben. Denn lernen kann man von Müller allemal – oder finden Sie nicht? Wollen Sie denn auch mal eins seiner Stücke inszenieren? Schließlich steht in fast zwei Jahren sein 60. Geburtstag ins Haus.

B: Wenn ich boshaft wäre (was ich jedoch nicht bin), würde ich jetzt sagen: darum sitze ich ja hier und höre Ihnen seit einer Viertelstunde geduldig zu. Ich überlege mir nämlich seit Wochen, wie man ebendiesen LOHN-DRÜCKER, in dem ich noch immer eins seiner besten Stücke sehe, heutzutage in Szene setzen könnte – und habe bereits mehrere Interpretationsansätze dazu entwickelt.

A: Na, dann schießen Sie mal los. Wie wollen Sie denn das überhaupt in den Griff kriegen? Ist nicht gerade dieses Stück inzwischen verdammt historisch geworden? Die Nachkriegszeit, die Arbeiterprobleme, der Aufbau des

Sozialismus: das wirkt doch heute wie von Anno dunne-
mals. Vor allem unseren jungen Menschen müßte diese
Zeit erst einmal auf eine dokumentarische Weise vermit-
telt werden – und das kann leicht danebengehen.
Schließlich bewegen diese Generation ganz andere
Dinge: Rock, Sinnlichkeit, subjektiver Faktor, Mythos,
Postmoderne und was weiß ich. Doch wem sage ich das?
Das kennen Sie sicher besser als ich.

B: Besser? Solche Worte behagen mir nicht recht. Das
klingt so, als ob jedes Problem lediglich zwei Seiten
habe. Es gab schon damals nicht nur B- und S-Figuren,
nur Alte und Junge, nur Westler und Ostler, nur alte Nazis und überzeugte Sozialisten. Und das gleiche gilt auch
heute noch. Ich glaube, gerade an einer Neuinszenie-
rung des LOHNDRÜCKER ließe sich das in aller Deut-
lichkeit zeigen.

A: Da bin ich aber gespannt. „Let's have the details", wie
man heutzutage sagt. Ich hab mit meinen Ideen ja auch
nicht hinterm Berg gehalten.

B: Gut denn. Um mit dem Vordergründigsten zu beginnen:
der Nachkriegsmisere. Die sollte man keineswegs in den
Vordergrund rücken. Damit würden die Leute nur abge-
schreckt. Die Zeit nach 1945 ist nicht mehr aktuell, aber
auch noch nicht historisch geworden. Genau besehen,
ist sie das leidige „Vorgestern". Und das wirkt auf dem
Theater immer tödlich. Wenn also überhaupt historische
Begleitumstände, dann so wenige wie möglich. Was Sie
da über den einen Backstein gesagt haben, den man
mitten auf die vollausgeleuchtete Bühne legen sollte, um
über ihn diskutieren zu können, fand ich ganz überzeu-
gend. Könnte als Idee fast von Müller selber stammen.
Überhaupt sollte man heute die Bühne nicht mehr mit
Maschinen, alten Öfen, Eisengestänge und Backsteinen
vollstopfen, wie das noch vor einigen Jahren die „Schaubühne" getan hat.

A: Sehr richtig. Das war mir schon 1957 aufgegangen. Aber
ich sagte Ihnen ja schon, wie schwer es damals war, solche Ideen an den Mann zu bringen.

B: Alles klar. Verzichten wir also auf die Backsteine, die
Maschinen und andere Requisiten solcher Art. Machen
wir Tabula rasa, wie man früher zu sagen pflegte. Was

wir heute brauchen, sind möglichst große, leere Spiel-
räume, in denen sich die ideellen Prozesse, die in einem
Stück angelegt sind, frei entfalten können. Wir brauchen
also beim LOHNDRÜCKER keine Trümmerkulisse.
Und das, obwohl dieses Stück im Jahr 1948/49 in einer
Fabrik der sowjetischen Besatzungszone, und zwar nur
dort und nirgendwo sonst zu spielen scheint. Konkret
betrachtet, also von den historischen und sozio-ökono-
mischen Voraussetzungen her, scheint dieses Stück
überhaupt nicht übertragbar zu sein. Doch, was heißt
„konkret"? Wirklich konkret ist letztlich nur jene Geschichte, die nie anhält, sondern sich in einem steten
Fluß befindet, die sich also nirgends festmachen läßt.
Und gerade das müßte eine Inszenierung dieses Stücks
herausbringen. Man müßte ein Gefühl für die „reißende
Zeit" bekommen, die uns allen ständig neue Entscheidungen abverlangt, ob nun damals oder heute. Man
müßte bei der Aufführung dieses Stücks erleben, daß es
geschichtliche Momente gibt, in denen uns zwischen
Tür und Angel – mitten im Sturm der Ereignisse – nur
wenig Zeit zu wohlüberlegten Handlungen bleibt und
wir trotzdem das Richtige tun müssen, um überhaupt
weiterexistieren zu können.

A: Wunderbar. Aber was hat das mit dem LOHNDRÜK-
KER zu tun? Das klingt ja fast noch abstrakter als mein
schönes Diagramm aus Sein und Bewußtsein, in dem
Balke als auslösender Katalysator die besagte Dialektik
in Gang setzt, aus der sich geradezu zwangsläufig ein
höheres, sagen wir ruhig: sozialistisches Bewußtsein ergibt. Mir schwebte damals vor, das „pure Gehirn" (den
Parteisekretär) und die „pure Maloche" (die Arbeiter)
antagonistisch gegeneinander zu stellen – und erst
durch das Handeln Balkes in ein sinnvolles Wechselver-
hältnis zu bringen. Ich weiß, das kommt im Stück nicht
ganz so deutlich heraus, wie ich es hier entfalte, ist aber
auch dort umrißhaft angedeutet. So gespielt, könnte wenigstens in den Köpfen des Publikums eine Vermittlung
zwischen diesen beiden Polen eintreten (selbst wenn
diese im Drama selbst oder in der gesellschaftlichen Praxis dahinter weitgehend ausbleibt). Auf diese Weise
würden zumindest die Zuschauer begreifen, daß beide

Seiten noch viel zu lernen haben, bevor sich bei allen jenes solidarische Bewußtsein einstellt, welches die entscheidende Voraussetzung zu einer wirklichen Brigade oder gar „Freien Assoziation der freien Produzenten" wäre, wie Marx das genannt hat. Im Rahmen einer solchen Interpretation wäre also der Lohndrücker Balke der einzige, der den Weg zu einer solchen Synthese freizuschaufeln versucht. Doch verzeihen Sie, daß ich Sie nochmals mit einer solchen Suada unterbrochen habe. Aber das sind einfach Dinge, zu denen ich nicht schweigen kann.

B: Aber bitte. Ich bin da nicht kleinlich. Aber selbst in dieser Version erscheint mir Ihr Interpretationsmodell immer noch zu abstrakt. Hie pures Gehirn, hie pure Maloche – und dann hebt sich dieser Widerspruch via Balke einfach im unentfremdeten Sozialismus auf. So kühne Sprünge sollte man weder den Schauspielern noch den Zuschauern zumuten.

A: Na, dann lassen Sie die Katze mal aus dem Sack, damit ich auch etwas habe, wo ich einhaken kann.

B: Wie Sie wollen. Am wenigsten aktualisierbar ist an diesem Stück die historisch-konkrete Situation: also der Umbau des Ofens bei weiterlaufender Produktion, die postfaschistische Renitenz der Arbeiter, der Mangel an Fressalien usw. Schon eher übertragbar sind die verschiedenen Haltungen, welche Ihre B-Figuren einnehmen, also Haltungen der Solidarität, des Aufbauwillens, der Zukunftsorientiertheit usw., die mir noch heute vorbildlich erscheinen. Ich habe nichts gegen „positive Helden", sofern sie keine geleckten Abziehbilder sind. Vor allem dieser Schorn, der vor 1945 sein Leben als Saboteur aufs Spiel gesetzt hat, und dieser Balke, der hinzuzulernen versucht und sich für einen Sozialismus entscheidet, der allen zugute kommt: das sind Menschen, die Haltungen vertreten, die damals viel zu selten waren. Und weil sie so selten waren, sind diese Menschen zum Teil an der Widerspenstigkeit der anderen zugrunde gegangen, die ihnen nur Steine in den Weg geschmissen haben, statt sich ihnen anzuschließen.

A: Gut, gut. Aber all das könnte ich in meinem Interpretationsmodell auch unterbringen.

B: Dessen bin ich mir nicht so sicher. Schließlich läuft Ihr Modell immer wieder auf einen zwar wohlgemeinten, aber unaktuellen Geschichtsunterricht hinaus. Und da würden die Leute entweder einschlafen oder fluchtartig das Haus verlassen. Man muß doch die Zuschauer da „abholen", wo sie wirklich sind. Und das geht bloß, wenn man ihnen Haltungen und Entscheidungen vorführt, die es nicht nur damals gegeben hat, sondern die uns noch immer auf den Nägeln brennen.

A: Soll das heißen, Sie wollen das Ganze einfach platt aktualisieren? Also Arbeiter auf die Bühne stellen, die sich gegen die Einführung von Computern sträuben, die stolz auf ihre altmodischen Muskelpakete sind, statt sich zu „Wächtern und Hütern" aufzuschwingen – und ähnliches mehr?

B: Nein, das nicht. Geschichte wiederholt sich nicht – oder jedenfalls nicht auf der gleichen Ebene. Was sich an diesem Stück zeigen ließe, wäre etwas anderes. Nämlich nicht nur die Dialektik zwischen Sein und Bewußtsein, sondern auch die Dialektik zwischen damals und heute, der Zeit nach 1945 und unserer Zeit. Man müßte also aktualisieren und zugleich den inneren Abstand zu den hier dargestellten Vorgängen betonen. Nur dann wäre der LOHNDRÜCKER noch immer jener „Balken im Auge", wie Sie ihn nennen, der uns politisch und gesellschaftlich herausfordert. Erinnern Sie sich an die letzten Zeilen dieses Stücks? Der Arbeiter Karras, der plötzlich erkennt, worum es wirklich geht, fragt hier den erstaunten Balke: *Wann fangen wir an?* Und dieser antwortet erleichtert und zugleich dringlich: *Am besten gleich. Wir haben nicht viel Zeit.* Besser kann man die damalige Situation eigentlich gar nicht umschreiben. Und auch heute haben diese Worte nichts von ihrer damaligen Dringlichkeit eingebüßt.

A: Übertreiben Sie da nicht ein bißchen? Schließlich sind wir inzwischen doch erheblich vorangekommen.

B: Materiell ja. Aber im Hinblick auf die machtpolitischen, ökologischen und nuklearen Fragen, mit denen wir konfrontiert sind, nicht. Diese Probleme sind eher noch größer, noch erschreckender, noch brisanter geworden. Der Satz *Wir haben nicht viel Zeit* ist auf eine damals noch ungeahnte Weise relevant geblieben. In diesem Punkt hat dieses Stück, wie alle großen Kunstwerke (Sie sehen, auch ich scheue manchmal nicht vor großen Worten zurück), einen merklichen Bedeutungszuwachs erfahren, der es als ein geradezu „klassisches" ausweist. Schließlich steht in ihm nicht allein die möglichst schnelle Reparatur eines Ringofens zur Debatte (so wie es im „Prinzen von Homburg" nicht nur um die Schlacht von Fehrbellin und in ZEMENT nicht nur um die Produktion von Zement geht), sondern die Gesamtheit aller gegenwärtigen politischen und technologischen Entwicklungsprozesse, die uns allen immer schnellere und zugleich konkretere Entscheidungen abverlangen. Ohne solche Entscheidungen würde die gesamte Menschheit in den reißenden Strom der Barbarei und des allgemeinen Untergangs geraten.

A: Jetzt merke ich langsam, worauf Ihre Argumentation hinauslaufen soll. Sie sehen˜ in Müller vornehmlich einen Apokalyptiker, einen Katastrophendramatiker. Also der Müller kann mir gestohlen bleiben. Mit Stücken wie HAMLETUFER oder MEDEAMASCHINE kann ich wenig anfangen. Schon mit „Warten auf Godot" hatte ich meine Schwierigkeiten. Und das war ja noch Gold dagegen. Also bitte keine „Panik auf der Titanik", wie es neuerdings heißt. Der frühe Müller ist das eine – und der späte Müller ist das andere.

B: Tut mir leid. So wie es keine zwei Brecht gegeben hat, gibt es auch keine zwei Müller. Schon der Müller des LOHNDRÜCKER ist ein Mann der Härte und der unerbittlichen Wahrheitssuche, der seinen Zuschauern nichts erspart. Schon er weiß, daß wir in einer reißenden Zeit leben und daß auch sein Staat in einer reißenden Zeit entstanden ist, in der allen geradezu übermenschliche Anstrengungen und Entscheidungen abverlangt wurden. Dieser alte, desolate Ringofen, der da unter Hochdruck repariert werden muß, ist ja nicht nur ein Ringofen, sondern zugleich ein Symbol der frühen DDR. In diesem Stück erfährt man, daß in diesem Staat der Sozialismus nicht mit der gebotenen Ruhe und Gründlichkeit, also radikal anders aufgebaut werden konnte, sondern mitten im Strom der Geschichte, mit vielen unwilligen und wenigen willigen Menschen. Und das zudem in einer Welt, in der die antisozialistischen Kräfte einen gewaltigen ökonomischen Vorsprung hatten. Kurz: der Umbau des Ringofens bei brennendem Feuer unter Einsatz des eigenen Lebens, das ist in der Literatur der fünfziger Jahre wohl die überzeugenste Handlungsanleitung für den Aufbau der DDR, bei dem es nicht nur um das Weiterexistieren, sondern ganz konkret ums nackte Überleben ging.

A: Das leuchtet ein. Aber wann kommt nun das „Neue" Ihrer Interpretation?

B: Verzeihen Sie, aber für die, die immer nur darauf warten, kommt es höchstwahrscheinlich nie. Eine wirklich neue Haltung entstände nur dann, wenn wir uns alle wie Karras verhielten, das heißt uns einen Mann wie Balke zum Vorbild nähmen. Schließlich ist heute die gesamte Welt eine riesige Fabrik geworden, in der wir ständig – bei brennendem Feuer – unsere verschiedenen Ringöfen reparieren müssen, damit das Ganze nicht einfach in die Luft geht. Angesichts einer solchen Situation geben mir nur noch zweierlei Menschen Mut: jene, die sich wie Schorn, Balke oder Karras zu einem gesamtgesellschaftlichen Gewissen bekennen und dieser Gesinnung auch in der Praxis Ausdruck verleihen, die also ihre positive Aktivität aus einem sozialistisch verstandenen kategorischen Imperativ ableiten, und jene, die aufgrund ihrer antikategorischen, das heißt zutiefst pessimistischen Anschauungen auf dem untersten Grund der Dinge „aufgedotzt" sind, wie Sie das nennen, jedoch aus diesem Aufprall die nötige Kraft gewonnen haben, um wieder nach oben zu kommen und wieder etwas tun, deren positive Aktivität also aus ihrer negativen Erfahrung stammt.

A: Ich glaube, wir kommen uns allmählich näher – und ich bin froh darüber. Schließlich ist ein bloßes Kritikastergehabe immer unfruchtbar. Wenn ich es recht verstehe, könnte man also den LOHNDRÜCKER – wie Sie ihn sehen – auf zweierlei Weise in Szene setzen: als aufreizendes Warnstück oder als Brechtisches Lehrstück. Das eine Mal könnte man mit einer „Ästhetik des Schreckens" operieren, das andere Mal mit einem Grundgestus, der weiterhin auf das aufklärerische Stafettenprinzip in der Geschichte vertraut.

B: Genau. Der von einer radikalen Negation ausgehenden Deutung würde ich jene Haltung zugrunde legen, die mein Freund Schwarz vor kurzem in. den Satz zusammengefaßt hat: „Wen nicht der Zorn überkommt, wenn er unsere gegenwärtige Situation bedenkt, sondern weiter schön daherredet, als wäre nichts geschehen, wer also nicht genug Widerwillen, nicht genug Ekel verspürt, wenn er sich die politische, ökologische und nukleare Bedrohung der Welt vor Augen führt, der wird auch keinen Widerstand üben." Besser kann ich es selber gar nicht formulieren. Im Sinne solcher Thesen müßte man den Zuschauern klarmachen, daß wir noch immer mit den alten, stinkigen, desolaten Ringöfen leben, daß man uns keine Zeit gelassen hat, von Grund auf anders zu werden, und daß wir – inmitten der Dialektik der reißenden Zeit – in die Nähe des Abgrunds geraten sind, nur daß es die einen schon gemerkt haben und die anderen noch nicht. Nur dann würden die Leute begreifen, daß auch Gestalten wie Kassandra, Thersites und Müller eine gesellschaftliche Funktion haben.

A: Kühn, was Sie da anvisieren. Hoffentlich verstehen das die Zuschauer auch.

B: Leider meist nur jene, für die das bekannte „Gespräch über Bäume" kein Verbrechen ist, deren Widerstand also aus der unmittelbaren Widerlichkeit der eigenen Situation erwächst, in der das Wasser dauernd dreckiger wird und man die Luft manchmal kaum noch atmen kann.

A: Verzeihen Sie, aber das ist mir zu radikal gedacht. Was mir näher liegt, ist Ihre zweite Variante. An einer solchen Inszenierung könnte ich mich schon eher beteiligen, wenn Ihnen mein Rat überhaupt etwas wert ist. Ich finde, daß auf dieser Ebene unsere beiden Modelle durchaus vereinbar sind, ja daß sich meins in Ihrem durchaus aufheben ließe. Man bräuchte nur den historisch-konkreten Aufbau in den fünfziger Jahren als einen ständigen Auf- und Umbau der Gesamtgesellschaft zu verstehen, bei dem es ganz an uns selber liegt, wie es im LOHNDRÜCKER heißt, *ob wir zu einem besseren Leben kommen* oder nicht.

B: Aber klar, machen Sie ruhig mit, wenn Sie das nicht unter Ihrer Würde empfinden. Vielleicht sollte man bei der letzteren Variante von zwei Haltungen ausgehen. Zum einem von einer besseren Durchleuchtung der dialektischen Grundsituationen, das heißt der Dialektik zwischen Oben und Unten. Bewußtsein und Sein, Mensch und Arbeit, Gefühl und Verstand, Einzelmensch und Kollektiv sowie auch der Dialektik der sogenannten zwischenmenschlichen Beziehungen. Auf dieser Ebene müßte darum alles aktiviert werden, was heute mit Begriffen wie Kritik an der Vergangenheit, schöpferisches Umdenken, sozialistische Initiative, lebendige Diskussionen, größeres Können, Umschwung im gesellschaftlichen Bewußtsein usw. umschrieben wird, um so endlich jene Gleichgültigkeit, jenen Skeptizismus und jene materielle Bereicherung um jeden Preis zu überwinden, die uns immer wieder auf den Status quo zurückzuwerfen drohen. Das wäre das eine. Zum anderen müßte man bei einer solchen Inszenierung davon ausgehen, was heute als Umbau, Umgestaltung oder Umstrukturierung, also als kreativer Eingriff in die materiellen und ideologischen Entwicklungsprozesse propagiert wird. Meiner Meinung nach bietet gerade der LOHNDRÜCKER dafür eine ausgezeichnete textliche Grundlage. Wo, wenn nicht hier, ist soviel von Durchschauen und Umbauen, von Erkennen und Umgestalten die Rede, und zwar im Sinne einer weit in die Zukunft greifenden Dialektik, um so jene „Fähre" in Gang zu setzen, die uns *„aus der Eiszeit in die Kommune"* befördern soll, wie es Müller selbst formuliert hat?

A: Damit bringen Sie das Ganze endlich auf den entscheidenden Punkt. Hinter diesem Stück steht zwar keine ausgeformte Utopie, aber es deutet mit seinem Versuch einer dialektischen Umstrukturierung der ökonomischen und sozialen Basis zumindest die Richtung auf eine sinnvollere Gesellschaftsordnung an. Und darin besteht, finde ich, seine weiterwirkende Funktion. Oder, um einen meiner Freunde zu paraphrasieren: „Dieses Stück bietet einen entscheidenden Ansatz zur Lösung der immer noch unaufgehobenen Antinomie zwischen Beharrung und Fortschritt, Ichverhaftetsein und sozialem Gewissen. Daher ist es brauchbar. Unbrauchbar sind nur jene Stücke, deren Autoren es bereits aufgegeben haben, sich überhaupt noch um solche Lösungsversuche zu bemühen." In diesem Sinne: Wann fangen wir an, B?

B: Am besten gleich, A. Wir haben nicht viel Zeit.

Madison, Januar 1988

QUELLENVERZEICHNIS

DER GLÜCKLOSE ENGEL, geschrieben 1958, hier abgedruckt nach H. M., Theater-Arbeit, Texte 4, Berlin (West) 1975.

BILDBESCHREIBUNG, geschrieben 1984, zuerst erschienen in: Sinn und Form, Heft 5/1986, hier abgedruckt nach H. M., Shakespeare Factory 1, Texte 8, Berlin (West) 1985. © Henschel-Verlag, Berlin.

BILDER, geschrieben 1955, hier abgedruckt nach H. M., Geschichten aus der Produktion 2, Texte 2, Berlin (West) 1974.

ARTAUD, DIE SPRACHE DER QUAL, geschrieben 1977, zuerst erschienen in: Stücke der zwanziger Jahre, Hg. W. Storch, Frankfurt (Main) 1978; hier abgedruckt nach H. M., Rotwelsch, Berlin (West) 1982.

DER SCHRECKEN DIE ERSTE ERSCHEINUNG DES NEUEN, geschrieben 1979, zuerst erschienen in: Theater heute, Heft 3/1979, hier abgedruckt nach H. M., Rotwelsch, a. a. O.

„MICH INTERESSIERT DER FALL ALTHUSSER ...", geschrieben 1981, zuerst erschienen in: Alternative Nr. 137, Berlin (West) 1981, hier abgedruckt nach H. M., Rotwelsch, a. a. O.

FATZER±KEUNER, geschrieben 1979, zuerst erschienen in: Brecht-Jahrbuch 1980, Frankfurt (Main) 1981, hier abgedruckt nach H. M., Rotwelsch, a. a. O. (Beitrag folgt einem Vortrag, gehalten im März 1979 auf dem V. Internationalen Brecht-Kongreß an der University of Maryland, USA).

EIN BRIEF, geschrieben 1975, zuerst erschienen in: Theater der Zeit, Heft 8/1975, hier abgedruckt nach H. M., Theater-Arbeit, a. a. O.'

VERABSCHIEDUNG DES LEHRSTÜCKS, geschrieben am 4. 1. 1977, hier abgedruckt nach H. M., Material zu MAUSER, in: H. M., Mauser, Texte 6, Berlin (West) 1978.

DIE HAMLETMASCHINE, geschrieben 1977, Erstdruck im Programmheft ÖDIPUS, Münchner Kammerspiele 1977, hier abgedruckt nach H. M., Mauser, a. a. O. © Henschel-Verlag, Berlin.'

TAUBE UND SAMURAI, geschrieben 1986, zuerst erschienen in: ERSTE, Magazin für das Deutsche Schauspielhaus Hamburg, Mai/Juni 1986.

BRIEF AN ROBERT WILSON, geschrieben am 23. 2. 1987, zuerst erschienen im Programmheft zu Death, Destruction & Detroit II, Schaubühne, Berlin (West) 1987.

BLUT IST IM SCHUH ODER DAS RÄTSEL DER FREIHEIT, geschrieben 1981, zuerst erschienen in: Theater 1981, Jahrbuch der Zeitschrift Theater heute; hier abgedruckt nach H. M., Rotwelsch, a. a. O.

ICH WOLLTE LIEBER GOLIATH SEIN, geschrieben 1978, zuerst erschienen in: Die Zeit vom 6. 1. 1978, hier abgedruckt nach H. M., Rotwelsch, a. a. O.

DREI PUNKTE, geschrieben 1968 als Material zu PHILOKTET, zuerst erschienen im Programmheft der UA am Residenztheater München 1968, hier abgedruckt nach H. M., Mauser, a. a. O.

BRIEF AN DEN REGISSEUR DER BULGARISCHEN ERST-AUFFÜHRUNG ..., geschrieben am 27. 3. 1983, hier abgedruckt nach H. M., Herzstück, Text 7, Berlin (West) 1983.

ZUM BEISPIEL PAUL DESSAU, geschrieben 1979, zuerst erschienen in: Sinn und Form, Heft 6/1979, hier abgedruckt nach H. M., Rotwelsch, a. a. O.

MOTIV BEI A. S., geschrieben 1958, hier abgedruckt nach H. M., Germania Tod in Berlin, Texte 5, Berlin (West) 1977. © Henschel-Verlag, Berlin.

HERAKLES 2 ODER DIE HYDRA, geschrieben 1972, zuerst erschienen in: Theater der Zeit, Heft 6/1974, hier abgedruckt nach H. M., Mauser, a. a. O. © Henschel-Verlag, Berlin.

DER VATER, geschrieben 1958, zuerst erschienen in: Wespennest, Nr. 25, Wien 1977, hier abgedruckt nach H. M., Germania Tod in Berlin, a. a. O.

SCHOTTERBEK, geschrieben etwa 1953, hier abgedruckt nach H. M., Germania Tod in Berlin, a. a. O.

TODESANZEIGE, geschrieben 1975, hier abgedruckt nach H. M., Der Auftrag, Der Bau, Herakles 5, Berlin 1981. © Henschel-Verlag, Berlin.

UND VIELES WIE AUF DEN SCHULTERN EINE LAST VON SCHEITERN ..., geschrieben 1979, zuerst franz. in: Le Monde, Paris, 12. 3. 1979, dt. in: Magazin 1 Glasfront, Frankfurt (Main) 1980, hier abgedruckt nach H. M., Rotwelsch, a. a. O.

DISKUSSIONSBEITRAG AUF DER „BERLINER BEGEG-NUNG" (13./14. 12. 1981), zuerst erschienen in: Die Zeit, Nr. 53 vom 25. 12. 1981, hier abgedruckt nach H. M., Rotwelsch, a. a. O.

NEW YORK ODER DAS EISERNE GESICHT DER FREIHEIT, geschrieben am 7. 7. 1987, Vorwort zu: Arno Fischer, New York, in Vorbereitung. © Verlag Volk und Welt, Berlin.

MÜLHEIMER REDE, geschrieben am 6. 9. 1979, zuerst erschienen in: Frankfurter Rundschau vom 13. 9. 1979, hier abgedruckt nach H. M., Die Bauern. Macbeth, Berlin 1984. © Henschel-Verlag, Berlin.

ZU WALLENSTEIN, geschrieben 1985, zuerst erschienen in: Zeitung, Staatliche Schauspielbühnen Berlins (West) 1980–1985, Wallenstein (Zur Wallenstein-Inszenierung, R.: K. Emmerich, Schiller-Theater).

SHAKESPEARE EINE DIFFERENZ, geschrieben am 23. 4. 1988, Rede, gehalten anläßlich der Shakespeare-Tage in Weimar am 23. 4. 1988; Text vom Autor überarbeitet.

PHÖNIX, geschrieben 1986, zuerst erschienen auf Cover der Schallplatte Phönix von Udo Lindenberg, Polydor, Hamburg 1986.

VORWORT ZUM KATALOG DER AUSSTELLUNG BILD UND SZENE, Kulturzentrum der DDR, in franz. Sprache, Paris 1987, geschrieben November 1986, abgedruckt nach Manuskript des Autors.

Rede während des Internationalen Schriftstellergesprächs „BERLIN – EIN ORT FÜR DEN FRIEDEN", geschrieben am 6. 5. 1987, zuerst erschienen in: Berlin – ein Ort für den Frieden. Internationales Schriftstellergespräch anläßlich des 750jährigen Jubiläums der Stadt vom 5. bis 8. 5. 1987, Berlin 1987. © Aufbau-Verlag, Berlin und Weimar.

DIE WUNDE WOYZECK, geschrieben 1985, Dankrede des Büchner-Preisträgers, zuerst erschienen als Sonderdruck der Deutschen Akademie für Sprache und Dichtung, Darmstadt 1985.

ZU DEN ABBILDUNGEN

Abb. 1–4: Ruinen der Bunker des sogenannten „Atlantikwalles", aus: Paul Virilio, Bunker Archéologie, Centre Georges Pompidu, CCI, Paris 1975.

Abb. 5–10: *Die Kontinuität (des Aufbaus) schafft die Zerstörung.* (H. Müller), aus: Peter Blake, God's Own Junkyard, Holt, Rinehart and Winston, New York 1979.

Abb. 11 und 12: Außen- und Innenaufnahme vom Gelände des sogenannten „Führerbunkers" der ehemaligen Reichskanzlei. DEFA-Studio für Dokumentar- und Kurzfilme, Studio H & S 1988, unveröffentlicht. (Winfried Goldner.)

(Auswahl und Montage: Grischa Meyer)

ZU DEN AUTOREN DER KOMMENTARE

1. Anna Chiarloni, geb. 1938, Literaturwissenschaftlerin, Prof., Universität Turin, Italien.
2. Wolfgang Emmerich, geb. 1941, Literaturwissenschaftler, Prof., Universität Bremen, Bundesrepublik Deutschland.
3. Joachim Fiebach, geb. 1934, Theaterwissenschaftler, Prof., Humboldt-Universität zu Berlin, DDR.
4. Alexander Gugnin, geb. 1941, Literaturwissenschaftler, wissenschaftlicher Mitarbeiter der Akademie der Wissenschaften der UdSSR, Moskau.
5. Jost Hermand, geb. 1930, Literaturwissenschaftler, Prof., Universität Madison Wisconsin, USA.
6. Frank Hörnigk, geb. 1944, Literaturwissenschaftler, Prof., Humboldt-Universität zu Berlin, DDR.
7. Vlado Obad, geb. 1949, Literaturwissenschaftler, Universität Osijek, SFR Jugoslawien.
8. Jorge Riechmann, geb. 1962, Lyriker und Übersetzer, lebt in Madrid, Spanien.
9. Karol Sauerland, Literaturhistoriker, Prof., Universität Warschau, VR Polen.
10. Genia Schulz, geb. 1951, Literaturwissenschaftlerin, Bundesrepublik Deutschland.

INHALT

KOMMENTARE

Reclam
Bibliothek KUNSTWISSENSCHAFTEN

MAX DVOŘÁK

Studien zur Kunstgeschichte

Mit einem Essay von Irma Emmrich

Herausgegeben von I. Emmrich. Mit 32 z. T. farbigen Abbildungen.
Band 1309 (Sonderreihe) · Broschur 5,– M

M. Dvořák (1874–1921) war über ein Jahrzehnt Ordinarius für Kunstgeschichte an der Wiener Universität, prominenter Vertreter einer „Schule", die in Forschung und Lehre internationalen Ruf erlangte. Seine Studien sind geprägt von intellektueller Leidenschaft, von plastischer und treffsicherer Sprache. Unter dem Aspekt des komplizierten Widerspiels zwischen Kontinuität und Epochenumbruch in Kunst- und Geistesgeschichte blickt Dvořák auf das Werk von Dürer, Bruegel, El Greco, Tintoretto, auf Michelangelo. In Ausführungen zur Katakombenmalerei verteidigt er die künstlerische Eigenständigkeit und ästhetische Überzeugungskraft altchristlicher Kunst. Und sein Aufsatz über gotische Skulptur und Malerei bleibt ein Glanzpunkt der Kunstgeschichtsschreibung.